TRUMP

VICENTE VALLÉS

TRUMP

Y LA CAÍDA DE LOS CLINTON

A Editorial El Ateneo

la esfera ⊕ de los libros

Vallés, Vicente

    Trump y la caída de los Clinton / Vicente Vallés. – 1a ed. – Ciudad
Autónoma de Buenos Aires : El Ateneo ; Madrid : La esfera de los libros, 2017.
    352 p. ; 24 x 16 cm.

    ISBN 978-950-02-9973-2

    1. Ensayo Político. 2. Elecciones Presidenciales. 3. Estados Unidos. I. Título.
    CDD 324.973

1ª edición en España: enero de 2017
1ª edición en Argentina: abril de 2017

ISBN 978-950-02-9973-2

Impreso en Printing Books,
Mario Bravo 835, Avellaneda,
provincia de Buenos Aires,
en abril de 2017.

ÍNDICE

A mi familia.

PRÓLOGO

Los expertos conocen el fenómeno como APT. El simple uso de esas siglas pone en alerta a los servicios de inteligencia. Un APT es algo muy peligroso, al menos en potencia. Es una amenaza (*threat*), es persistente (*persistent*) y es avanzada (*advanced*). Y no es un juego en el que participen espabilados jovenzuelos desde el ordenador de su casa, con una máscara de Anonymous. Un *Advanced Persistent Threat* es una serie continuada de ataques cibernéticos con objetivos muy concretos y, lo más importante, dirigida por el gobierno de un país contra otro país, o contra empresas, o contra alguna entidad nacional o multinacional. La palabra es ciberespionaje, y ningún país del mundo ha llegado a los niveles de sofisticación alcanzados por China y Rusia. Disponen de los mejores recursos informáticos y de una organización preparada hasta el detalle desde hace, al menos, una década.

En el caso de Rusia, además, se ha empezado a crear una cierta aureola mística en torno a un grupo de individuos, conocidos en algunos ámbitos especializados como APT29, pero más famosos por el apodo que les gusta utilizar: los Duques. *The Dukes* trabajan al servicio del gobierno ruso al menos desde 2008, cuando el exespía del KGB Vladimir Putin tuvo que ceder la presidencia de la Federación Rusa durante cuatro años, por motivos constitucionales, a su marioneta política Dimitri Medvedev, quedándose como primer ministro a la espera de intercambiar los cargos en 2012, como así hicieron.

Los Duques han operado contra organizaciones criminales que amenazaban a Rusia. Pero también, y sobre todo, son conocidos y temidos por realizar operaciones de ciberespionaje contra otros países, utilizando herramientas de *malware* creadas por ellos y que llevan nombres como OnionDuke, CloudDuke, MiniDuke o PinchDuke. Sus primeros ataques detectados fueron contra los rebeldes chechenos. Pero pronto empezaron a actuar contra gobiernos y entidades occidentales. Lo hicieron, por ejemplo, contra la OTAN cuando empezaron las hostilidades en Ucrania. Disponen de recursos técnicos, humanos y económicos. Estados Unidos lo sabe. Estados Unidos lo teme. Estados Unidos lo sufre.

Desde hace años, el FBI ha tratado de frenar la entrada de estos ciberespías rusos en los servidores de las instituciones americanas. No siempre lo ha conseguido. Para evitar esas invasiones no todo parece tan sencillo como construir un muro en la frontera de México. Los Duques lanzaron ataques sobre los servidores de la Casa Blanca, y del Pentágono, y del Congreso, y de los partidos políticos americanos. No necesitaban enviar agentes 007, para que atravesaran las fronteras con pasaportes falsos, antes de colarse sin ser vistos en las sedes de esas instituciones para hacer fotos con una minicámara. Ahora, los espías están cómodamente sentados en algún remoto lugar de la extensa Eurasia, delante de una pantalla. Sin riesgo y muy efectivo.

¿Ganó Donald Trump las elecciones gracias a los Duques de Vladimir Putin? Igual que ocurre con tantas otras preguntas, la que se acaba de plantear tiene respuesta evidente para algunos (*sí* para sus enemigos, y *no* para sus amigos) y quedará en la duda perpetua para la mayoría. Pero Trump nunca podrá librarse de ella. La pregunta hará dudar para siempre de la limpieza y de la legitimidad de su victoria y reblandecerá su legado para la historia, sea cual sea.

De la misma manera, decenas de millones de americanos y cientos de millones de otros ciudadanos del mundo consideran incomprensible que el presidente de los Estados Unidos haya resultado ser el candidato que perdió las elecciones por casi tres millones de votos. Se han dado muchas explicaciones constitucionales sobre las bondades del viejo sistema del Colegio Electoral. Es un método de elección indirecta, como los hay en otros muchos países democráticos del mundo. Con el *Electoral College*, los votantes eligen a los compromisarios de cada uno de los cincuenta estados de la Unión. El número de compromisarios depende de la población de cada estado. Y un candidato consigue el cien por cien de los compromisarios de un estado aunque solo tenga un voto más que su rival. *The winner takes it all*. El ganador se queda con todo.

Donald Trump se quedó con todo, porque Hillary Clinton ganó muchísimos votos allí donde no necesitaba tantos, y dejó de ganarlos allá donde le resultaban imprescindibles. A Hillary no le sirvió de nada doblar el número de votos de Trump en California. Ganó, incluso, en el condado de Orange, al sur de Los Angeles, donde los republicanos habían sido los más votados de forma ininterrumpida desde hacía ochenta años. Para nada. Porque donde Clinton necesitaba ganar era en Wisconsin, y en Florida, y en Ohio, y en Pennsylvania, y en Michigan. Y no lo hizo. O bien porque su campaña fracasó en esos estados, o bien porque los Duques lo impidieron vía internet desde las frías tierras de Rusia.

La visión panorámica de los resultados ofrece un dato muy singular: Hillary Clinton ganó por mucha distancia en los estados tradicionalmente demócratas, aquellos en los que aumentar su ventaja con Trump no le suponía ninguna ayuda suplementaria; pero Trump ganó en todos los estados que estaban en disputa, y en la mayoría de ellos por apenas un puñado de votos.

Millones de americanos, incluidos muchos políticos y periodistas, clamaron por un cambio en el sistema del Colegio Electoral. Pero no hubiera sido necesaria reforma alguna. Bastaba con recuperar el espíritu de su propia creación. *Back to basics.* Alexander Hamilton, federalista de primera hora en el nacimiento de la nación americana, lo explicaba con ojo de visionario en el siglo XVIII. El Colegio Electoral no se creaba para transponer automáticamente el resultado de la votación y, por tanto, confirmar sin más como presidente al candidato con más votos electorales. No, no era eso. El Colegio Electoral se creó precisamente para lo contrario.

En *Los papeles federalistas*, Hamilton tranquilizaba a sus conciudadanos al afirmar que el sistema del Colegio Electoral «ofrece una certeza moral de que el cargo de presidente nunca caerá en manos de ningún hombre que no esté dotado de las cualificaciones necesarias». Y añadía algo que bien pudo ser escrito antes de que el 19 de diciembre de 2016, los 538 miembros del Colegio Electoral refrendaran a Donald Trump: que esos delegados debían ser hombres juiciosos «capaces de analizar las cualidades» de los candidatos. Es decir, tenían que tomar una decisión por sí mismos, no asumir la que les venía dada. Porque «los talentos para la intriga baja, y las pequeñas artes de la popularidad, por sí solos no bastan para elevar a un hombre a los primeros honores del Estado. Serán necesarios otros talentos y otro tipo de méritos para ganarse la estima y la confianza de toda la Unión, o de una porción tan considerable de ella, que le hagan ser un candidato exitoso para el distinguido cargo de presidente de los Estados Unidos». Hamilton y quienes con él sentaron las bases políticas del país consideraban que no se podía dejar la decisión final sobre el presidente solo en manos del pueblo, a través de una elección directa. Se debía, en su opinión, establecer un filtro de personas especialmente capacitadas para discernir si el ganador merecía serlo. Era lo que querían los padres fundadores. Pero el sistema del Colegio Electoral derivó en un mecanismo automático, no deliberativo, e incluso algunos Estados emitieron leyes para obligar a sus miembros a votar por el candidato ganador en su territorio. Y Donald Trump fue presidente.

Todo lo ocurrido el 8 de noviembre de 2016 nos sitúa ante uno de los procesos electorales más apasionantes y con resultado más increíble en las cincuenta y ocho elecciones presidenciales que se han celebrado en los doscientos cuarenta años de democracia en Estados Unidos. Casi nadie previó lo que iba a ocurrir. Casi nadie quería preverlo. Casi nadie quería creerlo. Casi nadie podía imaginar que el mismo país que había elegido al primer presidente de raza negra iba a elegir después al candidato que se presentaba con un discurso calificado por muchos como racista. Que Donald Trump suceda en el cargo a Barack Obama es mucho más que un sarcasmo de la historia.

Trump ha sido caracterizado de mil formas, y casi ninguna favorecedora. La más repetida (y quizá la más acertada) es la de ególatra. Que Trump siente un amor apasionado por su propia persona es algo que ni siquiera él niega. Lo que caracteriza a un ególatra es, precisamente, demostrar en público el cariño en primera persona del singular. Pero ha sido también calificado como payaso, filonazi o *showman*. Otra descripción muy común es la de populista. Este término sirve para definir a muchos dirigentes políticos, desde la extrema izquierda hasta la extrema derecha, y casi siempre se acierta al aplicarlo.

Pero Trump es, sobre todo, trumpista. No tiene un cuerpo ideológico compacto, sin embargo todas las ideas que lanza (muchas de ellas se le ocurren sobre la marcha) tienen ese diseño reconocible que las hace solo propias de él. No son imaginables en boca de nadie más. Por eso Trump es único. Y, quizá por eso, Trump es el presidente de los Estados Unidos.

Quizá, porque fue capaz de aglutinar a su alrededor las ansias de gritar de muchos hombres de raza blanca; ganas acumuladas durante los años en los que el régimen político dominante era, no el de demócratas o republicanos, sino el de lo políticamente correcto. Trump rompió con eso y Trump ganó la presidencia. Ganó porque recuperó mensajes que habían desaparecido del mercado electoral y que nadie reivindicaba desde hacía décadas. Algunos, desde hacía un siglo. Pero en las elecciones se pudo comprobar que estaban ahí, latentes en amplios sectores de la sociedad americana que habían guardado silencio por miedo a la corrección política. Con Trump volvieron a aflorar. Perdieron el miedo.

Robert Schlesinger, alto cargo de la revista *US News & World Report* e hijo del conocido historiador Kennedy Arthur Schlesinger, ha definido a Trump para este libro como «matón, misógino, fabulador, mentiroso obsesivo y estafador», solo capaz de ganar las elecciones debido al «caprichoso sistema electoral americano, más que por la decisión de sus votantes». «Dos de los tres últimos presidentes americanos —dice Schlesinger— lo han sido en contra del voto popular. Esto no es sostenible y hay que cambiarlo».

Luis Quiñones, asesor de Donald Trump y de evidente origen latino (su abuelo nació en España), nos dice, por el contrario, que «Trump no es una persona tan complicada; se dedica mucho a su familia y es muy leal con quienes le son leales. Tiene mucha imaginación y mucha visión. Sabe delegar responsabilidades. Y sabe enfrentarse con sus rivales, porque tiene mucha experiencia en conflictos con sindicatos, inspectores y contratistas. Para mantener los proyectos bajo control hay que ser duro. Al entrar en política, Trump ha usado esa parte de su personalidad para enviar el mensaje a ese pueblo que está cansado de escuchar promesas falsas. La gente está harta de políticos que solo se preocupan de no herir la sensibilidad de personas con problemas de autoestima». Los complejos no ocupan lugar en el equipo de Donald Trump.

Después de las elecciones, miles de americanos mostraron su arrepentimiento por no haber votado, o por haberlo hecho a partidos menores, en la seguridad de que Hillary Clinton ganaría sin apuros. El arrepentimiento se tradujo en manifestaciones y en recursos ante los tribunales. Querían ganar después de haber perdido. Ni las manifestaciones ni los recursos podían alcanzar su primer objetivo, que era el de deponer al presidente electo antes de que tomara posesión de su cargo. Pero sí podían conseguir, y en buena medida lo lograron, un objetivo menos inmediato, pero de calado más profundo: generar la sospecha de que Trump es un presidente ilegítimo, sin el derecho a gobernar, bien sea por la intervención de los *hackers* rusos, o por la duda sobre el escrutinio de votos en los estados clave, o por el hecho constatado de que Hillary ganó por una enorme distancia en el voto popular, o por la suma de todas esas circunstancias. Y, por tanto, con la vista puesta en las elecciones de 2020, en el intento de convertir a Donald Trump en presidente de un solo mandato. Porque no hay nada peor en política que alcanzar la gloria para perderla a la primera ocasión.

Entretanto, Trump gestionará un país cuya influencia se extiende por el planeta como la de ningún otro. Se presentó ante los votantes americanos diciendo «yo no soy un político». El apóstol de la antipolítica ha alcanzado la más alta posición de poder político en el mundo. Tan simple como Donald Trump. Tan contradictorio como Donald Trump. Tan exitoso como Donald Trump.

1

¿DE QUIÉN FUE LA CULPA?

LOS ENGAÑOS

La culpa bien pudo ser de un engaño que surgió hace más de un siglo. Si el rumor infundado no se hubiera difundido entre los periodistas de Washington en 1913 es posible que Donald Trump no hubiera ganado la presidencia en 2016. Ni siquiera lo hubiera intentado. Solo quizá. Pero no hay nadie más sensible a un chisme que un periodista. Y no hay periodista más fatuo que un miembro del cuerpo de corresponsales de la Casa Blanca. Es la élite de la élite. Y esa élite creyó en 1913 la especie que circulaba de boca en boca de que el presidente Woodrow Wilson iba a encargar a un comité del Congreso la tarea de decidir qué periodistas tendrían acceso a las conferencias de prensa de la Casa Blanca. Intolerable.

Quizá fue culpa de William Wallace Price. Si él no hubiera creído en aquel engaño, es posible que Trump no hubiera sido presidente. William pasa por ser el primer periodista ocupado a tiempo completo en cubrir la Casa Blanca. Trabajaba para *The Washington Star*, el gran periódico de la ciudad que acabó devorado por una bancarrota en 1981. En los primeros años del siglo xx, William era quien más exclusivas conseguía, utilizando una táctica tan periodística como ser el único que esperaba a las puertas de la Casa Blanca, hiciera frío o calor, para hablar con quienes se habían reunido con el presidente. Cuentan que Theodore Roosevelt se apiadó de Price un día que se lo encontró empapado como una sopa a las puertas de la residencia presidencial, porque llevaba horas haciendo guardia informativa bajo la lluvia. A partir de ese día se le asignó una pequeña oficina para que pudiera trabajar dentro. Fue la primera sala de prensa de la Casa Blanca.

Quizá la presidencia de Trump sea culpa del chisme creído por William y por la consecuencia que tuvo: Price se negó a que hubiera límites al acceso a las comparecencias, y reunió a otros periodistas para crear la WHCA, la White House Correspondents' Association (Asociación de Corresponsales de la Casa Blanca), con el objetivo de actuar como contrapoder y defender el derecho a la información.

Quizá Trump llegó a ser presidente por culpa de la WHCA, que en 1920 tomó la decisión de halagarse a sí misma por su grandilocuente labor profesional, creando las Cenas de los Corresponsales de la Casa Blanca.

Quizá que Trump se lanzara a la carrera presidencial se deba a que en 1924 Calvin Coolidge aceptó por primera vez asistir a esa cena y creó la tradición de que los presidentes se reunieran con los periodistas para contarse chismes una vez al año en una reunión distendida.

Aunque la culpa podría ser más bien de Paul Wooten, corresponsal en la Casa Blanca de *The New Orleans Times-Picayune* y presidente de la Asociación, hombre no muy bien encarado, y que creyó llegada la hora de abrir la cena a personalidades de otros ámbitos, más allá de la política y el periodismo: las estrellas de Hollywood, de la música y, posteriormente, también de la televisión o empresarios conocidos. En su egolatría, los corresponsales se quisieron rodear de celebridades (como nosotros, debieron pensar), y aquel año de 1944 asistieron al evento Bob Hope, Gracie

Fields y Elsie Janis. En años posteriores, también fueron invitados Frank Sinatra, James Cagney, Peter Sellers, Barbra Streisand, Duke Ellington, Ray Charles, Jay Leno y... Donald Trump.

Quizá la culpa de que Trump alcanzara la presidencia de los Estados Unidos fue de David Jackson, periodista del *USA Today* y presidente de la WHCA. Fue él quien invitó a Trump a la cena de la Asociación de Corresponsales en 2011, protagonizada por el presidente Barack Obama. O quizá la culpa fue de Obama, por ponerse elegante y ofensivo con Trump. Pero quién no se pone así de vez en cuando... La propia WHCA tuvo a bien dar su recibimiento al nuevo presidente electo el 16 de noviembre de 2016, solo ocho días después de su victoria, con un comunicado en el que criticaban a Trump y a su equipo por haber salido a cenar por Nueva York sin organizar un *pool* de periodistas que le siguiera. Esa es la tradición: un presidente, aunque sea electo, deja de inmediato de ser un particular, y a partir de entonces carece de momentos privados. En el mejor de los casos, puede disfrutar de algún momento íntimo. Pero todo lo demás es público, y todo se debe contar al público. «Es inaceptable que el próximo presidente de los Estados Unidos se traslade sin un *pool* que recoja sus movimientos e informe sobre su paradero (...). Es imprescindible que se permita a los periodistas hacer su trabajo», aseguraba la nota de protesta firmada por Jeff Mason, presidente de la Asociación y corresponsal de la agencia Reuters.

Resumiendo: si en 1913 nadie hubiera lanzado el engaño de que la Casa Blanca iba a limitar el acceso a las comparecencias del presidente, en 1914 no se hubiera creado la Asociación de Corresponsales de la Casa Blanca y, como consecuencia, nadie hubiera lanzado en 1920 la idea de organizar cada año una cena de corresponsales y, por tanto, al presidente Calvin Coolidge no se le habría presentado en 1924 la ocasión de dejarse invitar, estableciendo así un precedente seguido por los demás presidentes, ni los corresponsales hubieran tenido la ocasión de imaginar en 1944 que quizá fuera buena idea invitar también a estrellas de Hollywood, de la música y empresarios famosos, con lo que Trump nunca habría sido invitado en 2011 a una cena de corresponsales, y Obama habría tenido que dedicar su discurso a otra cosa. Aunque no hubiera sido necesario porque, si nada de lo anterior se hubiera producido, quizá nunca habrían existido ni la Asociación de Corresponsales, ni sus cenas, y aquel último sábado de abril de 2011 el presidente habría cenado en la Casa Blanca con su familia, y Donald Trump lo hubiera hecho con la suya en su lujoso y espacioso apartamento de la Trump Tower neoyorkina. Obama no habría podido humillar a Trump como lo hizo, y quizá Trump nunca hubiera sentido la pulsión irreprimible de lanzarse a la carrera por la presidencia, a modo de venganza.

LA EGOLATRÍA Y LA CENA DE LOS CORRESPONSALES

Donald Trump «es una persona tan ególatra que siente más necesidad de atención que un recién nacido», según descripción de David Remnick, editor de la prestigiosa revista *New Yorker*. Es el mismo hombre que está cómodo definiendo a su exmujer como «buenas tetas, cero sesos». Pero ¿por qué alguien como él quisiera ser presidente de los Estados Unidos? Y, ¿cuándo decidió que quería vivir en la Casa Blanca? Remnick lo confirma. Sí, fue por el menoscabo que sintió en aquella (*fucking*) cena de corresponsales.

En efecto, cada último sábado de abril desde 1920 se presenta la ocasión a la que todos quieren ser invitados, aunque solo los hombres podían participar hasta 1962. Aquel año, la famosa y eterna corresponsal Helen Thomas pisó fuerte. Cubrió la Casa Blanca durante cincuenta años y diez presidentes, casi como Fidel Castro. El primero, Kennedy. Días antes de la cena de corresponsales de aquel año, Hellen Thomas se plantó ante JFK y le presionó para que forzase a la Asociación de Corresponsales y se invitara también a las periodistas. Kennedy se dirigió entonces a la Asociación y amenazó con no asistir a la cena si aquel seguía siendo un evento solo para hombres. La presión tuvo su efecto. Estados Unidos vivía en la era de los derechos civiles. Camelot en la Casa Blanca.

Solo guerras, la muerte del presidente o situaciones similares han obligado a suspender la cena de corresponsales, la cena de los *insiders* dispuestos a competir por establecer quién cuenta el mejor chiste de la noche, empezando por el presidente. Demasiada camaradería entre políticos y periodistas, según una corriente de opinión creciente, que ha llevado a algunos medios a optar por ausentarse de estos actos. Pero siguen siendo un gran acontecimiento político-mediático, que se emite en directo por televisión.

Aquella noche de abril de 2011, la cena de los corresponsales fue presentada por Seth Meyers, un brillante humorista del famoso programa *Saturday Night Live*. La sala del hotel Hilton de Washington estaba repleta de periodistas, famosos y políticos. Entre los famosos destacaba uno en especial: Donald Trump, sentado en la mesa asignada al diario *The Washington Post*.

Por aquellos días, Trump era el magnate dicharachero, engreído, amante de sí mismo y petulante que llevaba tiempo enredando con la teoría conspirativa de que Barack Obama no había nacido en territorio de Estados Unidos y, por tanto, no podía ser presidente del país porque incumplía la Constitución. La nada inocente travesura de Trump había alcanzado tal eco que el estado de Hawái se sintió en la obligación de intervenir haciendo pública la partida de nacimiento de Obama, firmada por el hospital de Honolulu en el que vino al mundo el presidente. Se daba por hecho que aquella «herramienta», publicada de forma tan oportuna, sería utilizaba vivamente por Obama durante su discurso ante los corresponsales. Y lo hizo. Muy vivamente. Quizá más de lo conveniente.

Después de los saludos iniciales, de que los invitados mostrasen su mejor corbata (los hombres) y sus mejores vestidos (las mujeres), y de que un discreto agente del Servicio Secreto revisara el atril (por las dudas), una profunda voz de barítono anunció la presencia del presidente de los Estados Unidos. Pero no apareció él. Con las luces apagadas se emitió un vídeo carente de la más mínima inocencia política. Empezaba con un intenso rock, cargado de guitarra eléctrica y batería ardiente. La canción decía así: «Soy un verdadero americano», mientras mostraba el certificado de nacimiento de Obama. Se encendieron las luces y allí estaba Obama en el atril, dando permiso a la concurrencia para que tomara asiento. Para remarcar el mensaje, el presidente empezó su intervención con un saludo a sus «compatriotas americanos», haciendo especial énfasis con su voz en la palabra «compatriota», como queriendo dejar claro que él también lo era. Risas en el auditorio. Y dio las gracias, pero no en inglés, sino en la lengua original de su tierra natal Hawái: *mahalo*. Más risas en el auditorio.

El espectáculo de Obama *versus* Trump no había hecho sino empezar a calentar los motores, y aún tenía que tomar velocidad. «Mi certificado de nacimiento acabará con las dudas. Pero, por si acaso, iré más allá. Esta noche, por primera vez, voy a hacer público el vídeo oficial de mi nacimiento». El realizador televisivo del evento, buen conocedor de quién era el destinatario último de la ironía, ordenó a uno de sus cámaras que hiciera un zoom sobre la mesa de *The Washington Post*, y captara la imagen de Donald Trump mientras escuchaba a Obama. Todos reían a su alrededor menos él, que mantenía un gesto hierático y desafiante ante el presidente de los Estados Unidos. Obama dio entonces paso al vídeo, y en las pantallas del hotel Hilton aparecieron las escenas del nacimiento del Rey León, en la famosa película de dibujos animados. El revuelo se hizo en la sala, mientras se encendían de nuevo las luces.

Obama ironizó entonces con los periodistas de Fox News, poco cercanos políticamente, a los que indicó con notable mala intención (sería más preciso decir mala leche) que aquel vídeo era una broma, no la imagen real de su nacimiento. Hacía tal aclaración por si eran tan estúpidos como para no haber entendido la obviedad del chiste. Tampoco hubo risas en la mesa de Fox News. No parecía que la ironía presidencial les hiciera ni pizca de gracia. Y llegaba el turno de Trump, como Trump esperaba (y, probablemente, deseaba por aquello de la atención modelo bebé que aspira a tener), en un ejemplo de actitud entre sádica y masoquista.

«Nadie estará más feliz que Donald de que se hayan despejado las dudas sobre el certificado de nacimiento, porque por fin podrá volver a ocuparse de asuntos de mayor trascendencia como, por ejemplo, si el alunizaje fue un simulacro, o qué ocurrió en realidad en Roswell (famoso supuesto episodio de un encuentro con extraterrestres que se produjo en Estados Unidos en los años sesenta)». Trump, enfocado en primer plano por la cámara, apenas se movía. Ni quería darle a Obama el gusto de celebrarle sus gracias, ni tampoco quería dar la sensación de que le estuvieran dejando en ridículo. ¿Qué cara hay que poner para que no parezca ni lo uno ni lo otro? Trump optó por una media sonrisa, apenas perceptible, y por hacer ligerísimos movimientos de cabeza, como dando contestación a Obama, pero sin dársela. Para interpretaciones libres.

Pero el presidente no había terminado: «Todos conocemos tus credenciales y tu amplia experiencia». Y lanzó una andanada, en medio de las carcajadas de la concurrencia, sobre la «difícil» decisión que Trump había tenido que tomar al despedir a un concursante del *reality show* televisivo que presentaba, *El aprendiz*. «Ese es el tipo de decisiones que no me dejan dormir por las noches», le espetó Obama con un sarcasmo hiriente. «Buena gestión, sí señor. Buena gestión». Traducción: yo soy el presidente y, por tanto, soy el hombre más poderoso del mundo, y tú presentas un programa de televisión.

Era un misil con cabeza nuclear. Trump estaba siendo ridiculizado por el presidente de los Estados Unidos de América ante toda la prensa nacional, y delante de millones de personas en su país y en el mundo, en directo por televisión, mientras el auditorio del hotel Hilton se desternillaba de la risa. Trump apenas se movía, pero todas las miradas estaban puestas en él… hasta que trató de rebajar la tensión que sufría levantando la mano para saludar a Obama y poner una mueca que solo con mucha imaginación podía parecer una sonrisa.

Pero había más. Las entrañas del presidente llevaban tiempo removiéndose por las acusaciones de Trump, y aquel era el día del desquite. Y se desquitó con lo que, a la vuelta de cinco años, se pudo comprobar que había sido todo un ejercicio de futurología presidencial.

«Vean —dijo Obama— los cambios que el señor Trump traerá a la Casa Blanca»… Barack Obama ubicaba el nombre de Trump y la Casa Blanca en una misma frase por primera vez. Abril de 2011. De inmediato, apareció en las pantallas la imagen de la fachada de la residencia presidencial, con rótulos propios de una sala de espectáculos, el nombre de Trump en lo alto, y el anuncio de que aquello era un hotel con casino y un campo de golf; uno más de los negocios inmobiliarios y recreativos del magnate. Más carcajadas. ¡Qué chiste, presi! ¡Decir que Trump va a ocupar la Casa Blanca! Jajaja, por aquí; jajaja, por allá. ¡El idiota de

Trump en la Casa Blanca! ¡Me muero, presidente! Jajaja. Y mientras, Trump se tragaba la bilis, quizá prometiéndose a sí mismo que algún día ocurriría justo eso con lo que Obama se burlaba de él. Algún día, Barack, me entregarás tú, personalmente, las llaves de la Casa Blanca, la maleta con el botón nuclear y todas las herramientas de poder de las que goza el presidente de los Estados Unidos. Porque algún día, más pronto que tarde, todos estos que hoy se burlan de mí me rendirán pleitesía, y me llamarán presidente. Y ese seré yo, no tú, Barack. Ríete mientras puedas, porque llegará el momento en el que me tendrás que recibir en el Despacho Oval para traspasarme la gloria política más deseada del mundo. Y ya no harás chistecitos facilones sobre los casinos o sobre mi *reality show*. Te reto a este duelo, Barack, y lo voy a ganar. Porque siempre gano y lo sabes.

Llegados a ese punto, en la cena de los corresponsales se acabaron las bromas. Obama hizo algunas alusiones serias sobre asuntos del momento, y cerró su intervención. Minutos después, el humorista Seth Meyers tomó la palabra y volvió a burlarse de Donald Trump. Al día siguiente, Trump llamó «tartamudo» a Meyers, lo que provocó la protesta airada de la Asociación de Tartamudos de Estados Unidos.

Había sido una noche dura para el hombre que decía haber construido un imperio económico; para quien se ufanaba de no confiar en nadie que no fuera él mismo (un imitador de la NBC puso en su boca que solo había un vicepresidente posible para un eventual presidente Donald Trump: el propio Trump, que habría creado un clon para ir juntos a las elecciones); para quien había querido poner su nombre en grandes rótulos en lo alto de los rascacielos que construyó. Trump se consideraba a sí mismo invencible, y nadie podía cuestionar sus capacidades ni ridiculizarle de manera impune. Ni siquiera el presidente de los Estados Unidos. Y menos aún si se trataba de Barack Obama.

De visita en el Despacho Oval

Cinco años, seis meses y diez días después, el jueves 10 de noviembre de 2016, Barack Obama se sentaba en el butacón que hay a la izquierda de la chimenea del Despacho Oval. Y a menos de un metro, en el butacón de la derecha, se sentaba Donald Trump. Ambos llevaban el inevitable pin con la bandera de Estados Unidos en el ojal de sus chaquetas. Obama, corbata en tonos grises y con dibujitos geométricos casi imperceptibles. Trump, corbata roja lisa y brillante. Y se dijeron cosas muy amables. Profesionalidad, ante todo.

«Acabo de tener una excelente conversación con el presidente electo Trump». Obama es, siempre ha sido, la elegancia personificada. Estaba incorporado sobre la butaca, para no parecer desganado. Piernas abiertas en actitud elástica, casi deportiva. «Hemos hablado de algunos asuntos organizativos de la Casa Blanca», explicó con cara de estadista, mientras Trump le miraba con atención, con gesto de qué-cosa-tan-importante-estoy-haciendo-hoy-porque-soy-el-presidente-electo. ¡Qué recuerdos, Donald! Nunca lo ha dicho, y quizá nunca lo reconozca, pero esa mañana en la Casa Blanca pudo recordar lo que ocurrió aquella noche, la de la humillación del hotel Hilton. Y Obama, también.

«Hemos hablado de política exterior. Hemos hablado de política doméstica. Y como ya he explicado, mi primera prioridad en los próximos dos meses es facilitar una transición que asegure el éxito de nuestro presidente-electo». «Nuestro presidente-electo». Jamás hubiera querido Obama verse obligado a decir esas palabras en referencia a Donald Trump. No era esa la historia que tenía en su cabeza.

«Creo que es importante para todos nosotros, más allá de los partidos, más allá de las preferencias políticas, estar unidos, trabajar unidos, para gestionar los muchos desafíos a los que nos enfrentamos. Sobre todo quiero enfatizar, señor presidente electo, que vamos a hacer cualquier cosa que le ayude a tener éxito. Porque si usted tiene éxito, el país tendrá éxito». Atrás, muy lejos, quedaban aquellas despectivas ironías de la infausta cena de los presuntuosos corresponsales de la Casa Blanca. Señor presidente electo…

Y el señor presidente electo dio las «gracias al presidente Obama» y puso en valor lo bien que se llevaban al destacar que «esta reunión iba a durar quizá diez o quince minutos para que nos conociéramos, porque nunca nos habíamos reunido antes». Nunca se habían reunido antes. Solo se habían visto en persona, en la lejanía, en aquella cena. En la cena. Y, de repente, «tengo un gran respeto (por el presidente Obama). La reunión ha durado casi hora y media. Y podía haber durado más tiempo. Espero contar con el consejo del presidente. Ha sido un gran honor estar con usted, y espero que nos encontremos muchas más veces en el futuro». Ni un mal gesto, ni un desplante siquiera insinuado. Seriedad presidencial en la sede de la presidencia, y delante del presidente. Delante de Estados Unidos, y ante los ojos del vasto mundo.

Lo había conseguido. Aquello que, quizá, pensó la noche de abril de 2011 en la cena de los corresponsales, se convertía en realidad. Estaba en la Casa Blanca. Aún no como inquilino de pleno derecho, pero ese momento mágico estaba al caer. «Papá, soy presidente de los Estados Unidos».

PAPÁ FRED

Fred ya no podía oír a su hijo. Frederick Christ Trump se había ido para siempre en junio de 1999. Mucho antes de su partida, allá por los años setenta, dejó «en préstamo» a su hijo (según versión interesada o real, nunca ha estado claro) un millón de dólares para que se pusiera en marcha como empresario. Lo hizo, y superó de largo a su padre, porque supo convertir su apellido en una marca de éxito, como Chanel o Coca-Cola. Además, evitó competir con Fred, que trabajaba sobre todo en los distritos neoyorkinos de Brooklyn y Queens, mientras Donald se centró en Manhattan: «Me quedé Manhattan para mí». En cuestiones inmobiliarias, eso era como pasar de la mitad al doble. O al triple. O al cuádruple. Aunque no está claro si la decisión de hacer negocios en Manhattan fue del propio Donald o una inteligente sugerencia de su padre. En cualquier caso, el propio Fred llegó a reconocer que logró «algunos de mis mejores negocios por mi hijo, Donald. Cada cosa que toca se convierte en oro». Robert Trump, su hermano, asegura que «Donald ha conseguido lo que tiene por sí mismo, aunque sí supo aprovechar la condición de hijo de Fred», por las puertas que eso le abría y los consejos que le daba. Fred era un hombre fiel en todo. Murió sin haber cambiado de secretaria durante cincuenta y nueve años. Se llamaba Amy Luerssen. Su esposa lo fue durante sesenta y un años, y ambos vivieron hasta su muerte en una casa de Queens construida en 1951.

El hijo de ambos, Donald Trump, el cerco antiinmigración de la campaña presidencial de 2016, era, en toda la extensión del término, un inmigrante de segunda generación por parte de madre, y de tercera generación por parte de padre.

Algo especial debe de tener la región alemana del Palatinado. Y algo muy especial debe de tener un pueblecito de poco más de mil habitantes llamado Kallstadt, no muy lejos de la frontera con Francia y Luxemburgo, y a una hora de coche de Frankfurt. Allí, en ese pueblo de iglesia con campanario y viñas en el campo, tienen sus raíces dos familias que hicieron fortuna en Estados Unidos: los Trump y los Heinz (propietarios de la famosa marca de tomate Ketchup).

Los Trump ya residían en Kallstadt en los primeros años del siglo XVII. Se tienen datos de la presencia allí de Hanns Drumpf, que al parecer se dedicaba a asuntos de leyes. El apellido de la familia derivó en Trumpf con el paso de las generaciones. Así aparece en el registro de inmigrantes llegados a Estados Unidos. La F final desapareció poco después.

Fue el abuelo Friedrich, nacido en 1869, quien puso sus pies en Estados Unidos. Con solo dieciséis años se fue de casa, y en el norte de Alemania embarcó con destino al nuevo mundo. Buscaba fortuna, como otros tantos emigrantes. Los biógrafos de la familia cuentan que Friedrich hizo de casi todo para ganarse la vida: desde buscar oro hasta cortar el pelo.

Lo hizo con buen ojo de negociante, porque vio llegar la avalancha de aventureros en busca del oro aparecido en Canadá y Alaska, y se dedicó a poner en marcha hoteles y restaurantes en las zonas cercanas a aquellas en las que se había desatado la fiebre por encontrar el vil (y muy valioso) metal. Aquellos locales no eran, precisamente, conocidos por su elevada defensa de la moral pública. Pero daban dinero. Los nietos de Friedrich niegan la versión de que los hoteles fueran, parcialmente, burdeles. Pero la historia ha tenido éxito, y se considera la más ajustada a la realidad.

En 1889 Friedrich se unió a un grupo de buscadores de oro y navegó con ellos por el río Yukón, en busca de nuevos yacimientos. Pero la travesía terminó con el barco encallado en una zona del Golfo de Alaska. Allí quedaron atrapados durante un mes, hasta el punto de temer por sus vidas, porque los víveres que llevaban a bordo no les permitían alimentarse durante mucho más tiempo. Si Friedrich y sus compañeros no hubieran sido encontrados por otro barco, la dinastía de los Trump hubiera terminado allí.

Friedrich comenzó entonces a hacerse llamar Frederick, para mezclarse mejor con el paisaje. Pero cuando el oro empezó a escasear y los buscadores decidieron buscar fortuna en otros lugares, el emigrante alemán decidió volver a casa. En Kallstadt estuvo el tiempo suficiente para casarse y volver a embarcar hacia Nueva York, donde se estableció durante otra temporada. No mucho. Su mujer estaba embarazada y quería regresar a su país. De nuevo, lo hicieron. Y si hubieran podido quedarse en Alemania, como deseaban, quizá Donald Trump no habría nacido, porque su padre, Fred, habría venido al mundo en Europa y nunca hubiera conocido a su esposa escocesa en Nueva York.

Pero la estancia en Alemania de nuevo duró poco tiempo, aunque esta vez no fue corta por voluntad propia. Las autoridades alemanas no reconocieron por más tiempo la nacionalidad alemana de Friedrich-Frederick. Le acusaban de haber huido del país para no hacer el servicio militar y la pena por ese delito era perder la ciudadanía. De manera que fue expulsado del país. Aun así intentaron volver a Alemania alguna vez más, sin éxito. Los Trump se establecieron en Estados Unidos de forma definitiva.

Y allí nació Frederick Christ Trump, el padre de Donald, el 11 de octubre de 1905. Se crio, con sus dos hermanos, en un barrio de clase media llamado Woodhaven, en el distrito neoyorkino de Queens, donde vivían otros emigrantes alemanes. La añoranza de su país seguía viva.

Eran tiempos de novedades tecnológicas que cambiarían el mundo. Justo en aquel año de 1905, la llegada de la electricidad hizo que se pusieran en marcha los primeros tranvías sin caballos en el barrio donde vivían.

Con solo trece años de edad, Fred vio morir a su padre cuando paseaba con él junto a varias tiendas regentadas por alemanes en la Avenida de Jamaica, no muy lejos de donde hoy está el aeropuerto JFK. Y con catorce años empezó a trabajar cuando salía de la escuela. Fue su primer contacto directo con el negocio inmobiliario: ayudar en el transporte de madera con caballos para las obras de construcción.

En 1920, con quince años, Fred Trump empezó su carrera como empresario. Lo hizo de la mano de su madre, Elisabeth. Ambos eran los responsables de la compañía Elisabeth Trump & Son, dedicada al desarrollo de proyectos inmobiliarios. Era ella, la madre, quien podía firmar legalmente todas las decisiones, porque Fred era menor de edad. Pero el joven Fred había nacido con una evidente capacidad de iniciativa, y con dieciocho años ya había construido su primera casa. A partir de ese momento, el negocio prosperó y se expandió: construyó más casas y mercados en Queens, y viviendas militares en Pennsylvania y en Virginia.

Mientras construía, Fred tuvo tiempo también para verse involucrado en un extraño suceso ocurrido en 1927, cuando se enfrentaron partidarios del dictador fascista italiano Benito Mussolini y miembros del racista Ku Klux Klan. El choque de estos dos grupos, a cual más peligroso para la humanidad, terminó con la detención de varias personas, una de las cuales se llamaba Fred Trump. Según testimonios de la época, vestía el atuendo típico del Klan. Trump lo negó siempre, explicando que aquel era el tradicional Memorial Day, en el que se celebran desfiles por la ciudad, y él participaba en uno de ellos. Nada que ver, aseguró, con la pelea entre fascistas y racistas. Casi noventa años después, Donald Trump sigue defendiendo a su padre cuando se le pregunta por aquel episodio.

Llegaron los años treinta del siglo XX, periodo de entreguerras. Y luego empezó la Segunda Guerra Mundial. De repente, ser de ascendencia alemana se había convertido en algo incómodo si se pretendía vivir en Estados Unidos. Por entonces, la compañía de los Trump construía casas en el barrio de Brooklyn, donde hay una importante comunidad judía, y en ese periodo podía resultar difícil para un alemán vender cualquier cosa a un judío. Fred intentó resolver ese problema reescribiendo la historia de su familia. Desde entonces dejó de ser hijo de emigrantes alemanes para convertirse en hijo de emigrantes suecos.

Buscó un buen mapa de Suecia hasta encontrar una ciudad con un nombre muy parecido a aquella alemana en la que nacieron sus padres: la alemana es Kallstadt, y la sueca se llama Karlstad, en un frío lugar a la orilla del lago Vänern. Y, a pesar del frío, es conocida por ser una de las zonas más soleadas de Suecia.

Con la nueva y falsa identidad sueca, Fred Trump amplió su negocio inmobiliario consiguiendo contratos con la Administración que, debido a unas discrepancias por los costes de las obras, terminaron por llevarle en los años cincuenta a ser investigado por un comité especial del Congreso. Se le acusaba de poner precios por encima del coste real de la obra y quedarse con el dinero que sobraba.

Para entonces, hacía ya dos décadas que Fred se había casado con Mary Ann Macleod, una bella joven siete años menor que él y nacida en una inhóspita isla llamada Lewis y Harris. Está situada en el extremo norte de Escocia y mirando hacia Islandia en la distancia. De hecho, está más cerca de Reikiavik que de Londres. Es uno de esos lugares en los que cuando no llueve es porque está diluviando. Alguno de sus habitantes de más edad recuerda haber visto el sol, pero no consigue poner fecha al evento. Los meteorólogos discrepan de esta mala fama, y aseguran que en el mes de mayo el cielo es soleado y limpio, mucho más que en Glasgow o Edimburgo... donde también organizan festejos cuando un día amanece menos nublado.

Mary Ann sería la madre de Donald, y era hija, nieta, bisnieta, y así hacia atrás hasta la Edad Media, de los miembros del famoso clan familiar de los Macleod, de gran tradición en Escocia. Aún hoy persiste una asociación que reúne a todos aquellos que directa o indirectamente están relacionados con este clan, vivan en el Reino Unido o en cualquiera de los países hacia los que emigraron algunos miembros de esta extensa familia: Alemania, Canadá, Australia, Sudáfrica, Francia, Nueva Zelanda o Estados Unidos. Periódicamente se reúnen todos los miembros del clan en alguno de los castillos escoceses relacionados con la familia Macleod.

Pero Mary Ann no estaba en aquella época en condiciones de presumir de su árbol genealógico. El día en el que salió de la isla de Lewis y Harris lo hizo con apenas diecisiete años y sumida en una dura situación muy cercana a la pobreza absoluta. Se trasladó a Glasgow y desde allí emprendió la primera gran aventura de su vida: emigrar a Estados Unidos. Era el año 1930. Cuando llegó al puerto de Nueva York acababa de cumplir dieciocho años. Se presentó allí como aspirante a residir de forma permanente en el país, y se puso a servir como empleada de hogar. Doce años después, Mary Ann Macleod conseguía la nacionalidad americana. Por entonces, ya llevaba seis años casada con Fred Trump, su nivel de vida había mejorado muy sustancialmente y habían nacido tres de los cinco hijos que llegaría a tener: Maryanne, Fred Jr. y Elisabeth.

Y DONALD VINO AL MUNDO

El cuarto, Donald Trump, nació el 14 de junio en 1946 en el barrio de Jamaica, en el distrito neoyorkino de Queens. Fue un hijo más de la posguerra, un miembro de la famosa generación del *baby boom*. Aún era muy pequeño, solo tenía dos años, cuando nació el menor de los hermanos, Robert. Y muchos años después sufrió la desgracia de asistir a la prematura muerte de su hermano mayor, Fred, de cuarenta y dos años, debido al alcoholismo. Donald se prometió a sí mismo no beber alcohol ni fumar, y asegura haber cumplido la promesa desde entonces. Solo bebe Coca-Cola light.

Su primera formación la recibió cerca de casa, en la escuela Kew-Forest, en un coqueto edificio de estilo colonial. Dicen sus rectores que el objetivo de este centro es educar a «ciudadanos responsables». Pero Donald estaba lejos de ser un niño responsable. Su comportamiento, algo desviado de la línea recta exigida, llevó a sus padres a internarle en la Academia Militar de Nueva York, en la confianza de que allí los uniformados disciplinaran al muchacho. Tenía trece años.

La academia está a unos cien kilómetros de la ciudad de Nueva York, en Cornwall on Hudson. En aquel tiempo, finales de los años cincuenta, era una escuela militar solo para varones. Más adelante también pudieron ingresar mujeres. El espíritu del lugar es fácil de imaginar. La escuela fue creada en 1889 por un veterano de la Guerra Civil americana llamado Charles Jefferson Wright, cuyo parecer era que la mejor manera de educar a los jóvenes consiste en seguir métodos de disciplina militar. Curiosidades de la economía hicieron que esta institución docente-militar y, como tal, con notable ánimo patriótico, fuera vendida en 2015 a un grupo de inversores chinos después de caer en quiebra. Donald Trump estudió allí hasta 1964. Es uno de sus alumnos más famosos. También lo fueron el director de cine Francis Ford Coppola y el mafioso John Gotti.

Donald mejoró solo ligeramente su comportamiento habitual gracias a los modos marciales que se le inculcaban. Salió de allí con dieciocho años con destino a la Universidad Fordham, en Nueva York. Pero después se inscribió en la de Pennsylvania, donde por fin pudo formarse en lo que él deseaba de verdad, y en lo que deseaba su padre: en el mercado inmobiliario. Desde ese momento, Donald empezó a trabajar en la empresa familiar, todavía en aquellos años sesenta llamada Elisabeth Trump & Son. Allí se zambulló en el negocio de los bienes raíces, comprando pequeños locales en desuso para arreglarlos y revenderlos. Pero también picoteó aquí y allá en negocios de medio pelo que le permitieron adquirir alguna experiencia, como cuando coprodujo una obra de teatro en Broadway, con apenas veintidós años. «Era bastante tacaño», reconocería años después.

LIBRARSE DE IR A VIETNAM

Su edad le convertía en aspirante inevitable a combatir en Vietnam. Y, sin embargo, nunca fue destinado al infierno vietnamita. Primero se libró por un aplazamiento educativo. Estaba estudiando en la universidad. Después estuvo en la lista para ser enviado al frente, pero por unos problemas en un talón se le concedió un año más de permiso. Cuando finalmente fue incluido en el sorteo, se libró porque le tocó un número muy alto. La suerte pocas veces le fue esquiva.

De inmediato, Donald empezó a controlar la empresa familiar. Su padre le cedió los poderes en los primeros años setenta. Y, para empezar, cambió el nombre de la compañía por el de Trump Organization. Por entonces, su radio de acción se centraba en los distritos neoyorkinos de Brooklyn, Staten Island y Queens, donde alquilaban viviendas. Pero fue en 1978 cuando empezó el crecimiento real del negocio familiar. Según confesión propia, Donald aprovechó la donación que le hizo su padre para ponerse en marcha. Consiguió un contrato para remodelar el hotel Commodore y transformarlo en el Grand Hotel Hyatt de Nueva York. Después logró que se le concediera la posibilidad de construir la Trump Tower. Iba a ser su gran hito… hasta que consiguió la presidencia de los Estados Unidos.

Donald Trump tenía treinta y cuatro años cuando vivió su primer episodio de gloria: tener éxito en su negociación para erigir un hermoso edificio en la Quinta Avenida de Nueva York. Sus habilidades negociadoras quedaron de manifiesto entonces, año 1978, y le sirvieron de mucho casi treinta años después para convencer a los americanos de que esa cualidad suya le sería muy útil como presidente.

El lugar elegido fue un punto estratégico de Nueva York: la zona más comercial de la ciudad, entre las calles 56 y 57. Había surgido la ocasión de poseer esa finca, en un lugar de Manhattan en el que resulta muy improbable encontrar un solo centímetro de terreno disponible para construir. De hecho, ese terreno ya tenía un hermoso edificio estilo Art-Déco, construido en 1929. Era la tienda principal de una cadena de grandes almacenes, con mucha historia en la ciudad: el Bonwit Teller, nacido en 1897. La empresa alcanzó un crecimiento importante en los años treinta y cuarenta, pero la situación empeoró después. Allied Stores Corporation adquirió los derechos de la compañía en 1979, cuando la situación parecía acercarse a la bancarrota. Compró Bonwit Teller completo, salvo la joya de la corona: su tienda de la Quinta Avenida. Ese edificio se lo vendió a Donald Trump. En los años que siguieron, la marca de esos grandes almacenes dio tumbos de un lado a otro, de un propietario a otro, sin que nadie fuese capaz de revitalizarla. Mientras, Trump construía su torre, el símbolo de su imperio.

TRUMP TOWER

Para empezar tenía que echar abajo el edificio de la tienda, de diez plantas. Ante las críticas que provocó el anuncio de su derribo, Trump prometió salvaguardar algunas piezas que se consideraran relevantes por su valor artístico. Había, por ejemplo, un par de relieves en la fachada, a la altura de la octava planta, de dos mujeres semidesnudas en actitud de lucha. El joven aspirante a magnate anunció que donaría esos relieves al Museo de Arte Metropolitano. Pero aquello nunca ocurrió. Las esculturas desaparecieron en medio de las labores de derribo. Salvarlas costaba dinero, y era su dinero. La justificación que se dio es que esas supuestas obras de arte en realidad no lo eran tanto, y apenas tenían valor real. Trump asumió públicamente su responsabilidad en la decisión. Sí preguntó si podría perjudicarle esa medida tan drástica. Le dijeron que, en efecto, le perjudicaría. «No me importa, porque nunca voy a tener buena imagen ante el *establishment*. Ellos nunca intentarán hacer algo tan importante para esta ciudad como lo que estoy haciendo yo. Así que no me importa lo que piensen». Sin complejos. No los tuvo ni antes ni después. El Bonwit Teller ha muerto, viva la Trump Tower.

Estaba empezando a escalar la ola para llegar hasta la cresta. Se sentía gustoso de enfrentarse con las autoridades y de aparecer en los periódicos como un héroe de los que desprecian al poder. Era feliz en su piel de nuevo rico en ascenso, y empezó a darse gustos propios de los nuevos ricos. Contrató a un policía para que fuera su chófer, y al coche le puso una matrícula con sus iniciales DJT, Donald John Trump. Así todos sabrían quién iba a bordo de ese automóvil tan lujoso. Iba un triunfador.

Think big. Piensa a lo grande. Trump siempre ha seguido ese lema tan americano para alcanzar cada uno de sus objetivos, hasta llegar al más grande posible, que es la presidencia de los Estados Unidos. Y empezó a pensar a lo grande con su torre de Manhattan. Llamó a otro Donald: Donald Clark Scutt, conocido como Der Scutt. Había nacido en un pueblo de Pennsylvania en 1934, y era un reconocido arquitecto autor, por ejemplo, del edificio One Astor Plaza de Times Square, sede de compañías como MTV o Viacom. La idea era construir en la Quinta Avenida un rascacielos multiusos (viviendas, comercios y oficinas) de superlujo. Trump, a pesar de las cosas que años después dijo sobre las mujeres, eligió a Barbara Res para que fuera la supervisora de la obra, igual que lo había sido antes y lo sería después en otros proyectos del magnate.

El plan original de la Trump Tower tuvo algunos cambios a lo largo de la construcción. Finalmente quedó establecido que tendría cincuenta y ocho plantas. Y las tuvo. Pero el camino, como el de toda obra importante, fue complejo. Trump se peleó (y rompió sus acuerdos) con algunas de las empresas subcontratadas porque no le satisfacía su servicio, se peleó con los sindicatos que representaban a los trabajadores (hubo varias huelgas), se peleó con el alcalde Ed Koch por problemas fiscales relacionados con la torre, se peleó con los tribunales de justicia porque había utilizado un seudónimo (John Baron) para firmar algunos contratos, y tuvo un problema serio porque contrató a un grupo de trabajadores ilegales polacos.

Este enredo de los trabajadores polacos llegó a ser dañino para Trump. Le llevó a los tribunales, acusado de contratar a ciento cincuenta indocumentados para la demolición del viejo edificio de los almacenes Bonwit Teller. Les pagaba cuatro dólares por hora, y tenían que trabajar doce horas al día, siete días a la semana. Y con el añadido de que algunos aseguraban no haber cobrado nunca. La denuncia señalaba, además, que las condiciones de trabajo eran pésimas, que los indocumentados polacos tenían que dormir en la propia obra, y que a veces se pretendía que cobraran su salario en botellas de vodka, en vez de en dólares. La sentencia le condenó a abonar un millón de dólares. Sí, el mismo Donald Trump que en 2016 prometió cerrar las fronteras de Estados Unidos a los inmigrantes ilegales, contrató a trabajadores ilegales para su obra maestra: la Trump Tower.

Hubo al menos tres incendios durante las labores de construcción. Uno de ellos hizo dudar de que se pudiera terminar la obra.

Se produjo el 29 de enero de 1982. Pero Trump supo resolver el problema en dos meses y la torre siguió creciendo, y buscando el cielo de Manhattan. Nada ni nadie iba a frenarle. Nada ni nadie impediría que erigiera su torre. Incluso consiguió el permiso para que el edificio tuviera las últimas veinte plantas concediendo a cambio que se considerara el atrio, con una altura de unas seis plantas, como un espacio público gestionado por el ayuntamiento, y con las tiendas de marca más caras del mundo.

La torre fue diseñada con el deseo de epatar a los visitantes. Y lo consigue. La decoración tiene tintes de un barroco moderno, con puertas doradas y paredes de mármol. Hay un ascensor específico para ir al apartamento de Trump, ventanales por todas partes, y una cascada interior. Todo parece asombroso. Es el mundo de Trump.

La Trump Tower fue abierta por tramos. Primero se inauguró el atrio, con sus tiendas, en febrero de 1983. Nueve meses después empezaron a funcionar las oficinas de las compañías que habían alquilado o comprado espacio en la torre. Incluso siguió funcionando durante unos años una tienda de Bonwit Teller, aunque mucho más pequeña que la original.

Pero el gran éxito fue la venta de los megalujosos apartamentos. Se vendió casi la totalidad. Los muy ricos parecían obnubilados ante la posibilidad de disponer de una residencia en la torre de Trump. Los que buscaron un pisito barato tuvieron que pagar 600.000 dólares por disponer de una salita de estar, un baño, una minicocina («nuestros compradores no suelen cocinar», explicaban los comerciales encargados de vender las viviendas de la torre) y una habitación. Y algunos no quedaron muy satisfechos. Sí, podían vivir en la Quinta Avenida de Manhattan, pero esos primeros apartamentos no tenían tanto lujo como el esperado. Los que quisieron

hacer una demostración de soltura financiera se quedaron con las
más caras. Se podía elegir entre pagar desde uno hasta doce millones. Y allí sí se notaba la ostentación. Trump se quedó con el mejor: un tríplex en lo alto del edificio.

En 1984, el joven Trump ya se había convertido en una cele-
bridad, después de la construcción de la Trump Tower, y despertaba la curiosidad de los medios. La revista *GQ* le dedicó una de sus
portadas: foto de plano corto con el rostro del magnate en actitud
entre pensativa y seductora, con el título «¿Cuán dulce es el éxito?
El hombre que asume riesgos y gana millones».

La revista relata cómo, de repente, todos aquellos millonarios
o empresas que querían adquirir propiedades en Manhattan iban
a la Trump Tower. Tenía un efecto imán con el dinero de los demás. Donald Trump había sido considerado entre los clásicos del
mercado inmobiliario de la ciudad como un advenedizo sin opciones. Mucho ruido y pocas nueces, pensaban. Se equivocaban.
Sin duda el ruido era atronador, pero las nueces empezaron a caer
en cantidades muy respetables.

Trump, con su ego en modo expansivo, empezó a poner su
nombre allí donde podía, en la entrada de los edificios que se empeñó en construir o en rehabilitar. Y no fueron pocos. Ningún
promotor tuvo tanto trabajo en Nueva York en aquellos años.

Poco después de la Trump Tower se puso a la venta la Trump
Plaza del Upper East Side de Nueva York, un enorme rascacielos
de viviendas. Y lo hizo también en Atlantic City, donde inauguró
en 1984 otra Trump Plaza, en este caso un hotel casino muy bien
situado en el paseo marítimo. «Bien situado» y «Trump» siempre
van unidos. Donald tuvo muy claro desde el principio de sus tiempos que la clave en el negocio de la construcción y venta de edificios es *location, location, location*: lo primordial es dónde está o va
a estar el edificio. «Es magnífico. Una megaestructura. Increíble. El
mayor casino del mundo».

Trump consiguió en muy poco tiempo que su nombre fuera identificado con el lujo y el éxito, y todos los millonarios desean ser identificados y estar cerca del lujo y de quienes tienen éxito. Decir que eras propietario de un apartamento en la Trump Tower era una buena carta de presentación. Dinero llama a dinero. El *marketing* Trump empezaba a funcionar. Cualquier apartamento, hotel, casino o campo de golf (ha sido propietario o gestor de dieciocho) que llevara ese apellido era un lugar imantado: atraía a cualquiera que quisiera figurar, y eran legión. Hubo quien compró un apartamento en la torre gastándose una inmensa cantidad de dinero, invirtió aún más dinero para acondicionarlo, hizo construir una piscina dentro, y apenas pasaba una semana al año en el edificio. Pero podía ir por la vida diciendo a quien le quisiera escuchar que tenía un apartamento en la Trump Tower.

Trump se dio cuenta de lo beneficioso que era el *marketing* un día que estaba viendo en televisión la final del US Open de tenis que se disputa cada año en Nueva York. Ganó Martina Navratilova. Subió al podio, le entregaron el trofeo y un cheque con el premio económico al que tenía derecho después de vencer en la final de un Grand Slam. Y Martina, entusiasmada, tomó el micrófono y dijo ante las veinte mil personas que llenaban el recinto, y ante decenas de millones de personas que veían la escena por televisión en todo el mundo, que «ahora me voy con este cheque a comprar un apartamento en la Trump Plaza». Y eso fue exactamente lo que hizo. Y con ella, el famoso presentador de televisión Johnny Carson, la actriz Sofía Loren o el director de cine Steven Spielberg.

«MIS PROYECTOS SE PROMOCIONAN SOLOS»

Trump lo explicaba sin prejuicio alguno en aquella primera mitad de los años ochenta: «Ahora, mis proyectos se promocionan solos.

Y si hay una razón por la que eso es así es porque sé lo que la gente quiere, y soy bueno en situaciones difíciles. Lo que me gusta
es que la gente me diga que algo no se puede hacer cuando yo
creo que sí se puede. He tenido que tratar con personas muy inteligentes que se comportan como lobos, he competido contra
ellos y he ganado». Lo había conseguido: su torre no solo era un
lugar para vivir o para trabajar. La Trump Tower era ya un «escenario, y la gente viene desde cualquier lugar del mundo a ver ese
escenario. Dicen que quieren visitarlo. Se ha convertido en una
atracción. En todo el mundo hablan de este edificio y les encanta».

Como dice Michael D'Antonio, autor del libro *La verdad sobre
Trump*, «muchas de las cosas de Donald son una pura ilusión. Pero
la Trump Tower es real. Es un impresionante logro empresarial, de
ingeniería y de arquitectura que no se le puede negar». «Soy un
tipo de primera clase, solo voy de primera clase», se describía
Trump a sí mismo en la revista *GQ*, en su momento de primer
esplendor económico, en 1984. *Think big*.

En aquellos días, la revista *Forbes* estimaba que Trump y su padre Fred disponían de una fortuna que podía variar entre 400 y
500 millones de dólares. «Tengo mucho más que eso», decía Trump
a quien quisiera prestarle atención, que era casi todo el mundo. Si
algo ha intentado siempre (y conseguido muchas veces) es hacer
suponer a los demás que su fortuna es mucho mayor que la real, y
sus deudas mucho menores. Pero las deudas existían.

En una reunión con sus colaboradores, cuando trataban de reflotar el semihundido y bellísimo hotel Plaza, un abogado le dijo
a Trump la verdad: que nunca podría recuperar los 407,5 millones
de dólares que había pagado por ese hotel en 1988. Trump se había sentido en la gloria el día que puso esa cantidad de dinero en
un cheque y se la entregó a los anteriores propietarios, la cadena
Westin Hotels (los gestores de Westin Hotels, también). «No he
comprado un edificio. He comprado una obra maestra, una *Mona*

Lisa. Por primer vez en mi vida, no he realizado un acuerdo económico, porque nunca podré recuperar el dinero que pagué, sea cual sea el éxito que tenga en la gestión del hotel». Tenía razón. Toda la razón. Había comprado un capricho. Y su abogado también tenía razón cuando tiempo después, en la referida reunión, le dijo lo mismo. Además, tuvo que gastar otros 50 millones de dólares en reconstruir el edificio y acondicionarlo. Aun así, el hotel fue bien gestionado por su primera esposa Ivana, pero el incendio que provocaba el montante de la deuda anterior era muy difícil de sofocar.

En una de sus tradicionales *arrancadas*, Trump le soltó a su abogado que le pusieran «de inmediato al teléfono con el Sultán de Brunei. Tengo su garantía personal de que me sacará del Plaza con beneficios». Y entró en trance: «¿Dicen que el hotel Plaza vale 400 millones? —dijo a gritos—. Pues yo digo que vale 800 millones. ¿Quién demonios sabe cuánto vale? Te voy a decir una cosa: vale mucho más de lo que pagué por él. Esto es como lo de *Forbes*, que dice que todas mis propiedades valen 500 millones. Pues está bien, porque son 500 millones más de los que tenía cuando empecé».

No fue el sultán de Brunei, ni fue por 800 millones de dólares. Trump hizo un par de gambetas a un conglomerado de bancos liderados por Citibank para que se quedaran con el 49 por ciento del hotel, a cambio de perdonarle 250 millones de dólares y reducirle el tipo de interés del resto de la deuda. El hotel entró al poco tiempo en proceso de bancarrota. Era 1992, y en 1995 el príncipe saudí Al-Waleed bin Talal se quedó con el Plaza a cambio de 325 millones de dólares, 75 millones menos de los que pagó Trump, y 475 millones menos de los que hubiera pagado el sultán de Brunei si aquella llamada telefónica siquiera se hubiera llegado a producir. Pero el negocio de Trump sobrevivió. Cuando debes mil euros al banco, el problema lo tienes tú. Cuando debes mil millones, el problema lo tiene el banco.

TRUMP, SUS DEUDAS, LOS BANCOS E IVANA

Con la Trump Tower hizo, al menos parcialmente, un negocio mucho mejor. Llegó a un acuerdo con el Chase Manhattan Bank para financiar la obra, pero antes de que estuviera terminada ya había vendido oficinas y apartamentos por casi el doble del valor del préstamo. «Esto es mejor que trabajar», bromeaba el magnate. Sin duda, lo era.

Y para entonces, Donald ya había encontrado a Ivana. Hay algunas dudas sobre qué caminos recorrió aquella joven de origen checoslovaco para terminar en los brazos (y con la chequera) de Donald Trump. Se ha dicho que era esquiadora y que fue seleccionada como suplente por Checoslovaquia para los Juegos Olímpicos de Invierno en Sapporo, en 1972. Pero hay dudas sobre la veracidad de ese dato. Se ha dicho que tuvo un breve matrimonio con un tal Alfred Winklmayr, pero que se divorció a los dos años para instalarse en Canadá con un amigo de la infancia que gestionaba una tienda de artículos de esquí. Y se ha dicho que pasado algún tiempo se mudó a Nueva York. Allí conoció a Donald durante una fiesta. Era 1976.

Apenas un año después les casó el reverendo Norman Vincent Peale, amigo de la familia Trump. Peale fue un hombre con ideas controvertidas. Defendió lo que él llamaba el «pensamiento positivo» en un libro muy vendido, aunque algunos especialistas en la materia tildaron esa teoría de fraude. Tuvo mucho éxito con un programa de radio llamado *El arte de vivir*, y se granjeó el respeto de varios presidentes. Entabló tanta amistad con Richard Nixon que llegó a oficiar la boda de su hija Julie con David, el nieto de Eisenhower. Y Ronald Reagan le concedió la Medalla de la Libertad, el más alto galardón civil de los Estados Unidos. Por el contrario, Peale participó en duras campañas contra el presidente Kennedy. El reverendo no lo sabía, pero aquel 7 de abril de 1977 estaba casando en Manhattan a otro presidente de los Estados Unidos. De aquel matrimonio nacieron Donald Jr. en 1977, Ivanka en 1981 y Eric en 1984.

Ivana se convirtió en una estrecha colaboradora en los proyectos inmobiliarios de su marido, hasta ser elegida como la responsable de decoración. De ella fue la idea, por ejemplo, de construir una cascada en el *lobby* de la Trump Tower, y llenar las paredes de mármol: «Echamos abajo una montaña entera de mármol. Veinticinco toneladas». Ivana también diseñó, al menos parcialmente, el apartamento de tres plantas de la familia. Fue gerente del casino Trump Castle, con bastante éxito. Fue también la responsable del mítico hotel Plaza de Nueva York. Y en 1990 fue elegida como hotelera del año.

Donald e Ivana eran la pareja perfecta. La revista *Vanity Fair* describía una escena de mediados de los ochenta en la mansión familiar de Mar-a-Lago en Florida. En una cena con invitados, los Trump estaban sentados en los extremos opuestos de una larga mesa, al estilo imperial, como si fueran el rey y la reina. Estaban en su mejor momento, llenos de gloria. En aquellos días era fácil encontrar a Trump en la televisión ofreciendo al gobierno sus servicios para negociar con los rusos. Y se hablaba de que podría lanzarse a la carrera por la presidencia. Mediados de los ochenta. Premonitorio. Pero también había una premonición menos política y más personal en aquella crónica del *Vanity Fair*: Donald e Ivana «se comportaban cada vez menos como marido y mujer y más como dos embajadores de países distintos, cada uno con su propia agenda».

El relato, cierto o mitificado, narra la historia de un marido, Donald, que maltrataba de palabra a su esposa, Ivana, incluso en público, con un tono despreciativo y degradante hacia ella. Y refiere a Ivana como una mujer capaz de soportar que su relación fuera esa, a cambio de sostener su tren de vida. Y no era cualquier tren de vida.

Cuando viajaban a su mansión de Florida lo hacían en un avión privado. Al aterrizar, un Rolls Royce se ocupaba de trasladar al matrimonio, mientras que los niños, sus cuidadoras y los guardaespaldas iban en una lujosa furgoneta habilitada al efecto. Si a las autoridades les parecía conveniente, incluso disponían de una escolta específica con la que se conformaba una larga caravana de motos y coches, como si se tratara de una alta autoridad pública.

Pero el tren de vida estaba a punto de descarrilar llegados a 1990. Donald Trump entró en pérdidas, tanto en el ámbito de los negocios como en el personal. Si no era capaz de evitarlo (y no lo fue) sus casinos y sus hoteles empezarían a caer en quiebra sucesivamente. Primero el Trump Taj Mahal, un hotel casino gigantesco que, según los expertos en casinos (Trump no lo era), resultaba imposible de llenar y de rentabilizar. Y, en efecto, ni se llenaba ni se rentabilizó. También se hundieron en la quiebra sus otros dos casinos: el Trump Castle y el Trump Plaza. Después, el hotel Plaza… Algunas estimaciones establecían los problemas económicos de Trump en una cantidad que podía rondar los 600 millones de dólares. Todo lo que llevaba su nombre parecía tener un fulgor incomparable. Pero todo lo que llevaba su nombre acababa quebrando. Deudas. Muchas deudas. Todos los bancos que hacía unos años se habían puesto en fila para prestarle dinero, ahora se ponían en fila para reclamar su dinero.

Trump buscaba desesperadamente una solución económica que evitara su ruina y el final prematuro de su imperio. Y, en paralelo, mantenía una aventura fuera de su matrimonio, que ya era del dominio público. Y en ese público estaba incluida su esposa. Ivana leía en los tabloides las noticias sobre su marido y su amante Marla. La humillación fue dejando huella en su interior. Eso se sabe con seguridad. Y al margen quedan los rumores. Entre esos rumores se llegaron a publicar supuestas conversaciones entre Donald Trump y su hijo mayor, Donald Jr., que apenas tenía doce años. Y se puso en boca del jovencito una dura acusación hacia su padre en una supuesta noche de discusión familiar: «¿Cómo puedes decir que nos quieres? No nos quieres. Ni siquiera te quieres a ti mismo. ¡Solo amas a tu dinero!». ¿Diría eso un niño de doce años? Aseguran que sí. Y aseguran también que la madre de Donald casi pedía perdón a Ivana preguntándose a sí misma: «¿Qué clase de hijo he criado?». Mito o realidad. Trump siempre ha vivido a medio camino entre ambos.

Lo que sí estaba perdiendo era la batalla de la opinión pública. Conforme la historia del trío Ivana-Donald-Marla se convirtió en cháchara de café, Ivana pasó a ser la preferida del gran público. La periodista Marie Brenner asegura que Trump le soltó en cierta ocasión una frase que define con propiedad su carácter: «Cuando un hombre deja a una mujer, especialmente cuando eso se percibe como que la has dejado por otro culo mejor, un 50 por ciento de la población querrá más a la mujer que ha sido abandonada». ¿Para qué matizar?

Pero Ivana había nacido en un país comunista, y estaba acostumbrada a la vida dura y sin matices. Se gastó algún dinero en reparar su aspecto físico, algo deteriorado por el inevitable transcurrir de los años (dicen que quedó irreconocible hasta para su propia familia), y contrató a un experto en imagen, para que llevara sus relaciones con la prensa en ese momento tan delicado. El objetivo era evidente. Dado que su crisis matrimonial era pública, resultaba necesario ganarse el favor de las masas para que, a su vez, eso influyera en el juez que se encargara del divorcio, al que iba a pedir algo muy sustancioso: buena parte de la fortuna de su todavía marido.

No era eso lo que habían pactado antes de casarse, aunque el pacto se firmó en contra de los deseos de Ivana. Faltaba poco para la boda cuando Donald puso delante de su novia un papel: «Fírmalo —le dijo—. Es un documento para proteger el dinero de mi familia». «No tenemos este tipo de documentos en Checoslovaquia», respondió Ivana con una ingenuidad candorosa. Ivana tendría derecho a 20.000 dólares al año. Pero cuando empezó a tener hijos, Donald sufrió un ataque de generosidad y decidió regalarle 250.000 por cada uno de ellos.

Cuando llegaron los malos tiempos matrimoniales, Donald tenía cuarenta y tres años, e Ivana cuarenta y uno. Habían estado casados durante cerca de trece años. «Es mi gemela», decía Trump en los tiempos de amor y rosas. Pero incluso durante esa época feliz, Donald parecía tener una notable amplitud de miras en su concepto de las obligaciones maritales: «No sabría qué contestar a eso», respondió a un periodista de *Playboy* cuando le preguntó si el matrimonio era sinónimo de monogamia. La vida respondió por él.

Y la vida quiso que precisamente en el hotel Plaza, el que había gestionado Ivana, se casaran en diciembre de 1993 Donald y Marla Maples. Dos meses antes habían sido padres de Tiffany. Llevaban cuatro años de relación. Y el rumor de ese *affaire* extramatrimonial circulaba por la ciudad a la velocidad de la luz. Las habladurías llegaron a conocimiento de Ivana. Pero el volcán estalló cuando, según el relato más extendido, Ivana y Marla se encontraron cara a cara en las pistas de esquí de Aspen, en Colorado. Era Navidad. Fue la última que Ivana y Donald pasaron juntos.

Ivana llegó a Aspen sin dejar nada atrás: dieciséis maletas y la cara recién estirada en una carísima clínica de cirugía estética. Se instalaron en The Little Nell, un hotel de lujo situado al pie de las pistas de esquí. Tenían una suite con dos camas en la habitación de matrimonio. No. Ivana pidió una cama grande para los dos: *king size*.

LA ESCENA DE CELOS EN ASPEN

Esquiaban por la mañana, hacían vida social por la tarde e iban de fiesta por la noche. Allí departían con quienes ya eran sus iguales: millonarios de cualquier país del mundo, llegados a Aspen, porque es el lugar en el que hay que estar. Algunas personas que dicen haber visto a los Trump aseguran que «pasaban juntos el 99 por ciento del día, pero… en el 1 por ciento restante Donald estaba muy ocupado» con una mujer que era bella, como su esposa; que era rubia, como su esposa; pero que no era su esposa. Marla estaba allí. En Aspen también esquiaba una guapa miss Georgia.

El episodio ha tenido varias versiones, según quien lo cuente. Una versión indirecta asegura que Marla y Donald coincidieron en una fiesta organizada por la presidenta de una importante empresa americana. Y entonces apareció Ivana. El triunvirato amoroso se convirtió, de inmediato, en el centro de atención. Todos sabían lo que pasaba. O lo suponían. Algunos asistentes, quizá deseosos de asumir un protagonismo que no les correspondía, filtraron a la prensa que Ivana y Marla llegaron a intercambiar algunas palabras en un restaurante llamado Bonnie's, el lugar de moda para almorzar en Aspen. Un local para ver y ser visto.

Después, Ivana y Donald salieron juntos del restaurante. Ivana hablaba, mientras Donald trataba de tomar distancia de ella. De repente detuvieron la marcha para ponerse los esquís. Fue entonces cuando el público asistente al espectáculo de una pareja que se rompía en directo pudo observar cómo Ivana regañaba a Donald gritando de forma fácilmente audible por los demás, mientras movía los brazos a espasmos, como si estuviera muy alterada. Lo estaba. Dicen que la bronca duró unos veinticinco minutos, el equivalente a una eternidad, tratándose de lo que se trataba. Hubo algún intento de Ivana por arrimarse a su todavía marido, pero fue rechazada.

La segunda versión matiza la primera, aunque no la desmiente, sino que la complementa. Además, esta versión cuenta con el relato en primera persona de las dos protagonistas. Según contó Marla a la prensa tiempo después, e Ivana confirmó en una entrevista en televisión, en efecto se encontraron en Aspen. Ivana asegura que ella no había oído hablar antes de su rival, dato más que cuestionable porque el rumor era creciente desde hacía tiempo. Según Ivana, ella y su marido estaban en la habitación del hotel. Sonó el teléfono y ambos lo sujetaron a la vez en distintas estancias de la suite (había dos teléfonos supletorios). Llamaba un amigo común. Él y Donald hablaron de una tal Marla o «Moola», según entendió con dificultad Ivana. «¿Quién es Moola?», preguntó después Ivana a su marido. «Es una chica que va detrás de mí desde hace dos años», respondió Trump con su descaro natural. «¿En serio?», insistió Ivana. «¡Sí, sí! Va detrás de mí», presumió Donald.

A la mañana siguiente, día de Nochevieja, la pareja esquiaba cuando Ivana vio que Donald descendía montaña abajo junto a una mujer de pelo oscuro. Luego le dijeron que era una amiga de la tal Moola. «La vi después haciendo cola en el restaurante». Ivana se acercó: «¿Le puedes dar a Marla el mensaje de que quiero mucho a mi marido?». Ivana se fue de allí de inmediato sin darse cuenta de que justo detrás estaba la propia Marla, que la detuvo para presentarse: «Yo soy Marla, y amo a tu marido. ¿Le amas tú?». Ivana asegura haber respondido con contundencia: «¡Piérdete! ¡Amo a mi marido!».

Otras versiones ofrecen aspectos algo más cómicos de la escena, como que Ivana en realidad preguntó a una joven si era «Moola». La joven, en efecto, era Marla, pero como no se llama Moola dijo que no. Así lo relata el periodista Timothy O'Brien en su libro *TrumpNation*.

Un supuesto testigo presencial asegura que la situación fue algo más violenta, con Ivana entrando en el restaurante Bonnie's:

«¡Eh, tú, puta! ¡Deja en paz a mi marido!». Otros confirman estas palabras, aunque las sitúan al pie de la pista de esquí, junto al hotel y no en el restaurante. Y otros están dispuestos a jugarse su dinero afirmando que tal encuentro se produjo en lo alto de la montaña, con Trump a pocos metros. Y que cuando Donald observó la escena, se ajustó los esquís y se lanzó pista abajo lo más rápido que pudo, en modo huida. Pero Ivana es mucho mejor esquiadora que él (de hecho se dedicó profesionalmente al esquí), y emprendió la persecución de su marido, al que dio alcance de inmediato. Cuentan que la experimentada esquiadora llegó a ponerse de frente a su marido y de espaldas a la pista mientras ambos continuaban el descenso, y le apuntaba con el dedo índice muy cerca de la cara, en gesto extraordinariamente agresivo.

También Trump quiso dar su versión de este episodio tiempo después. Donald sitúa el combate entre las dos mujeres entre el restaurante y la pista de esquí, donde se preparaban. «Yo estaba como un idiota, esperando, mientras Marla e Ivana estaban allí. No hubo gritos, aunque obviamente se podía apreciar una cierta fricción entre ambas», cuenta pavoneándose de que dos mujeres casi llegaran a las manos por él. Y, como no podía ser de otra forma, Trump despeja el balón bien lejos de su área con el chascarrillo de rigor: «Había allí, a mi lado, un hombre gordo, que debía pesar 150 kilos. No era, precisamente, un hombre guapo. Y me dijo: "Podía ser mucho peor, Donald; vengo a Aspen desde hace veinte años y jamás he tenido una cita". Nunca olvidaré esas palabras, porque fueron un alivio para mí».

Y el detalle más interesante, como estrambote del suceso: cuentan que las dos mujeres vestían el mismo modelo de ropa para esquiar. Los dos trajes eran regalo de Trump.

Donald se irritó mucho cuando Ivana empezó a contar la historia por las televisiones americanas y la demandó por romper el acuerdo de confidencialidad que había firmado.

EL PRIMER DIVORCIO

«Creo que Ivana fue para él como una adquisición más», escribió en aquel tiempo, con toda la dureza que pudo hacerlo, un columnista del *Chicago Tribune* llamado Michael Kilian. «Fue un trofeo que adquirió cuando todavía no era una personalidad empresarial y mediática». Otro periodista, William Norwich, del *New York Daily News*, dijo que «en realidad solo eran buenos amigos». La intrépida checa pidió el divorcio sin esperar mucho más.

De inicio, la tramitación legal del caso tenía como dato principal la exigencia de un acuerdo prematrimonial (ya detallado), y otros tres posteriores a la boda. El último, y único válido en ese momento, se había firmado a finales de 1987. Mediante ese contrato, Donald se comprometía a entregar a Ivana, en caso de divorcio, 25 millones de dólares, una mansión de 47 habitaciones y cuatro hectáreas de terreno en Connecticut, además de la custodia de los tres hijos. Pero «Ivana quiere un acuerdo mejor», titulaba el *Daily News*. Creía poder sacarle más dinero a Donald si estaba en condiciones de demostrar que cuando su marido le pasó a la firma ese contrato del año 87 Marla ya había entrado en su vida, y lo que en realidad estaba haciendo Donald era preparar la resolución del caso de una manera ventajosa, y con información (obviamente) privilegiada, de la que ella no disponía.

Quizá no fuera así. Algunos datan la fecha de la relación Donald-Marla en torno al verano de 1989, cuando el magnate la invitó a su yate, el *Trump Princess*.

Quizá Ivana pudiera conseguir un mejor acuerdo si era capaz de demostrar ante un juez que ella también fue responsable de la riqueza acumulada por su marido, al tener bajo su mando algunas partes del negocio. Y sí, lo era.

Después de ser la pareja más famosa de los años ochenta, su proceso de divorcio se había convertido de repente en lo más comentado en los primeros noventa. El divorcio se firmó en 1992. Ivana era ya una mujer muy rica y, además, era muy famosa. Consiguió quedarse con lo que aparecía en el contrato de 1987, además de un apartamento en la Trump Plaza, de 300.000 dólares de ayuda anual por hijo, de otros 350.000 de pensión alimenticia, y del derecho de uso un mes al año de la mansión de Mar-a-Lago, en Florida (mansión que ya había sido «rebautizada» por Marla, con un gran sentido del humor y de la venganza, como *Marla Lago*).

El acuerdo de divorcio se cerró una tarde de viernes. Ivana y Donald se sentaron cara a cara en el despacho del abogado Jay Goldberg, en la Park Avenue de Nueva York. Empezaron a negociar a las 17.00 horas, y no terminaron hasta la medianoche. En palabras de Goldberg, «como en todas las negociaciones de divorcio, la reunión empezó tensa, pero al final la razón se impuso a las emociones».

Ivana no invirtió mucho tiempo en casarse de nuevo. Lo hizo esta vez con un tal Ricardo Mazzucchelli, de quien tuvo a bien divorciarse antes de que pasaran dos años. Aquel divorcio también acabó de mala manera en los tribunales, con acusaciones y demandas cruzadas.

La primera exmujer de Trump alcanzó su mejor momento llegada a los cincuenta y nueve años de edad, cuando consideró oportuno unir su ya inminente madurez personal con Rossano Rubicondi, un elegante joven de treinta y cinco años dedicado a la moda. Para cuando llegó el día de la boda, la pareja llevaba seis años de relación. Eso contaron ellos. Para la ceremonia reunieron a 500 invitados. ¿Dónde? En Mar-a-Lago, un bello lugar de Florida propiedad de ¡Donald Trump! Donald quiso hacer feliz a su ex facilitándole aquella mansión tan especial para ella porque había sido Ivana quien lo eligió en los ochenta. Allí, Rossano colocó en el dedo corazón de la novia un anillo de un millón de dólares. Eso también lo contaron ellos. La tarta de boda la trajeron especialmente desde Alemania. Aseguran. La orquesta, compuesta por veinticuatro músicos, vino expresamente desde París. Afirman. Y la boda costó unos tres millones de dólares. Atestiguan.

Y ¿quién ofició la ceremonia? ¡La juez Maryanne Trump Barry, hermana de Donald! Todo queda en casa. Por aquellos días, Donald Jr., hijo de Ivana, tenía solo cinco años menos que el marido de su madre. Ivana dijo de Rossano que «es un chico con mucho talento, y siempre tiene una sonrisa en la cara», mientras que Rossano dijo de Ivana que «es una mujer maravillosa, bella, inteligente, sexy, poderosa, exitosa, con espíritu joven, y me lo paso muy bien con ella; si no fuera así no me hubiera casado». Era abril de 2008. En septiembre se separaron porque, según el testimonio de la afectada, «Rossano quiere vivir en Miami y trabajar en Milán, pero yo soy neoyorkina y mi familia, mis amigos y mis negocios están allí. Como dice la canción, qué será, será…». Rossano había alcanzado la gloria en ese momento, porque participaba en el concurso de la televisión italiana *La isla de los famosos*. La prensa de su país informó de los escarceos sexuales del marido de Ivana con una modelo argentina llamada Belén Rodríguez, que también estaba en esa isla (en Honduras). Belén, a su vez, tenía una relación con Marco Borriello, portero del Milan. El soplo lo dio la ganadora del concurso, Vladimir Luxuria, antigua parlamentaria italiana y transexual. La propia Ivana participó en el programa *Gran hermano* de la televisión británica. Quedó en séptimo lugar. La vida es un vodevil. Todo muy Trump.

Para entonces, ya hacía once años que Donald y Marla se habían separado y habían pasado ocho desde su divorcio formal. Con el transcurso del tiempo, Marla recordaría: «Conocí a Donald cuando era muy joven. Casi me da un poco de miedo pensarlo ahora. En aquel momento, él no era tan conocido como lo fue después. Me lo presentó un amigo y me pareció una persona muy interesante». Una versión asegura que se conocieron un día cuando se cruzaron por la calle. Otra versión sitúa el primer encuentro en una iglesia, a la que Trump solía acudir con su familia. Sí se sabe que Donald y Marla compartieron muchos minutos juntos cuando en 1988 la invitó a subir a la habitación de su hotel en Saint Moritz.

CUANDO DONALD ENCONTRÓ A MARLA

Tuvieron sus altibajos, incluso una ruptura en marzo de 1990, cuando Donald le anunció que su relación se había terminado y hasta cambió de teléfono para que no pudiera llamarle. Pero volvieron a estar juntos en mayo. En diciembre se divorciaron Donald e Ivana. En enero de 1991 Donald Trump y Marla Maples empezaron a vivir juntos. En junio se separaron por los rumores de una relación de Trump con otra mujer (Carla Bruni) que ahora se explicará. En julio volvieron a estar juntos después de que Trump regalara a Marla un anillo carísimo. En octubre Marla tuvo algunas citas con el cantante de rock Michael Bolton. En diciembre Marla y Donald volvieron a estar juntos. En diciembre se pelearon en el *lobby* de un hotel en Washington y Marla le dijo que «nunca me casaré contigo». Al día siguiente se besaron y se reconciliaron. En 1992 Marla hizo algunos pinitos como actriz. A principios de 1993 Marla se quedó embarazada. En septiembre nació Tiffany. Y se casaron días antes de la Navidad.

Había abedules y orquídeas blancas en el altar, diecisiete cámaras de televisión, muchos periodistas de la prensa rosa, algunos de la económica, noventa *paparazzi*, y mil invitados entre políticos y empresarios. También había deportistas muy conocidos co-

mo el boxeador Evander Holyfield y el jugador de fútbol americano O. J. Simpson, cuya historia es mundialmente conocida.

Donald y Marla posaron durante largo rato ante las cámaras
haciéndose arrumacos. Después brindaron con un champán carísimo, probaron un caviar tan carísimo como el champán y bailaron
para sus invitados. Donald vestía un *smoking* elegantísimo con
complementos de Carolina Herrera. Los zapatos de la novia eran
de Manolo Blahnik (¿de quién, si no?), y lucía una tiara de diamantes cuyo valor oficial merodeaba la notable cifra de dos millones de dólares, dólar arriba, dólar abajo.

LA HISTORIA CON ¡CARLA BRUNI!

Dos años y medio antes, en junio de 1991, con el matrimonio
Donald-Ivana ya roto y con la relación Donald-Marla ya confirmada, un titular de prensa puso en riesgo ese compromiso. El *New
York Post*, periódico sensacionalista (aunque las noticias que da no
siempre son falsas) y de gran tirada publicaba una llamativa portada: «Se acabó» (*it's over*), junto a la foto de la pareja. Lo que se
había acabado, supuestamente, era la relación entre Trump y Maples, porque una tercera persona había aparecido en el horizonte.
Y esa persona era una joven modelo de origen italiano, con talento musical. Se llamaba Carla Bruni. En aquel tiempo no era tan
famosa como luego llegó a ser gracias a su música y a que se em-
parejó con el presidente de la República Francesa Nicolas Sarkozy. El episodio podría considerarse un ejemplo más de cómo
Trump ha sabido jugar siempre con la prensa y sacar partido de
su capacidad innata para llamar la atención y convertir eso en publicidad gratuita.

Se ignora de dónde sacó la historia el *Post*. Pero aquella mañana, después de que el periódico empezara a vender ejemplares en

cada esquina de la ciudad, el programa *Today* de la cadena NBC, el matinal de más audiencia en Estados Unidos, empezó con esa historia. La revista *People* quiso confirmarla, y llamó a la oficina de la Trump Tower. Al cabo de un rato, un tal John Miller devolvió la llamada. Se presentó como responsable de relaciones públicas de Trump. «Sí —confirmó Miller—. El señor Trump ha roto con Marla, y no le importa si ella va ahora por los medios contando cosas». «¿Y el anillo que le regaló hace poco?», preguntó el periodista. «No era un anillo de compromiso», respondió Miller, que se puso estupendo narrando al periodista la cantidad de bellas mujeres que buscan a Trump: Madonna, Kim Basinger… «Mujeres importantes le llaman permanentemente». El periodista de *People* tomaba notas como si dejar de hacerlo fuese a costarle la vida. Hasta que se percató de lo que ocurría: no existía el tal John Miller; había hablado con Donald Trump en persona. La conversación estaba grabada, y la revista se la puso a Marla para que identificara la voz, cosa que hizo. Marla entró en *shock*. Solo dos semanas antes, Donald le había preguntado cuándo quería que fuera la boda.

Los desmentidos de Carla Bruni no tuvieron mucho éxito al principio. «Esto no tiene sentido», declaró. «Trump es un lunático. Solo le vi una vez en una fiesta en Nueva York. La historia es falsa». Trump se sumó después al desmentido, pero dejando claro que Carla Bruni sí era amiga suya.

Años después, en 2008, cuando Carla Bruni se casó con Nicolas Sarkozy, Trump se burló de aquella vieja historia de los primeros años noventa en un famoso e irreverente programa del conocido presentador Howard Stern. «Carla tiene el pecho plano, Howard». Y mantuvo el jueguecito del engaño cuando no quiso responder a la pregunta de si había mantenido citas con Carla. «Como gran diplomático que soy de este país, permíteme que no conteste». Pero «hay mujeres mucho más bellas de lejos». Y ahí lo dejó, salvo para mantener el runrún con varias frases ambiguas y burlonas: «Conozco a Carla, pero prefiero no hablar». «¿Era mala en la cama?», preguntó Stern. «No puedo comentar nada sobre eso, porque se va a casar con el presidente de Francia, y quiero tener buenas relaciones con Francia. No quiero criticar a la primera dama francesa». Muy Trump.

LA OFERTA DE *PLAYBOY*

Y, sí, se casó con Marla. Y, sí, se publicó (y Marla lo confirmó) que Donald la había animado a posar desnuda para la revista *Playboy*, a cambio de dos millones de dólares. No lo hizo: «Estoy muy agradecida de tener el cuerpo que tengo, pero no quiero explotarlo de esa manera». Años atrás, *Playboy* había ofrecido una muy sugerente cantidad de dinero a Marla y a su madre para que ambas posaran juntas desnudas en su portada. No lo hicieron. El motivo confirmado es que Marla tenía entonces dieciséis años, y era menor de edad. Quizá tampoco lo hubieran hecho en otras circunstancias. Quizá.

No era nada que no hubiera ocurrido en otras ocasiones, porque Trump trató en vano de que las mujeres que formaban parte de su equipo de colaboradores se desnudaran todas juntas para *Playboy*. *Show business with a lot of money*. Trump nunca ha sido tímido ni contenido al hablar de las mujeres. Ni siquiera cuando se trata de las más cercanas. De Tiffany, hija suya y de Marla, dijo que «tiene mucho de su madre, es una niña preciosa. Por ejemplo, tiene las piernas de Marla (que son larguísimas). Lo que no sabemos todavía (Tiffany aún era una adolescente) es cuánto de esto va a tener». Lo dijo mientras sujetaba dos pechos imaginarios sobre las palmas de sus manos. «El tiempo nos lo dirá», concluyó.

Algunos expertos en la materia aseguran que Trump aceptó casarse con Marla cuando se quedó embarazada. Asistió al parto y ayudó a cortar el cordón umbilical mientras, según el testimonio de Marla, «me besaba». Donald relató el momento: «Yo estaba muy nervioso, porque ella tenía dolores muy fuertes. Intenté que se tomara algo para tener menos dolor, pero ella no quiso. Marla es muy fuerte».

MARLA Y EL GUARDAESPALDAS

Una mañana de abril de 1996, los tabloides lanzaron a los quioscos una historia que cambiaría el relato de las vidas de Donald y Marla. Eran las cuatro de la madrugada en una playa de Florida, a pocos kilómetros de la mansión de Mar-a-Lago (de Marla Lago). Un policía vio a dos personas y se acercó, extrañado por ver a alguien en ese lugar a deshoras. Estaban «retozando», según se filtró. Eran Marla y su guardaespaldas. El policía asegura que Marla intentó convencerle (sobornarle) para que no dijera nada o, en su caso, para que no diera su nombre. Luego negó que estuviera retozando con aquel joven. Pero para entonces, Donald ya había tomado su avión privado para viajar a Florida y hacerse cargo del caso. El hecho de que la historia hubiese sido contada por el *National Inquirer* podía restar verosimilitud al relato. De hecho, la supuesta noticia aparecía junto con otras que hacían referencia a hechos tan creíbles como avistamientos de Elvis Presley vivo, y al encuentro de varios marcianos en alguna esquina de Estados Unidos. Pero las mentiras (si es que la peripecia de la playa en plena madrugada era mentira) se expanden rápido, como bien supo aprovechar Trump años después, para ganar la Casa Blanca.

En medio de este proceso, en junio de 1999 murió Fred Trump, el padre de Donald. Tenía noventa y tres años. El negocio de los

Trump, que de hecho ya estaba en manos de Donald, pasó a ser suyo de pleno derecho. Fred había sufrido la enfermedad de Alzheimer durante varios años, aunque su muerte se produjo por una neumonía. Su nombre seguía figurando como presidente de la compañía. Marla dice que Donald vivía obsesionado con un objetivo: «Llegar más lejos de lo que había llegado su padre, para que su padre se sintiera orgulloso de él». Un año después, en agosto de 2000, murió Mary Ann Macleod, su madre. Tenía 88 años.

Donald y Marla se divorciaron en mayo de 1999. Marla se trasladó a vivir a California con su hija Tiffany. Por el camino habían quedado algunos desencuentros matrimoniales que desgastaron la relación al cabo de los años, como cuando Marla se burlaba en público del sobrepeso del marido, y de sus supuestamente escasas capacidades sexuales. Pero tras el divorcio, y siguiendo fielmente el acuerdo de guardar silencio por contrato, Marla habló bien de su ex, asegurando que siempre le querría. Eso duró un tiempo. No mucho.

Porque en el año 2000, Donald Trump hizo un primer amago de lanzarse a la carrera por la presidencia de los Estados Unidos. Quiso presentarse por el llamado Partido de la Reforma, una formación política menor, en comparación con las dos grandes: el Partido Republicano y el Demócrata. Cuando arreciaron los rumores, Marla se dejó querer por los medios, se puso enfática y le dio un ataque repentino de patriotismo: «Creo que es mi obligación para con el pueblo americano decir cómo es Donald de verdad. Porque no puedo imaginar que le vayan a elegir. Su droga es que le presten atención. Todo lo que hace es por su propio ego». Trump lanzó entonces una advertencia a su ex a través de su cadena amiga, Fox News: «Lo mejor para Tiffany es que su madre no hable. ¿Por qué voy a seguir pagando a alguien que viola los acuerdos?». Eso fue lo mismo que dijo después ante un juez, asegurando que estaba dispuesto a dejar de abonar el millón y medio de dólares que le correspondía por pensión alimenticia. El juez le prohibió dejar de pagar.

Episodios similares se repitieron en años posteriores. Trump puso en marcha su programa de televisión *El aprendiz*, casi al mismo tiempo que Marla empezaba a protagonizar otro *show* televisivo titulado *El club de la exesposas*. Consistía este programa, de nombre tan sugerente, en que mujeres famosas por haber tenido maridos famosos contaran cómo rehicieron su vida después de divorciarse. Trump consideró que aquello suponía una nueva ruptura del acuerdo de confidencialidad firmado cuando se divorciaron, y así se lo dijo al periodista de la CNN Larry King, junto con una amenaza velada a su ex: «Marla no tiene la autorización para estar en ese programa porque en su día firmamos un acuerdo. No puede hablar sobre mí. De manera que si lo hace, espero que sea para decir que soy una persona magnífica».

En 2016, con Donald Trump metido de lleno en su campaña por la presidencia, Marla supo sacar partido de su condición de ex, la única que le había permitido mantener un alto nivel de vida. Aceptó la tentadora oferta de recibir veinte millones de dólares (eso se publicó, aunque cueste creerlo) por participar en el programa *Dancing With the Stars*. Fue eliminada del concurso en abril, «lo que me rompió el corazón», aseguró. Por entonces seguía diciendo que amaba a Trump, aunque Donald apenas se había ocupado de cuidar a la hija de ambos. Fue Marla quien la crio en California, casi en solitario. Después, en 2013, se mudó a Nueva York, y vendió su casa por más de dos millones de dólares, obteniendo un beneficio de 850.000. Marla no desperdició la ocasión de hacerse presente en la Convención Republicana que nominó a Trump como candidato en julio de 2016. Su hija Tiffany iba a hablar ante el mundo. Cualquier aparición en los medios suele tener efectos crematísticos inmediatos.

Y APARECIÓ MELANIA

Cuando Donald rompió con Marla, y mientras se sucedían las negociaciones para el divorcio, Trump empezó a frecuentar a una bella joven noruega llamada Celina Midelfart, heredera de una empresa familiar de cosméticos. Un día de septiembre de 1998, Trump acudió con Celina a una fiesta en el Kit Kat Club de Nueva York, organizada por Paolo Zampolli, propietario de una agencia de modelos. Trump, que nunca tuvo como característica principal la timidez, se acercó sin recato a Melania Knauss, una hermosa modelo eslovena que trabajaba para Zampolli, y le pidió su teléfono. Melania no se lo dio, al ver que Trump estaba allí con otra mujer. Donald insistió después, y algún éxito debió de tener, a la vista de lo que ocurrió con el paso de los meses.

Melania nació en la localidad eslovena de Novo Mesto en 1970, cuando ese territorio era todavía parte de la Yugoslavia comunista de Tito. ¿Quién hubiera apostado a que llegaría a ser primera dama de los Estados Unidos una mujer nacida en un país comunista? Como tal, Melania tuvo una educación marxista, aunque eso no le impidió empezar su carrera como modelo a los dieciséis años. Poco después consiguió su primer contrato internacional en Milán y después en París, lo que le permitió salir a menudo de su país hacia Occidente, y le impidió continuar sus estudios en la Universidad de Ljubliana, aunque salió de allí hablando cuatro idiomas, además de su lengua natal: inglés, francés, alemán e italiano. Años después, ya en Estados Unidos, se supo que tenía un hermanastro. Su padre había tenido un hijo antes de casarse con su madre. Ella lo negó al principio. Después lo reconoció. El hermanastro vive en Eslovenia.

En 1996, el agente Paolo Zampolli se la llevó a Nueva York. Melania tuvo que negociar durante meses varios tipos de visados para entrar, permanecer y trabajar en Estados Unidos. Sufrió los duros requisitos que se exigen a los extranjeros, y que su marido prometió en campaña endurecer aún más. Pero le fue muy bien. Apareció en la portada de muchas revistas, incluida la tan deseada de *Sports Illustrated* dedicada a los bikinis.

También posó desnuda. Lo hizo en varias ocasiones y para diversas publicaciones. Al menos una vez apareció, incluso, en actitud muy cariñosa con otra modelo. Ambas, sin ropa. El *New York Post* las recuperó en su portada años después, bajo el título «Menage a Trump». En otra sesión, Melania se desvistió para la cámara a bordo del avión de Trump. «Estoy muy orgulloso de esas fotografías, porque son una celebración de la belleza de Melania», dijo Trump cuando le preguntaron por las imágenes.

Melania tuvo incluso que luchar en los tribunales. Lo hizo contra un bloguero del periódico británico *Daily Mail* llamado Webster Griffin Tarpley, que publicó la supuesta noticia de que la esposa de Trump se había dedicado durante un tiempo a la prostitución de lujo, en los años noventa. El diario retiró el artículo de su web y publicó después una nota en la que aseguraba que no era su intención decir que todo lo que se contaba en el texto fuera cierto, ni tampoco dar por seguro que la señora Trump se hubiera dedicado «al negocio del sexo». Hay escritos de disculpa que son más dañinos que aquel que provocó la disculpa.

En 2001, Melania consiguió la tarjeta verde (*green card*), el documento que le permitía por fin residir legalmente en Estados Unidos. Y en 2006 se nacionalizó. Para no desmentir a su marido, Melania explicó años después en una entrevista en *Harper's Bazaar* que «ella nunca estuvo en Estados Unidos sin papeles, porque hay que cumplir las leyes».

La relación de Donald con Melania tuvo los mismos altibajos que las anteriores relaciones de Trump. Un ir y venir. Sí y no. Te veo y te dejo de ver. Te llamo y te dejo de llamar. En 2004, durante una gala de moda, Trump propuso a Melania que se fuera a vivir con él a la Trump Tower, y Melania aceptó, dejando atrás un apartamento que ocupaba en Unión Square. Para entonces, Trump ya había explicado en un programa de radio algunos detalles que le gustaban de Melania: «Tenemos un sexo increíble, y ella no tiene celulitis». La ausencia de celulitis no se aprende. Lo demás —las prácticas a las que se refería Donald— quizá lo aprendió con Trump, porque no se han publicado demasiados datos sobre relaciones previas de Melania con otros hombres.

Melania, sin rastro de la temida celulitis, contrajo matrimonio con Donald Trump el sábado 22 de enero de 2005. Fue justo ese año cuando un micrófono abierto grabó sus famosas palabras diciendo que podía hacer lo que quisiera con las mujeres…

La novia tenía treinta y cuatro años. El novio, cincuenta y ocho. Ivanka, de veinticuatro años, hija mayor de Donald, participó activamente en la ceremonia religiosa celebrada en la iglesia episcopal de Palm Beach, en Florida. La fiesta posterior tuvo como escenario Mar-a-Lago. La revista *People* dio cuenta del vestido de la novia, diseñado por John Galiano y valorado en unos 200.000 dólares. Hubo que «coser a mano más de 1.500 cristales de diamantes de imitación». «Creo que este matrimonio será un éxito», declaró Trump días antes de casarse por tercera vez. Y se mostró dispuesto a tener más hijos (ya por entonces era padre de cuatro, fruto de dos matrimonios). Los hijos nunca fueron un problema para él, más allá del coste económico de mantenerlos. Como ya había explicado alguna vez en público, «yo no hago nada por ocuparme de mis hijos. Yo pongo el dinero y mi mujer se ocupa de ellos. Yo no voy con los niños a pasear por Central Park».

La lista de invitados a la boda (unos cuatrocientos cincuenta en total) era epatante. Había estrellas de la televisión como Barbara Walters, Matt Lauer o Katie Kuric. Había modelos como Heidi Klum. Había políticos, como Rudolph Giuliani, exalcalde de Nueva York y estrecho colaborador de Trump años después en su campaña presidencial y en su gobierno. Los músicos Billy Joel, Tony Bennett y Paul Anka amenizaron la velada. Y, sí: allí estaban los Clinton. Para precisar, Hillary asistió a la boda completa: estuvo en primera fila en la iglesia y después en el banquete. Bill solo asistió al banquete.

Las dos parejas se fotografiaron sonrientes, en un retrato que entonces parecía inocente, pero que hoy es historia de los Estados Unidos y del mundo. Melania lucía una larga melena moderadamente castaña y recogida, como si fuera un ornamento rococó, por encima de la nuca. Su traje de novia, estilo «palabra de honor», se había diseñado de tal forma que permitiera el lucimiento sin rebaja de su escote, y de un hermoso y (posiblemente) carísimo collar a juego con las pulseras que irradiaban luz desde sus dos muñecas. El rostro de Donald mostraba una amabilidad difícil de encontrar en 2016, cuando ya se había convertido en una máquina trituradora. A su izquierda tenía a Hillary (¿quién se lo iba a decir a ellos entonces? Y a nosotros…), vestido pistacho, con una sonrisa que abarcaba toda su cara, mientras le miraba con arrobo. El colosal brazo de Donald agarraba por la espalda a su amiga Hillary, que, a su vez, se sujetaba por la derecha a Trump y por la izquierda a su marido Bill, que reía la gracia de Donald al lado de Melania. Juntos, unidos, felices, *friends for life or just business*.

LOS TRUMP Y LOS CLINTON

Donald, Melania, Bill y Hillary estaban en el mismo lugar de Florida en el que años después Trump gritaría a sus seguidores durante un mitin: «¡Voy a ir contra una persona; voy a ir contra Hillary

Clinton!», mientras sus encendidos partidarios respondían «¡encar-célala, encarcélala!».

Los Clinton habían sido invitados a la boda porque Trump era donante de la fundación del expresidente: más de cien mil dólares. Ahora quería que su boda fuera muy mediática, y tener allí a la se-nadora Clinton y al expresidente Clinton le aseguraba aún más presencia en los medios de la mucha que de hecho iba a tener. Es una cuestión de favores mutuos. Así funciona el sistema. Y ese sis-tema es el que Donald Trump prometió derribar si conseguía la presidencia. Lo explicaba así en Fox News, año y medio antes de jurar su cargo: «Yo soy un hombre de negocios y ayudo a todo el mundo con contribuciones económicas. Y eso es parte del proble-ma que tiene este sistema. Yo le doy dinero a todo el mundo, y cuando necesito a Hillary, tengo a Hillary. Si le digo que venga a mi boda, ella viene a mi boda». Yo te doy y tú me das. Si, además de ir a la boda, me hace falta que la senadora me eche una mano para algún negocio, ella lo hará. Si una llamada del expresidente Clinton a alguien me allana el camino para conseguir un buen contacto, él llamará.

Ese sistema de favores e intereses político-económicos, gracias al que Trump había multiplicado su fortuna, era el que prometió derribar cuando alcanzara la presidencia. Trump negó después ha-ber recibido favores de los Clinton, y resumió su relación en que ellos «me besaban el culo» para que él hiciera donaciones a la fun-dación.

Pero más importante aún: Donald Trump puso dinero para la campaña que llevaría a Hillary Clinton a ocupar un escaño del Se-nado en el año 2000. Y aún más. Su relación personal era entonces relativamente estrecha. Las hijas de ambas parejas, Chelsea e Ivanka, eran buenas amigas (eso dicen algunos, otros aseguran que simple-mente tenían relación porque ambas obtenían algún beneficio de tenerla). En ocasiones, Bill y Donald jugaban al golf. Trump «ha sido muy amable conmigo y con Hillary. Donald me gusta y disfruto jugando al golf con él», reconoció Bill en una entrevista en la CNN en 2012. Y Donald devolvió el cumplido en Fox News asegurando que Bill, el mismo que según dijo Trump en la campaña abusaba de las mujeres, «es un gran tipo». Y unos años antes, cuando Hillary se lanzó a por la presidencia en 2008, Trump aseguró en la CNN que el caso Lewinsky era «un asunto sin importancia», y que no tenía sentido que el Congreso le hubiera querido destituir por eso. Con el tiempo, ya metidos en la cruenta batalla por la Casa Blanca, Donald Trump llegó a acusar a Bill Clinton de ser un violador.

Melania dio a luz un varón en 2006, diez años antes de convertirse en primera dama. Barron William Trump es el quinto hijo de Donald. El día de la victoria de su padre, ya con diez años de edad, apareció junto al presidente electo, algo despistado, quizá sin saber muy bien qué suponía aquello que estaba viviendo. Dice Melania que Barron se parece mucho a su padre y que, por eso, le llama «pequeño Donald».

Durante esos primeros años de matrimonio, Melania apareció como responsable de una colección de joyería y de una línea de cosméticos. Ambos negocios parecían ir bastante bien.

Cuando Trump tomó la decisión de entrar en la lucha por la presidencia, Melania optó por (o se le exigió que tuviera) un perfil más discreto del habitual en una aspirante a primera dama. Sus escasos ámbitos de individualidad se diluyeron. Los responsables de la campaña de su marido tomaron el control de sus apariciones públicas, bastante escasas. Y tuvieron que reparar algunos desperfectos, como que Melania tuviera en su web datos falsos. Aseguraba, por ejemplo, que era titular de una carrera universitaria que, en realidad, nunca terminó.

Su imagen, muy ensombrecida ya, sufrió un duro golpe cuando protagonizó un discurso en la Convención Republicana: algunos párrafos eran muy similares a los que ya había utilizado la esposa de Barack Obama en la Convención Demócrata de 2008, en la que ganó la nominación que le llevaría a la presidencia. La escritora de discursos Meredith McIver asumió la responsabilidad para salvar la cara de Melania. Dijeron que no había sido un plagio, sino una confusión. Melania sufrió las consecuencias de esa confusión durante unos días, pero la campaña de Trump no se vio sacudida por el error, y la esposa del candidato incluso adquirió la condición de «moderadora» de los excesos de su marido: «Yo le doy mi opinión muchas veces. Y no estoy de acuerdo con todo lo que dice. Pero eso es normal. Soy yo misma, y le digo lo que pienso. Eso es muy importante en una relación». «Mi mujer y mi hija me dicen que sea más presidencial», declaró Trump. *Marketing* político. *Marketing* económico.

NEGOCIOS, CAPRICHOS Y QUIEBRAS

Donald Trump prometió gobernar Estados Unidos igual que ha gobernado sus negocios, porque es de lo que entiende. Pero tuvo que trabajar duro para abrirse paso en ambos mundos, en los negocios y en la política. Las dos veces y en los dos ámbitos le trataron con desprecio cuando intentaba entrar, aunque es igual de cierto que él nunca llamó educadamente a la puerta. Se abría paso a empellones.

Cuando su padre Fred le puso un cheque en la mano en los primeros años setenta y le dijo que construyera su propio futuro, Trump tomó una decisión arriesgada, como haría tantas veces en su vida: cruzar el East River. Es el río que separa Brooklyn, la zona de negocio de Fred, de la isla de Manhattan. Donald quería trabajar allí donde se construyen los edificios altos, donde el suelo alcanza precios inverosímiles, donde la competencia es más virulenta y donde los intereses económicos y políticos son una redundancia. Quería jugar en la Champions League. Y quería ganarla. Tenía treinta y un años.

Pronto se granjeó entre los dueños tradicionales del negocio inmobiliario la fama de charlatán. Iba a por todas y nunca fue conocido por su delicadeza ni por su tendencia a dejarse pisotear. No tenía intención alguna de pedir permiso a los poderes establecidos, fueran constructores, financieros o políticos. Y, sobre todo, llamó mucho la atención de sus rivales la tendencia de Trump a ponerle su nombre a cada obra que construía. Cuando empezó a funcionar a velocidad de crucero, lo hizo como nadie lo había hecho antes: nunca un solo constructor había puesto en pie o reformado tantos edificios en un periodo de cinco años.

Empezó por reconstruir el Hotel Commodore junto a la estación Grand Central de Manhattan, para convertirlo en el Grand Hyatt. De repente, aquel edificio en decadencia se transformó en un lugar lujoso como pocos en la ciudad. Había llegado a un acuerdo con la famosa cadena de hoteles, y negociando, negociando, convenció al ayuntamiento de Nueva York para que le rebajara los impuestos durante cuarenta años, lo que supuso un ahorro de 160 millones de dólares. Uno de los mitos que rodean a Trump es el de jugar con las leyes fiscales para pagar siempre lo menos posible. Y, por lo que parece, siempre encuentra la manera de conseguirlo.

No estuvo mucho tiempo en la propiedad del nuevo hotel. En 1996 vendió su parte a Hyatt por 142 millones de dólares. Tenía que saldar muchas deudas. Le obligaron los bancos.

Trump mejoró el aspecto de la propia estación Gran Central, hizo un club de tenis, puso en marcha un centro de convenciones, construyó la Trump Tower y el Trump Plaza, y se expandió hacia Atlantic City con un hotel casino. Todo esto lo había conseguido antes de cumplir los cuarenta. La velocidad con la que actuaba, su arrojo, su descaro y su estilo extrovertido y descarnado atrajeron de inmediato a los medios de comunicación, siempre ávidos de nuevos personajes que la gente esté deseando ver y triturar. Los medios hacían negocio con Trump, y Trump utilizaba a los medios para hacer negocios. Donald estaba cada día en los periódicos, y a cada hora en las televisiones. El público quería saber cosas de él, y los bancos se dejaron seducir por ese arrollador personaje, que prometía convertir en dólares cada bloque de hormigón que ponía encima de otro. Todos querían darle dinero. Y él lo recibía con gusto para invertir, y para sus caprichos personales.

Donald Trump se compró un enorme yate de 85 metros de eslora, construido en Italia en 1980. Era uno de los más grandes del mundo en la época. Un rico no lo parece tanto si no tiene un yate. Y parece más rico de lo que es si el yate es desproporcionadamente caro. Le puso como nombre *Trump Princess*. Tenía cinco cubiertas, discoteca, sala de cine, once suites, helipuerto, piscina y necesitaba una tripulación de casi cincuenta miembros.

El yate había sido propiedad del megamillonario saudí Adnan Kashogi, que hizo fortuna vendiendo armas. Pero la venta de armas le llevó a los tribunales… y a vender su yate. Él lo había llamado *Nabila*, como su hija. Aquel yate, que estuvo atracado mucho tiempo en la lujosa zona marbellí de Puerto Banús y que apareció en una película de James Bond, acabó en manos del sultán de Brunei. Pero en 1988, el sultán se lo vendió a Trump por 29 millones de dólares (además de los 3 millones que se gastó en rehabilitarlo). Era muy buen precio, si se tiene en cuenta que Kashogi había pagado 100 millones por él.

El yate era de tal tamaño que hubo que dragar el canal de Atlantic City para poder atracarlo allí. Pero un yate como ese no era suficiente. Trump se propuso encargar la construcción de otro aún más grande y lujoso, «para dar cabida a todos los clientes de su casino».

Trump sí cerró un acuerdo con unos diseñadores de barcos de la localidad vizcaína de Guetxo: Oliver Design. Jaime Oliver, su fundador, estuvo a principios de los años noventa en el Salón Náutico de Florida, presentando sus ideas para construir barcos. Un día se le acercó alguien que aseguraba ser el secretario de Donald Trump. Al parecer, el propio Trump había pasado por allí horas antes y le gustó lo que vio. Quería que le diseñaran «no solo el yate más grande del mundo, sino también el más bonito». Íñigo, hijo de Jaime, se instaló durante un tiempo en Estados Unidos para desarrollar el proyecto. Se reunió con Trump varias veces en la Trump Tower de Nueva York y también en la mansión de Mar-a-Lago, en Florida. Los Oliver fueron, incluso, invitados al bautizo de Tiffany, la hija de Trump y Marla Maples. Y, sí, diseñaron un impresionante yate de 128 metros de eslora, con cuatro cubiertas, *suites* de lujo, piscina, *jacuzzi*, salones, helipuerto y una gran sala con palmeras para grandes celebraciones. La construcción del barco se empezó a negociar con Astilleros Españoles. Pero en 1994 se dispararon las deudas de los negocios de Trump (y también la deuda personal). El proyecto terminó ahí, aunque Trump sí pagó a los Oliver 170.000 dólares por el diseño. El segundo megayate de Donald Trump nunca se construyó. Y, como se verá después, pronto se quedó también sin el primero.

En aquel tiempo, nada ni nadie parecía estar en condiciones de frenar a Trump. Ni siquiera los problemas económicos, que como hemos visto los tuvo, y muchos. Sus empresas entraron varias veces en quiebra, aunque a menudo salieron bien paradas de la situación. El objetivo era eso que los economistas denominan, con esa capacidad tan suya para el eufemismo, «reestructurar la deuda». O, dicho en términos más coloquiales, que no pagas lo que debes, sino menos. Te regalan dinero porque eres demasiado poderoso y porque creen que el plan B es aún peor.

«Yo aprovecho las leyes, porque me sirven como herramienta para recortar la deuda de mis empresas», reconocía Trump, halagando su propio oído. Es lo mismo que dijo durante la campaña electoral sobre los impuestos: sabía aprovechar las leyes fiscales para pagar muy poco. Se supone que para pagar muy poco legalmente, aunque llegó al día de las elecciones sin que hubiera hecho públicas sus declaraciones de la renta. Fue el primer candidato en cuarenta años que se negó a presentarlas, pero a cerca de 63 millones de americanos no les pareció motivo suficiente para dejar de votarle.

De hecho, su gestión al frente de las empresas de su propiedad era, en sí misma, su campaña. Prometía generar riqueza y puestos de trabajo para el país, igual que lo había hecho para sí mismo durante más de cuatro décadas. Ya intentó vender esa misma idea, aunque con menos éxito, cuando en 2011 dejó correr el rumor de que quería competir con Barack Obama en las elecciones del año siguiente. Para ese momento, Trump ya había llevado varias veces a algunas de sus empresas a la ruina. La última, en 2009.

El diario *The Wall Street Journal*, que tanta ayuda le prestaría en la campaña de 2016, le entrevistó a finales de 2011 sobre sus supuestas aspiraciones presidenciales en ese momento. Trump no las desmintió. Pero tampoco le gustaron las preguntas. El periodista le planteó la duda de que alguien cuyas empresas han sufrido varias situaciones de quiebra fuera el mejor candidato posible para gestionar las finanzas de Estados Unidos. Trump respondió que sí, porque él lo único que hacía era utilizar las leyes para renegociar su deuda. Y entonces citó a otros empresarios que habían usado ese mismo mecanismo legal. El periodista, hábil y meticuloso, le recordó que ninguno de esos empresarios aspiraba a ser el presidente del país. La entrevista entró entonces en ebullición, porque a Trump le pareció que aquel juntaletras que le preguntaba se estaba comportando de forma poco confortable para sus intereses.

Al final, el magnate de la construcción sabía que los bancos no le podían dejar caer, porque la única manera que tenían de recuperar una parte del dinero que le habían prestado era mantenerlo a flote. Y a flote se quedó. A veces, entregando la mitad de sus propiedades a los bancos como contraprestación por haberle reducido el tipo de interés de la deuda y por devolverla en un plazo de tiempo más oxigenado, menos asfixiante. Sí es cierto que en una ocasión, para sobrevivir a un mal trance financiero, se vio obligado a vender su superlujoso yate *Trump Princess* (siempre aparece Trump en el nombre de todo), el barco en el que sedujo a Marla, su segunda esposa. Se lo vendió por veinte millones de dólares (perdió nueve millones con respecto al precio que pagó por él) al príncipe saudí Al-Waleed bin Talal, que lo renombró como *Kingdom 5KR*. El cinco es, según propio testimonio del príncipe, su número de la suerte. Y las letras K y R son las iniciales de los nombres de sus hijos. Todo muy familiar. Este mismo príncipe saudí compró el hotel Plaza cuando Trump fue incapaz de sacarlo de la quiebra.

Trump también tuvo que deshacerse durante un tiempo de su avión privado, y de la Trump Shuttle, líneas aéreas que controló entre 1989 y 1992 y que le costaron 365 millones de dólares. A los ricos les encanta tener aviones, pero se los tuvo que entregar al Citibank, que no supo muy bien qué hacer con aquello que Trump le entregaba. US Airways asumió los inconvenientes, quedándose con el control operativo de los aparatos, sin mucho éxito.

CUANDO LOS BANCOS CONTROLARON LA VIDA DE TRUMP

Hubo un momento en el que los bancos fijaron a Trump un techo de gasto personal, para que el resto del dinero que pudiera ganar lo dedicara a pagar sus deudas. Fue humillante. Mucho. Extraordinariamente humillante. Pero sí: siempre salía a flote. *Too big to fail.* Un rico nunca deja caer a uno de los suyos, por si alguna vez le llegara a pasar lo mismo a él. Y si caía Trump, también podían caer ellos.

Pero, visto en términos políticos: ¿cómo es posible que un empresario que ha sufrido varias quiebras y cuyas finanzas personales han tenido que ser controladas por los bancos, acabó siendo presidente de los Estados Unidos, y gestionando las finanzas (y todo lo demás) del país más poderoso del mundo?

Trump también salió a flote en 2004. Lynn LoPucki, profesor de UCLA, asegura que fue entonces cuando perdió el control de la marca Trump. Y eso era mucho decir, porque había sido capaz de crear un nuevo modelo de negocio, y un peculiar estilo de empresario famoso. Trump *superstar* se presentaba a sí mismo en la cabecera de su programa de televisión (*El aprendiz*) sobrevolando Manhattan en su avión particular. Decía ser «el primer promotor de la ciudad; he construido muchos edificios; y también poseo campos de golf, resorts, el concurso de Miss Universo, el de Miss Estados Unidos…». «En realidad, lo que más ha promovido Trump es su imagen», aseguraba entonces el profesor Jeffrey Sonnenfeld, de la Escuela de Negocios de Yale, que remataba la frase de forma categórica: «La quiebra es algo muy serio en el sistema capitalista; solo el fraude es peor».

Una de sus empresas entró en quiebra, lo que le obligó a reducir su control de la compañía del 47 al 25 por ciento, a cambio de una rebaja del tipo de interés y un nuevo préstamo. Pero su nombre ya no era de su propiedad. Algunos de sus edificios y negocios coronados con el rótulo de Trump podían dejar de llevarlo. Y aunque lo mantuvieran, ya no los gestionaría él.

Un periodista de la cadena ABC lo explicaba con claridad en una crónica emitida en 2011. Estaba con su cámara frente al Trump International Hotel and Tower. «Ustedes pensarán —decía— que, dado que el nombre de Trump aparece iluminado en la puerta de entrada, él es el propietario. Pero no es así. Lo único que le pertenece son algunos apartamentos, el restaurante, el *parking*, y las antenas del techo. Que el nombre de Trump aparezca en un edificio, no significa necesariamente lo que parece que significa».

Trump fue en esa época un empresario fallido, pero luego protagonizó una recuperación sorprendente. Supo aprovechar la subida de la bolsa para reconstruir su negocio, y hasta se vanaglorió de saber resucitar en un libro titulado (cómo no) *Trump: el arte de volver*. Y había vuelto. Aprovechó la mejoría en los mercados para recuperar posiciones y resucitar su sueño: compró propiedades en la Trump International Hotel and Tower, terminó la Trump World Tower frente a la sede de las Naciones Unidas, empezó a construir el Trump Place, compró el hotel Delmonico para transformarlo en el edificio de apartamentos Trump Park Avenue, y empezó a trabajar fuera de Nueva York y en países como Brasil, Canadá y Panamá. Incluso un avispado empresario turco compró el derecho de ponerle a su edificio el nombre de Trump Towers Istambul. A principios de 2016, cuando se iniciaron las elecciones primarias del Partido Republicano, Donald Trump empezó a poner a latinos y musulmanes como minorías a las que controlar, y el empresario turco se dio cuenta de que quizá su idea no había sido tan buena. El *marketing* lo es todo, y si te equivocas puede ser peligroso.

Las cosas volvieron a empeorar con la crisis que trituró la economía occidental en 2008. El valor de las acciones de las empresas de Trump se desplomó. Las deudas se multiplicaron. Precisamente, en ese año, Trump se planteó comprar una de las cuatro torres construidas en los terrenos de la antigua Ciudad Deportiva del Real Madrid, al norte del Paseo de la Castellana. Sus problemas económicos impidieron que Madrid tuviera Torre Trump. El profesor LoPucki declaró entonces que era muy inusual que alguien llevara a tantas grandes empresas a la quiebra. Y, dato importante, la mayor parte de la deuda en la que Trump había incurrido fue a través de bonos vendidos al público. «La gente conocía a Donald Trump, y por eso estaban dispuestos a confiar en los bonos que él vendía, pero se quemaron —dijo LoPucki—. La gente que invirtió con él o que confió en su nombre perdió dinero. Sin embargo, el propio Trump salió bastante bien parado».

LAS CUENTAS A LA LUZ PÚBLICA

En mayo de 2016, cuando su nominación como candidato republicano era casi un hecho, Trump se vio obligado a presentar algunas de sus cuentas en público. Entre sus posesiones más rentables están los campos de golf, que le habrían reportado unos beneficios de 382 millones de dólares. Y era muy notable el listado de ingresos que había tenido solo entre enero y mayo de 2015: 611 millones de dólares.

Trump revelaba intereses en más de 500 negocios de diverso tipo, ya fuera como propietario, propietario parcial, accionista o gestor. Resultaba curioso confirmar cómo tenía acciones, por ejemplo, en Amazon, Apple y Ford, empresas a las que había criticado públicamente por haber deslocalizado parte de sus operaciones a otros países, o por no cumplir, en su opinión, las regulaciones antitrust. De hecho, su mayor paquete de acciones lo tenía entonces en Apple: unos 600.000 dólares. En Ford tenía 500.000. También era accionista de Microsoft, General Electric, Goldman Sachs, Wells Fargo y Pepsi. Si su lema en el mercado inmobiliario es «localización, localización, localización», en el mercado de valores es «diversificar, diversificar, diversificar». En total, se estima que invierte en acciones unos 172 millones de dólares, según esos mismos datos que Trump hizo públicos al presentar su candidatura. Unos 10 millones los tiene colocados en acciones de compañías concretas, como las ya especificadas. El resto, la gran mayoría, está en los llamados *hedge funds* (49 por ciento), en bonos (21,5 por ciento), en metálico (21,5 por ciento) y en acciones (8 por ciento).

Los expertos que analizaron los datos publicados por el propio Trump coincidían en calificar al entonces candidato republicano como un inversor conservador, al tener la mayor parte de su dinero en *hedge funds*, que son operados por algunos de los más respetados agentes de Wall Street, cuyos honorarios dependen de que se limiten las pérdidas cuando las cosas van mal en los mercados. Pero eso no significa que siempre hayan funcionado bien. De hecho, han funcionado mal en bastantes ocasiones. Según publicó la CNN, después de hacer un estudio de estas cuentas, Trump había confiado buena parte del dinero que puso en bolsa a John Paulson, conocido por haber acumulado una de las mayores fortunas moviendo dinero en Wall Street. Se estima que ha ganado cerca de 9.000 millones de dólares. Una parte de ese dinero lo consiguió por ser de los pocos que advirtió a tiempo la crisis del ladrillo. Luego le ha ido bien y mal, alternativamente.

LA IMAGEN DE MARCA

Una parte no desdeñable de su dinero lo ha conseguido gracias a la imagen de marca que tiene su nombre. Muchos empresarios han pagado por poner Trump en sus propiedades. En otros casos, Trump sí es el propietario de compañías que llevan su nombre, como Trump Restaurants, Trump Signature Collection (ropa para hombre), Trump Chocolate, Trump Sales and Leasing (venta de propiedades), Trump Finalcial (hipotecas) o Donald Trump The Fragance. Sí, hay quien compra colonia con la marca Trump.

Y luego estaban los libros. Con su campaña, Trump se hizo aún más famoso de lo que ya era, y reeditó títulos publicados años atrás, que se han vendido extraordinariamente bien: habría recaudado por ese concepto entre 100.000 y 300.000 dólares. Todo suma.

¿Cuál es la fortuna real de Trump? Se desconoce. Según su propio (y no necesariamente creíble) testimonio, podría estar en alguna cantidad dentro del amplio margen que hay entre los 10.000 y 20.000 millones de dólares. Más cerca de la primera cifra que de la segunda, suponiendo que sea cierto lo que dice Trump. De esa fluctuante cuantía habría que restar los millones de dólares que debe, aunque el montante de esa deuda tampoco se conoce con certeza.

La revista Forbes redujo la cantidad neta de sus activos a unos 4.500 millones, lo que le situaba en el puesto 405 entre las mayores fortunas del mundo. Bloomberg limitó su riqueza a menos de 3.000 millones. Aun así, se trata de una cantidad que ningún anterior presidente de los Estados Unidos ha tenido jamás. Y ese patrimonio, ¿cómo se gestiona desde la Casa Blanca? ¿Se debe gestionar? ¿Se puede gestionar? ¿Debe un presidente tomar decisiones que puedan beneficiar directa o indirectamente a sus negocios particulares? Y eso, ¿cómo se controla?

Un presidente multimillonario

Ya en diciembre de 2016, a mes y medio de la toma de posesión de Trump, el diario *The Washington Post* aseguraba que las acciones de Goldman Sachs y de Wells Fargo habían subido desde el día de las elecciones, porque el presidente electo había prometido dar marcha atrás en algunas regulaciones impuestas después del crack financiero de 2008. Y Trump había advertido a Apple y a Ford de que debían mantener los empleos en Estados Unidos. Trump tenía en ese momento acciones de esas cuatro compañías. Y se permitió declarar en *The New York Times* que había hablado con Tim Cook, el máximo responsable de Apple, para prometerle incentivos que le permitieran crear más puestos de trabajo en Estados Unidos. Ford anunció que no trasladaría parte de su producción a México, después de las críticas del presidente electo y accionista de la empresa, Donald Trump.

Y también tenía acciones de empresas relacionadas con el mercado del petróleo (Halliburton, Occidental Petroleum, Kinder Morgan, Chevron, Shell y ExxonMobil), que podrían resultar beneficiadas y, por tanto, subir de valor si Trump cumplía su compromiso de dar marcha atrás en las obligaciones asumidas por Obama para frenar el calentamiento global. También podrían beneficiarse esas empresas de una subida del precio del petróleo, si los países productores frenaran la extracción de crudo. ¿Podría un presidente de los Estados Unidos influir en una decisión de la OPEP?

El mismo conflicto de intereses se podría producir con otras compañías en las que Trump poseía acciones, como AT&T y su directa rival, Comcast.

Durante las semanas que transcurrieron entre su victoria electoral del 8 de noviembre y la toma de posesión del 20 de enero, Trump no tuvo interés alguno en guardar las apariencias. Hasta se reunió con empresarios con los que tenía negocios en otros países. Por mucho que Trump quisiera explicar cómo se iba a desligar de esos intereses, la sombra de la duda permanecería. Como dijo Norm Eisen, exconsejero de Obama, «nadie podrá estar seguro de si las decisiones de Trump se adoptan buscando el interés general de los ciudadanos o el suyo propio».

Por supuesto, la ley americana, endurecida durante el mandato de Obama, prohíbe taxativamente a cualquier cargo público sacar provecho de la información privilegiada que pueda obtener en el ejercicio de sus funciones y que, de alguna manera, pudiera afectar al mercado de valores. Y tienen, además, la obligación de comunicar en el plazo de mes y medio cualquier transacción de acciones que les haya supuesto un beneficio que supere los mil dólares.

Los presidentes tienen la obligación de comunicar la evolución de sus finanzas personales una vez al año. En el caso de Trump, su primer informe financiero no tenía que presentarlo hasta mayo de 2018, dado que ya había presentado uno en mayo de 2016 (entonces, como candidato) y tendría que pasar todo el año 2017 para que reuniera los datos requeridos.

Y hasta las relaciones internacionales podrían quedar condicionadas. Trump tiene intereses, por ejemplo, en Turquía. El empresario con el que hizo negocios allí mantiene una tensa relación con el presidente Tayyip Erdogan, y Erdogan es un hombre clave en el conflicto de Siria. El efecto mariposa: tomas una decisión política o económica en Washington, y la onda provocada llega a Siria, pasando por Turquía… Tiempos complejos.

El día en el que Donald Trump decidió poner en marcha su campaña, ya sabía que esto iba a ocurrir si ganaba las primarias republicanas y, después, las elecciones presidenciales. Quizá pensó entonces que no tenía opciones de llegar hasta el final de ese dificilísimo recorrido, y solo pretendía, como tantas otras veces, conseguir horas y horas de publicidad gratuita en los medios. Pero no solo consiguió eso, sino también la presidencia. Y no era esta la primera vez que Trump había fantaseado con la Casa Blanca.

CUANDO TRUMP SOÑÓ CON SER PRESIDENTE

Según testimonio del propio Trump, era habitual que muchos neoyorkinos con los que se encontraba le animaran a presentar su candidatura para ser alcalde de la ciudad o gobernador del estado. Pero nunca se tomó en serio esos cargos menores. Hay que pensar a lo grande. Si entramos en política, que sea por lo más alto.

En 1988, con sus empresas y su vida privada metidas en serios problemas, Trump pensó que una candidatura a la presidencia podía evitar su caída en el pozo. Hizo un amago de presentarse a las primarias por el Partido Republicano, pero se lo pensó una segunda vez y renunció.

Más seria fue su intentona para las elecciones del año 2000, que finalmente ganaría George Bush después de un mes de batalla judicial frente a Al Gore por el recuento de votos de Florida. Esta vez, Trump pensó que las primarias republicanas iban a ser un territorio espinoso, y miró hacia uno de esos fantasmagóricos terceros partidos: el Partido de la Reforma. Años antes, en 1992, el empresario Ross Perot había luchado por la presidencia desde el Reform Party. No ganó, pero consiguió un número de votos muy destacable que, además, condicionó el resultado de las elecciones: ganó Bill Clinton gracias, entre otras cosas, a que el voto del centro derecha se dividió entre Perot y George Bush padre.

El Reform Party había entrado desde entonces en un periodo de decadencia, salvo por un caso excepcional. En 1999, su candidato había ganado las elecciones a gobernador del estado de Minnesota. El puesto lo obtuvo Jesse Ventura, un veterano de Vietnam que se había convertido en una estrella de la lucha libre americana. Su popularidad le impulsó hasta el cargo. Luego cambió de partido. Pero en aquel 1999 trató de convencer a Trump para que se presentara a la presidencia. Lo hizo durante un espectáculo de lucha organizado en Atlantic City. Al mismo tiempo, también anunció su candidatura a la nominación un conocido republicano extremadamente conservador: Pat Buchanan. Durante su batalla en las primarias, Trump llegó a acusar a Buchanan de filonazi, algo que no estaba del todo lejos de la realidad.

Trump se quería convencer a sí mismo de que si Bill Clinton había sido presidente, él también podía serlo. Y lo explicó, junto con su filosofía política, en un libro titulado *La América que merece-*

mos. Buena parte del Donald Trump que se vio en la campaña de 2016 está en ese libro publicado en 2000.

En aquellos días, Trump ya criticaba al *establishment* político por no decir la verdad a la gente, temeroso de perder votos si lo hacía, y se comprometía a ser presidente durante un solo mandato de cuatro años (este compromiso no lo hizo en la campaña de 2016). Ya hablaba entonces de reformar el sistema educativo, bajar impuestos, frenar la inmigración ilegal…

Mostraba su admiración por algunos personajes que delimitan su pensamiento, como Rudolph Giuliani, Ronald Reagan o George Bush padre. Pero también por quien luego sería su rival en las primarias republicanas, Jeb Bush, y por quien sería su contrincante en las presidenciales, Hillary Clinton. Quería que su candidata a la vicepresidencia fuese una mujer de raza negra: la popular presentadora de televisión Oprah Winfrey. «Es muy especial —dijo de ella—. Es fantástica, popular, brillante: es una mujer maravillosa». Un portavoz de Oprah se limitó a decir que «en este momento, Oprah no está en ninguna carrera por la vicepresidencia».

Trump puso en marcha el llamado comité exploratorio, que es lo que hacen todos aquellos que tienen decidido competir por el cargo. Se movió por algunos estados apareciendo en actos públicos, y se dejó entrevistar para empezar a calentar su candidatura. Realmente, parecía que estaba explorando cuán lejos podían llegar sus opciones de ganar presentándose por un tercer partido, y siendo un *outsider*.

El 7 de octubre de 1999 Trump anunció su deseo de intentarlo. Se lo dijo a Larry King en la CNN. Se mostró convencido de que podía ganar, explicó algunos de sus conceptos políticos, se declaró muy conservador en algunas cosas y muy progresista en otras. Por ejemplo, dijo ser partidario de la sanidad pública universal. Anunció que si se presentaba se casaría con su entonces novia Melania, para que fuera la primera dama.

Aquel anuncio televisivo fue generalmente analizado como uno más de los procesos de propaganda que Trump hacía periódicamente. Eso mismo pensaron también en 2016. Buchanan le acusó veladamente de querer comprar la nominación con su dinero. «Quizá sea demasiado honesto para ser político», dijo Trump de sí mismo. Para entonces, el partido al que se acababa de afiliar Trump había entrado en proceso de cocción. Sus dirigentes se enfrentaban con acusaciones cruzadas. Y en febrero de 2000, Trump anunció que abandonaba su intento. La situación del partido no ayuda, explicó. Consideraba que allí había desde nazis hasta comunistas, y que así era imposible dirigir una campaña en condiciones de ganar.

Se fue, pero dejó algunas pinceladas de lo que sería su segundo intento serio años después. Aseguró que el país ya estaba preparado para que un hombre de negocios alejado del *establishment* fuera su presidente, y prometió ser directo al dar sus opiniones. En medio de aquel amago de candidatura, Trump había roto con Melania. Después del amago recuperó la relación. Nadie puede saber si iba en serio en sus intenciones políticas, o si se trataba de otra operación de *marketing*, o ambas cosas a la vez.

En 1988 se llegó a rumorear que el vicepresidente Bush (padre) podría presentarse a la presidencia con Trump como su candidato a vicepresidente. No ocurrió. Tampoco ocurrió que Trump se presentara a la presidencia en las elecciones de 2004, ni en las de 2012, como se rumoreó que pretendía hacer. Ni se presentó a las elecciones a gobernador del estado de Nueva York en 2006 ni en 2014, cuando se aseguró que estaba a punto de anunciarlo. Pudo hacer cualquier de esas cosas, pero no hizo ninguna.

El nombre de Trump siempre era tenido en cuenta cuando los institutos de opinión realizaban algún sondeo. Preguntaban por él a los votantes, y los votantes solían colocarle en una buena posición de salida, al menos virtualmente. No estaba en política, pero no perdía ocasión de hablar de política y de meterse con los políticos en activo, especialmente con el presidente Obama, a quien dijo que hubiera vencido de haberse presentado contra él en 2012.

En diciembre de 2016, el entonces presidente electo Donald Trump llamó por teléfono al presidente del Gobierno español, Mariano Rajoy. Era uno más de los muchos contactos que en esos días estaba estableciendo con mandatarios internacionales, antes de su toma de posesión un mes después. Entre otras cosas, Trump le contó que había estado en España dos años antes. Fue en junio de 2014, para participar en un evento organizado por la compañía ACN, luego cuestionada en algunos ámbitos por ser una empresa que utilizaba, supuestamente, el famoso sistema piramidal, que tantos disgustos ha provocado a tanta gente. Trump estuvo treinta horas en Barcelona. Dio su charla y se llevó, dicen, unos 450.000 euros. Curiosamente, ACN emitió una nota tras la victoria electoral de Trump, en la que trataba de apartarse de su excolaborador: «Las opiniones personales o políticas del señor Trump no reflejan necesariamente aquellas de ACN o sus directivos». Allí, en Barcelona, ante varios miles de personas en el Palau Sant Jordi, Donald Trump dijo que iba a ser el presidente de los Estados Unidos y, medio en serio medio en broma, pidió el voto de los asistentes. Unos meses después, en febrero de 2015, se produjo el primer indicio de que el magnate más popular de América podía estar dándole vueltas a su cabeza. Esta vez, en serio. Decidió abandonar su programa de televisión *El aprendiz*, que venía presentando desde hacía más de una década.

2
TRUMP Y LOS CLINTON

LOS MUEBLES DE LA CASA BLANCA

20 de enero de 2000. Se llevaron muebles. Se llevaron jarrones chinos. Se llevaron obras de arte. Se llevaron vajillas. Horas antes de partir habían ido de sala en sala señalando a sus ayudantes todo lo que se iban a llevar. «Ese mueble. Ese jarrón. Ese cuadro. Esa vajilla…».

Hacía casi dos décadas que vivían en residencias oficiales. Primero, en la que ocupan los gobernadores del estado de Arkansas. Después, en el edificio sito en el 1600 de la Avenida de Pennsylvania en la ciudad de Washington, Distrito de Columbia. Pero ahora tenían dos casas que amueblar y decorar. Una estaba en la capital. Había costado una fortuna. La otra, en Nueva York, comprada allí para justificar que Hillary era residente en el estado y competir por uno de los dos puestos neoyorkinos en el Senado. El coste de aquel hogar no era menor que el de Washington.

El 20 de enero de 2001, el ya expresidente Bill Clinton y la ya senadora electa Hillary Clinton abandonaban la Casa Blanca. Para siempre. Eso es lo normal. Es lo que hacen los que abandonan la Casa Blanca. Pero nada hay normal en los Clinton. Se prometieron que no sería para siempre. Tenían que volver. Aquel era su lugar. Sentían que el poder que emanaba esa residencia solo fluía con naturalidad si sus ocupantes eran ellos. Nadie más podía estar allí sin convertirse en un cuerpo extraño, como un órgano trasplantado que no encaja bien y sufre el rechazo del receptor. Llamar a aquella residencia Casa Blanca era incompleto y engañoso. Su verdadero nombre debió ser desde el principio, y desde luego era obligado que fuera así a partir de entonces, *The Clinton White House* (la Casa Blanca de los Clinton).

Por eso, cuando el cumplimiento de la ley les obligaba a dejar atrás el lugar y cederlo a los nuevos inquilinos, el alma se les resistía. Había sido un tiempo difícil de vivir. Durante meses, incluso insufrible. Y no se podía decir que hubieran ganado. Pero, sin duda, no habían perdido. Resistieron. Siguieron resistiendo. Y cuando ya no se podía resistir más, resistieron.

La prensa miserable y la maquinaria de pulverizar presidentes en que se ha convertido la televisión de veinticuatro horas de noticias no han podido con nosotros, Bill. No han podido, Hillary. La extrema derecha republicana que tanto nos odia no ha sido capaz de derribar nuestra fortaleza, Bill. No ha sido capaz, Hillary. El fiscal especial que investigó hasta tu ropa interior no ha acabado con nosotros, Bill. No, Hillary, no ha acabado con nosotros. Tampoco Monica (Lewinsky), Bill… ¿Bill? ¿Hola?

Habían resistido. Pero el mundo era un lugar triste en la mañana del 20 de enero de 2001, porque el reto diseñado casi treinta años atrás, en los tiempos de universidad, había concluido. Sí, Bill había sido presidente. Sí, Hillary había sido primera dama. Era increíble haberlo conseguido. Pero se terminaba. Quizá por eso tomaron muebles, jarrones chinos, obras de arte y vajillas. No podían evitarlo. Tenían que llevar consigo algo que perteneciera a aquel lugar. Su lugar. Esto es nuestro, Bill. Sí, es nuestro, Hillary. Nos lo llevamos. Llega la hora, Bill. No puede ser, Hillary. Tenemos que irnos, querido. Pero volveremos, querida. ¿Me lo prometes? Te lo prometo…

El día podría haber sido más desapacible, pero no era fácil. Caía una leve pero constante cortina de aguanieve. El frío se podía masticar. Los motores de los coches humeaban. No había mano sin guante, ni cuello sin bufanda. Enero en Washington.

Hillary, la casi ya exprimera dama y desde hacía pocos días senadora Clinton del estado de Nueva York, salió bien abrigada y casi sonriente (casi) por la puerta norte de la Casa Blanca. Vestía de negro brillante, apariencia de cuero travoltiano, pero sin estridencias de *Grease*. Pelo más corto de lo que había sido su costumbre. Junto a ella, Laura Bush. Seria, serena. De un azul casi explosivo con cuello negro. Pelo igual de contenido que su antecesora. Cinco pasos por detrás, una bella joven morena de media melena se aparecía discretamente por la puerta con cuatro bolsos de tamaño no despreciable. Era Huma Abedin, inseparable ayudante y confidente de Hillary, y protagonista de episodios sísmicos en la carrera que años después su jefa lanzaría para volver al mismo lugar del que las dos salían en ese momento. El lugar que no querían abandonar, pero que no tenían otro remedio que dejar atrás. De momento…

Los responsables del protocolo presidencial dieron entonces el aviso al presidente y a su sucesor. Ya podían salir. Era su turno. Bill Clinton y George W. Bush charlaban en el *hall* de entrada. La descripción más ajustada a la realidad es que Bill hablaba y George escuchaba, o no, lo que le decía Bill. Ante la orden de salir, el presidente dio treinta pasos: los necesarios para alcanzar la puerta de la limusina presidencial. Sus últimos treinta pasos como líder del mundo libre en la residencia que tanto amaba. Su poder se diluía por momentos. Saludó sonriente a quienes le aplaudían. Bush ni siquiera hizo una mueca. No parecía relajado, aunque aquel espacio no le resultaba extraño. Su padre lo había ocupado antes que él. Todo consistía en volver al lugar de autos. Bill y George iban bien armados con abrigos rotundos para dar la batalla a las dos horas de temperatura gélida que tenían por delante.

Asfalto mojado y chubasqueros con gente dentro acompañaron el recorrido del cortejo presidencial hasta la otra punta de la Avenida de Pennsylvania, donde se erige el Capitolio, un edificio monumental, sede del poder legislativo. Bill sonreía a todo el mundo. George no sonreía a casi nadie, a pesar de ser considerado un tipo simpático y campechano. Estaba tenso. Agarrotado. Estrechaba con desgana y por obligada cortesía la mano de quienes se la querían estrechar. Pero parecía decir que le dejaran en paz en aquel momento. No estaba para dispersarse. Su esposa Laura se manejaba con mucha mayor normalidad. George miraba a su alrededor como si sus ojos fuesen el objetivo de una cámara de vídeo grabando un lento plano panorámico.

Su vicepresidente Richard Cheney juró el cargo sin quitarse el abrigo ni bajar sus solapas del cuello. Para entonces, casi el mediodía del 20 de enero, el frío empezaba a resultar imposible de asumir para las manos y los pies, por muy protegidos que estuvieran. Los invitados a la toma de posesión llevaban allí, al aire libre y sin moverse del sitio, no menos de dos horas, y les faltaba como poco otra hora más. Ya no aspiraban solo a asistir al acto histórico del inicio de una presidencia, sino a sobrevivir para contarlo.

A las doce en punto, George W. Bush pronunció el juramento de rigor y, esta vez sí, sonrió durante dos segundos (no mucho más), mientras sonaban salvas y su familia se precipitaba a besarle sus gélidas mejillas. Tenía los ojos vidriosos, y no era por la lluvia. La emoción y el nerviosismo le superaban. A pocos metros, su rival en las elecciones sonreía con falso desahogo y aplaudía con impostado agrado. Al Gore fue caballeroso hasta el final, aunque su derrota no se hubiera producido exactamente en las urnas, sino en la sala de plenos de la Corte Suprema de los Estados Unidos, situada a muy poca distancia de allí, y donde los nueve magistrados decidieron quién sería el presidente por cinco votos contra cuatro. La democracia americana sufrió un duro castigo a sus bases más sólidas con aquel novedoso método de elección: un presidente seleccionado por jueces… Reflexión.

Una hora después, de izquierda a derecha, Laura, George, Bill y Hillary, agarrados por las manos de dos en dos, bajaron las escalinatas del Capitolio. Bill y Hillary sonreían como si fueran felices. Laura y George se mostraban extraordinariamente serios, como si les debieran algo o si fueran ellos quienes se marchaban de vuelta a casa. Se despidieron. Bill Clinton tenía solo cincuenta y cuatro años y ya era uno de los más jóvenes expresidentes de la historia. Ronald Reagan ni siquiera había sido todavía gobernador de California a esa edad. Y no llegaría a la presidencia de los Estados Unidos hasta diecisiete días antes de cumplir los setenta, los mismos que Donald Trump cuando ganó las elecciones.

Atrás quedaban ocho años de poder y decepciones, de éxitos y desastres, de amor y desamor, de mentiras y sexo, de riesgos inmensos y logros históricos, de pequeños episodios guerreros y tremendos episodios político-judiciales. Atrás quedaba la Casa Blanca. Pero no. Aquellos muebles, esos jarrones y obras de arte, y las vajillas que tanto nos gustan se vendrán con nosotros, Bill. Nos pertenecen, Hillary. ¿O no? La presidencia de los Clinton había terminado, pero sus guerras seguían latentes.

REGALOS POR VALOR DE 190.000 DÓLARES

A la mañana siguiente, con el matrimonio expresidencial en su hogar de Chappaqua, en el estado de Nueva York, el diario *The*

Washington Post, el mismo que años antes había convertido el caso Lewinsky en noticia, publicaba que «los Clinton se han llevado regalos por valor de 190.000 dólares». El relato era relativamente preciso sobre los bienes de los que disponían al terminar su mandato. Tenían más de un millón de dólares en una cuenta personal del Citibank, activos financieros por valor de otro millón de dólares, y algunas cantidades más. Pero también tenían una deuda no precisada de entre uno y cinco millones de dólares con dos firmas de abogados que habían defendido a Bill Clinton durante sus muchas, largas, tensas, durísimas y carísimas investigaciones judiciales que le llevaron hasta un juicio político del que salió con vida, pero lleno de heridas de gravedad.

La noticia del *Post* enumeraba parte de una lista de regalos recibidos por los Clinton durante la presidencia, y especificaba quiénes eran los generosos amigos que los habían enviado a la Casa Blanca. Figuraban, entre los más conocidos, el director y productor de cine Steven Spielberg y el actor Ted Danson.

El desglose aproximado de lo que se llevaron incluía 52.021 dólares en muebles, 71.650 en obras de arte y tres alfombras por valor de 12.282 dólares. Bill recibió varios objetos relacionados con su afición al golf. El actor Jack Nicholson le regaló un palo (un driver) que valía 350 dólares. Sylvester Stallone, unos guantes de boxeo, como parece de pura lógica. Pero estos eran solo algunos detalles curiosos. El grueso de la información tenía un fondo más profundo: la confusión entre lo público y lo privado, entre lo nuestro y lo de todos.

La polémica enturbió la salida de los Clinton de la Casa Blanca. No podían irse de otra forma que no fuera en la que habían vivido allí, que era la misma en la que habían llegado. Se abrió un debate sobre qué regalos de los que recibe un presidente se pueden considerar de la presidencia como institución, y cuáles como regalos personales. Y qué diferencia de valor económico se establece entre los unos y los otros. No es fácil.

Para frenar las acusaciones de robo, los Clinton trataron de tomar la iniciativa un par de semanas después de su marcha: devolverían parte de los regalos o los pagarían en efectivo. Primero enviaron a las autoridades 86.000 dólares. Días después enviaron de vuelta a la Casa Blanca objetos por valor de unos 48.000 dólares. Esa devolución incluía sofás y sillas valorados en casi 20.000 dólares, regalados por un generoso donante llamado Steve Mittman, quien aseguró que aquellos muebles los había entregado, no a los Clinton, sino para que permanecieran en la residencia presidencial después de la remodelación acometida en 1993. La confusión era tal sobre qué era y qué no era de los Clinton, que una parte de los muebles devueltos por la familia expresidencial fueron empaquetados de nuevo, subidos a un camión de mudanzas y enviados otra vez a la residencia privada de Nueva York. El National Park Service (responsable de vigilar el patrimonio de la Casa Blanca) consideraba que aquello sí era un regalo personal. Pero el episodio no terminaba ahí.

Un comité de la Cámara de Representantes consideró que era su obligación investigar la actuación de Bill y Hillary. Y el Congreso no iba a quedarse sin su plena satisfacción. Meses antes había trabajado sobre un informe que llegaba a describir con precisión el tamaño, forma, disposición y capacidades de los órganos sexuales del presidente del país. De manera que escrutar sus regalos no era para tanto.

La fotografía realizada por la comisión no dejaba a los Clinton en una situación cómoda ante la opinión pública. Esta vez, tampoco. Los legisladores dudaban de que determinados regalos tuvieran un valor tan escaso como el que le habían asignado Bill y Hillary. Es cierto que el problema, según reconocía el informe, no era achacable solo a ellos, sino a un sistema demasiado complejo e interpretable. Se había roto aparentemente la norma por la cual los presidentes no pueden pedir regalos, de lo que se deducía que sí los había pedido, o que había solicitado ayuda económica envuelta en la apariencia de un regalo. Se puede aceptar un presente, pero no pedir uno concreto. Eso dice la ley. Y no era una apreciación gratuita porque, no por casualidad, Hillary había recibido regalos por valor de 38.000 dólares en diciembre de 2000, justo un mes después de ser elegida senadora de los Estados Unidos y justo un mes antes de tomar posesión de su puesto (y dejar de ser la primera dama), y eso podía violar la normas que afectan a los miembros del Senado.

Esta pintoresca peripecia fue calificada como robo por una parte de la prensa. Y quizá no fuera exactamente así, pero lo podía parecer. Y, sin duda, era de lo más inadecuado. Tampoco era cierto, como se llegó a titular, que los Clinton fueron obligados a devolver casi 200.000 dólares. De hecho devolvieron unos 134.000 de los 190.000 en los que se valoró el material «desviado». Pero no lo hicieron porque hubiera una petición expresa, ni mucho menos una sentencia. Se adelantaron a cualquier eventualidad que pudiera arrastrar por el fango su ya deteriorada imagen.

Y no eran los Clinton los primeros en aparecer como sospechosos de «limpiar» la Casa Blanca y sacar provecho de su posición. Los Reagan, por ejemplo, sufrieron una investigación similar por varios vestidos y joyas de Nancy. Y tuvieron que poner de su bolsillo los 2,5 millones de dólares que unos amigos, cuyo nombre no se reveló, habían pagado para regalarles una mansión en la lujosa zona de Bel Air, en California.

Pero el caso de Bill y Hillary había llegado al Congreso y la comisión que investigó el asunto concluyó que sí se había produ-

cido una conducta discutible; que muchos objetos habían sido in-
fravalorados en su cuantía económica, lo que provocaba dudas sobre el comportamiento de quienes les pusieron precio; que algunos
regalos fueron trasladados de lugar o se extraviaron, lo que demos-
traría una preocupante falta de cuidado, «o quizá algo peor»; que
se llevaron objetos que eran propiedad del gobierno de los Estados
Unidos; y señalaba el ya referido aspecto colateral de la actitud de
la nueva senadora Clinton (buena forma de iniciar mandato), lo
cual fue considerado por los congresistas «al menos, inquietante».
El informe oficial terminaba con una sentencia demoledora por
lo que insinuaba, más que por lo que afirmaba: «Los servidores públicos, incluido el presidente, no deberían poder hacerse ricos con
regalos lujosos».

Quince años después, a pocas semanas de las elecciones en las
que Hillary Clinton se jugaba la presidencia de los Estados Unidos,
se publicaban documentos clasificados sobre su periodo como
miembro de la administración de Barack Obama. Un agente de la
seguridad de Hillary había certificado oficialmente que en sus primeros tiempos como secretaria de Estado, la señora Clinton y algunos de sus colaboradores se habían llevado a su casa de Washington muebles y lámparas de la sede del Departamento de Estado.
El agente decía no saber si aquellos objetos habían sido devueltos
después. El gobierno negó tales acusaciones.

El «VERGONZOSO» PERDÓN PRESIDENCIAL

No entró, sin embargo, a valorar otras apreciaciones realizadas por
varios agentes de seguridad, según los cuales el comportamiento
de Hillary Clinton con ellos era «desdeñoso»; que antes de que Hillary llegara al cargo era un honor profesional para cualquier agente estar al servicio de la Secretaría de Estado, pero que hacia el fi-

nal de su periodo en el puesto resultaba difícil encontrar agentes experimentados que quisieran trabajar con ella. Otra vez, los «enemigos» se aparecían para dañar a los Clinton en los momentos más inoportunos.

Ocurrió lo mismo cuando se supo que Bill había ocupado su último día como presidente en conceder perdones presidenciales, un derecho de gracia establecido en la Constitución de los Estados Unidos. El presidente Gerald Ford dio su perdón a Richard Nixon por el caso Watergate, en medio de una gran convulsión política. El primer presidente Bush perdonó, entre otros muchos, a varios acusados del escándalo Irán-Contra durante la administración Reagan. Clinton se dio rienda suelta a sí mismo cuando indultó a ciento cuarenta personas en su día final de mandato. Ciento cuarenta indultos, uno a uno, en un solo día...

Entre ellos figuraba Marc Rich, que murió en 2013. Había sido condenado por evasión fiscal y por comerciar ilegalmente con el petróleo iraní durante la crisis de los rehenes en la embajada americana en Teherán. Cuando fue inculpado de esos delitos, Rich estaba en Suiza, y allí se refugió.

El perdón de Bill Clinton a Marc Rich agravó la mala imagen que incluso muchos seguidores demócratas tenían ya de los comportamientos del presidente. Porque la esposa de Rich había donado más de un millón de dólares al Partido Demócrata, 100.000 a la campaña de Hillary Clinton al Senado, y 400.000 a la Fundación Clinton. El perdón no había sido gratuito. «Una decisión vergonzosa», proclamó el expresidente demócrata Jimmy Carter.

La acusación contra Rich por sus delitos fue presentada por Rudolph Giuliani, por entonces fiscal federal. Las vueltas que da la política colocaron a Giuliani con el paso de los años en la alcaldía de Nueva York, después en un intento fallido de alcanzar la nominación republicana para la presidencia y, aún más oportuno, como uno de los responsables de la campaña electoral de Donald Trump contra Hillary Clinton en 2016.

Y más vueltas que da la política: James Comey participó como fiscal en aquel procedimiento judicial contra Rich. Y en 2002 fue designado como el fiscal federal que debía investigar si Bill Clinton había actuado correctamente al indultar a Rich. El caso se cerró sin acusaciones. Unos años antes, Comey había formado parte como consejero especial del comité del Senado que investigó a los Clinton por uno de sus muchos escándalos, más o menos justificados: el llamado caso Whitewater, que también terminó sin acusaciones. Y, lo más relevante: años después, en 2013, James Comey fue nombrado por Barack Obama director del FBI. Como tal, abrió una investigación contra Hillary Clinton por haber utilizado un servidor privado de correo electrónico cuando era secretaria de Estado. Esa investigación condicionó buena parte de la campaña electoral de 2016. Comey la dio por terminada en julio, sin presentar cargos contra Hillary, pero sí con una reprimenda por su negligencia. Inesperadamente, Comey reabrió el caso de los emails a solo diez días de las elecciones del 8 de noviembre de 2016, provocando un vuelco en los sondeos, histeria en la campaña de Hillary, pánico en Occidente ante el avance de Donald Trump y una polémica monumental por la oportunidad de su decisión. La polémica se complementó y aumentó cuando el martes 1 de noviembre, justo una semana antes de la votación, el FBI hizo públicos los informes de la investigación sobre el perdón de Bill Clinton a Marc Rich, del que ya habían pasado quince años. Quince. Hillary culparía después a Comey de su derrota en las urnas y de la victoria de Trump.

James Comey se convirtió en el gran protagonista del cierre de campaña en 2016. El director del FBI no iba a pasar inadvertido ni por sus decisiones, ni por sus más de dos metros de altura, ni por su tendencia republicana reconocida públicamente.

¿Dónde está la W?

Mientras aquel 20 de enero, último día de su mandato, Bill Clinton se sentaba delante de su mesa presidencial del Despacho Oval y firmaba los ciento cuarenta perdones presidenciales incluido el de Marc Rich, varios centenares de miembros de su *staff* vaciaban sus despachos y llenaban cajas de cartón con sus pertenencias. El trabajo había terminado. Llegaba una nueva administración. Y los miembros de esa nueva administración iban a encontrarse con algunas sorpresas. Había papeles, cajoneras y libros tirados por las oficinas y los pasillos. Se habían pintado grafitis en las paredes.

Ari Fleischer, portavoz de Bush, hizo un listado bastante completo que incluía la desaparición de cinco placas de identificación con el sello presidencial, cinco teléfonos conectados intencionadamente a las tomas de pared equivocadas, seis máquinas de fax reubicadas donde no correspondía, diez líneas telefónicas cortadas, un 20 por ciento de escritorios y muebles tirados en el suelo o puestos del revés, y un montón de material de oficina sin usar que estaba en la basura. Además, según Fleischer, alguien con mucha guasa había colocado en la bandeja de una fotocopiadora papel con fotografías de personas desnudas, que salían cada vez que se utilizaba la máquina. Pero había algo aún más ingenioso: unos cien ordenadores no tenían la letra W. La habían hecho desaparecer de los teclados en «honor» al nuevo presidente George W. Bush.

La mayor parte de estos desperfectos se había producido en el Eisenhower Executive Office Building, conocido por todos en Washington como el Old Executive Office Building. Está junto al Ala Oeste de la Casa Blanca, y es donde trabajan muchos de los «fontaneros» de la presidencia, que fueron acusados de vandalismo por los nuevos ocupantes de aquellos despachos.

Como es de rigor en Estados Unidos, se creó una comisión para investigar qué había de cierto en esas acusaciones y encontrar a los posibles responsables. El informe final reducía en parte la gravedad de los hechos, pero sí confirmaba algunas de las denuncias. Año y medio después de ocurridos los hechos, un documento de 220 páginas relataba el resultado de la investigación. Habían desaparecido sesenta y dos teclados de ordenador, veintiséis teléfonos móviles, dos cámaras, diez pomos de puertas que tenían algún valor por su antigüedad, varias medallas presidenciales y placas de oficina con el sello de la Casa Blanca. Todos esos daños tenían un valor aproximado de 20.000 dólares. Se establecía que muchos de aquellos estragos habían sido claramente intencionados pero que no se podía determinar quién era el responsable.

Los miembros de la administración Clinton dijeron entonces que las acusaciones previas habían sido exageradas, y que los daños eran los mismos que ellos se habían encontrado al llegar a la Casa Blanca después de la presidencia de Bush padre.

Pero los desperfectos en la Casa Blanca (asunto menor), el pintoresco asunto de los muebles y las obras de arte tomados a «préstamo» de la Casa Blanca (asunto mediano) y, sobre todo, el perdón presidencial a Marc Rich (asunto mayor) convirtieron la salida del poder de los Clinton en el lamentable epílogo de una presidencia sin igual. Su imagen resultó destruida hasta un extremo tal, que el desprecio general quedó reflejado en un detalle lleno de significado: cuando Bill se instaló en Nueva York con la ya senadora Hillary Clinton, trató de inscribirse en varios clubes de golf. Cuatro de ellos rechazaron la petición de todo un expresidente de los Estados Unidos. No querían verle por allí para no espantar a sus socios.

Y en esas apareció Donald Trump. El magnate tenía un campo de golf en la zona de Westchester, cerca de la residencia de los Clinton. Lo remozó para reabrirlo con el nombre de Trump National Golf Club. Bill fue admitido de inmediato como socio, y varias fotografías suyas colgaban en las paredes del recinto. Bill y Donald jugaban juntos a menudo, y Trump alimentaba con donaciones la fundación de Clinton, igual que había inyectado dinero en la campaña electoral de Hillary. ¡Qué felices éramos en 2002, Donald! ¡Sí, Bill!

Cuando Donald llamó a Bill

Años después, en la primavera de 2015, justo un mes después de que Hillary Clinton anunciara su decisión de competir por la nominación demócrata, y apenas unas semanas antes de que él anunciara la suya por la republicana, Donald Trump descolgó el teléfono desde su despacho de la Trump Tower en Nueva York. Estaba terminando su proceso de reflexión sobre la posibilidad de lanzarse a la carrera por la Casa Blanca. Era ahora o nunca. Cerca ya de los setenta años, estaba en el límite de edad. Cuatro años después ya no sería un candidato creíble con setenta y cuatro. Hizo varias llamadas a Bill Clinton que no tuvieron respuesta hasta finales del mes de mayo. Llamaba al marido de quien, si todo le salía bien, podía ser su contrincante solo unos meses después. Y así fue.

El diario *The Washington Post* relató aquella conversación entre Donald Trump y Bill Clinton como cordial e informal. Las fuentes consultadas por el periódico aseguraron que Bill no animó expresamente a Trump a que se presentara a la nominación republicana, pero sí analizó con él las perspectivas de una decisión de ese tipo, porque sí reconocía a Donald como un hombre que había ganado peso en la derecha americana.

Asesores de los dos lados aseguran que fue una charla como muchas otras que habían mantenido a lo largo de los años, lo que sería una demostración más de la existencia de una relación relativamente estrecha entre ambos. ¡Qué tiempos aquellos, Donald! ¡Qué tiempos aquellos, Bill!

Y TRUMP LANZÓ SU CANDIDATURA

Trump ha construido un imperio menor del que presume poseer, pero enorme en cualquier caso. Se vanagloria (y no le faltan motivos) de ser el propietario de un apartamento de tres plantas en la Trump Tower, en la Quinta Avenida de Nueva York entre las calles 56 y 57, con cincuenta y tres habitaciones, con salas que tienen el techo a nueve metros del suelo, con fuentes y bóvedas y un comedor de dos plantas, con vistas a Central Park. Trump enseñó aquel pisito al periodista Mark Singer, que escribió un libro sobre él que no le gustó nada. Le encantaba fanfarronear: «Este es el apartamento más grandioso jamás construido. Nunca ha habido algo como esto en ninguna parte. Fue más complicado construir este apartamento que el resto del edificio. Muchas cosas solo las hice para ver si eran posibles. Los más ricos, que piensan que han visto apartamentos grandiosos, vienen y me dicen: Donald, este es el mejor». Pero ¿cómo era posible que ese triunfador que posee el mejor apartamento del mundo en un edificio que lleva su nombre fuera humillado por el presidente de los Estados Unidos en aquella malhadada cena de los corresponsales de la Casa Blanca del año 2011?

Donald Trump, aún por entonces un empresario alejado de la política y pagado de sí mismo, negó tiempo después que lo ocurrido en esa cena influyera en su decisión de luchar por la presidencia. Su candidatura no era una venganza. Pero, sí, había sido humillante. Cuando a la mañana siguiente de la cena le preguntaron en el programa *Fox and friends* de Fox News si se había divertido con los chistes respondió que «no demasiado; algunos eran divertidos, pero no tanto. No sabía que yo iba a ser casi el único motivo de los chistes: un chiste tras otro, tras otro... Me preguntaba si no había nadie más sobre el que pudieran hablar». Trump criticó a Obama por no referirse a asuntos serios, «como la subida de algunos precios. Hay gente que sufre de verdad, mientras nosotros nos divertíamos». Gente que sufre de verdad… El mensaje que le haría ganar las elecciones ya estaba en su cabeza.

Cuatro años y un mes y medio después de que Obama le torpedeara con chistes incómodos, Donald Trump preparó como pocas veces el atrio de la Trump Tower. Se instaló un estrado, al que le colocaron ocho banderas de Estados Unidos y un atril. Y para ese momento tan importante, eligió a su hija Ivanka como primera oradora: «Hoy tengo el honor de presentar a un hombre que no necesita presentación (…). Ha tenido éxito en muchos ámbitos porque el común denominador de todo es él». Y dijo algo obvio: «Mi padre es lo contrario a lo políticamente correcto». En pocas palabras, Ivanka había establecido las que, vistas con la perspectiva del tiempo, fueron tres de las razones por las que Donald Trump ganó a Hillary Clinton: la imagen de hombre exitoso, la admiración que despertaba por ser el eje de todo, y el rechazo a la corrección política.

Ivanka dio paso a Trump y empezaron a sonar con fuerza las guitarras que Neil Young había elegido para uno de sus temas más conocidos: «Rockin' in the Free World», que figura entre las quinientas mejores canciones de la historia del rock, según la lista de la revista *Rolling Stone*.

Trump apareció arriba de la escalera eléctrica construida sobre toneladas de mármol, y con toques dorados extendiéndose por todo el lugar. Saludó con el dedo pulgar mirando al techo y se quedó como congelado durante unos segundos. Cientos de personas se apelotonaban en las barandillas y en el *hall*, buscando un hueco que les permitiera ver mejor aquel espectáculo. Trump y su mujer Melania dejaron que la escalera eléctrica hiciera su trabajo y les condujera hasta la planta baja. Saludó a izquierda y derecha, con decenas de teléfonos móviles inmortalizando el momento. Iba escaleras abajo como Gloria Swanson en *El crepúsculo de los dioses*, salvo que Trump no tenía que bajar los escalones a pie. Parecía levitar. Levitaba, de hecho.

Subió a la tribuna. Besó a su hija, dijo sentirse sorprendido por la numerosa asistencia al acto, y se lanzó: «Nuestro país está ante un serio problema. Ya no conseguimos victorias. Antes sí las conseguíamos, pero ya no». Y tardó poco en colocar la frase de aquel acto que quedó para la historia: «Cuando México nos envía a su gente, no nos envía a los mejores. Envía gente con muchos problemas y nos traen esos problemas a nosotros. Traen drogas. Traen el crimen. Son violadores. Y algunos, supongo, serán buena gente». Algunos.

El discurso fue trompetero, como casi todos los de Trump, y carente de datos ajustados a la realidad, como todos los de Trump. Pero muy efectivo, como siempre ha sido Trump. Geraldo Rivera, un veterano presentador televisivo y buen conocedor de cómo y por qué los espectadores deciden ver un programa u otro, acertó de lleno cuando pocos días después lanzó una pregunta retórica en su programa: «En este momento, Jeb Bush está anunciando su candidatura. ¿A quién verá usted, a él o a Trump?». Y, en efecto, la gente vio a Trump y prescindió de Jeb Bush y de los demás precandidatos republicanos. Lo hacía por dos motivos: Trump era mucho más entretenido que cualquiera de sus rivales y, además, las televisiones evitaban poner a los demás para emitir los discursos de Trump y opinar sobre ellos, porque no había color. Trump recibió miles de horas gratuitas de televisión durante su campaña, especialmente en la de las primarias. Los medios americanos ya iniciaron un proceso de autocrítica por ello, incluso antes de las elecciones presidenciales. Pero la audiencia es la audiencia. Y la audiencia es dinero.

Nadie pensó que Trump llegaría tan lejos

Nadie, empezando por los propios medios de comunicación, creyó entonces que Trump tuviera alguna posibilidad de ganar a sus rivales republicanos, y mucho menos las elecciones a la presidencia. Pero trituró sin piedad a los demás precandidatos de su partido, hasta ser tomado en serio por quienes le habían ninguneado. Su estrategia de decir cosas que pocas veces coinciden con la realidad le resultó muy exitosa. Como cuenta Mark Singer en su libro, el observatorio *Politifact.com*, que se dedica a mortificar a los políticos verificando los datos que dan, decidió que la mentira del año 2015 era una de Donald Trump.

Aseguraba el magnate haber visto después de los atentados del 11 de septiembre de 2001 a «miles y miles de personas» celebrar en Jersey, cerca de Nueva York, la caída de las Torres Gemelas. Trump lo decía porque en esa zona vive una numerosa comunidad musulmana de origen árabe. Varios medios buscaron pruebas de aquellas celebraciones sin encontrar ni una sola pista. Pero a Trump no le importó. Cuando un día le preguntaron por ello, él insistió en que lo había visto por televisión. Sus seguidores le creyeron (y si no le creyeron, no les importó el embuste). De hecho, hay muchos americanos que siguen creyendo que el Sol da vueltas alrededor de la Tierra (muchos no americanos comparten esa corriente de pensamiento), y los hay que quieren ilegalizar la teoría de la evolución, porque consideran que supone cuestionar la existencia del Creador. La verdad y Trump suelen llevar caminos divergentes. Pero no le ha ido tan mal con ese estilo, ni aunque el presidente Obama se empeñara en convertirle en el bufón de la cena de corresponsales de 2011. Para nada porque, en realidad, el efecto de aquella afrenta a Trump duró en la memoria de los americanos poco más de veinticuatro horas.

Mientras en Washington periodistas, famosos, políticos y Donald Trump trataban a la vez de masticar la cena y de reírse de los chistes, en una base americana en Afganistán ya se había puesto en marcha la Operación Lanza de Neptuno para capturar o, más concretamente, matar a Osama Bin Laden. De hecho, a esa misma hora, Barack Obama reía a carcajadas por un chiste del humorista Seth Meyers sobre Bin Laden. Y Obama ya sabía en ese momento que la caída del jefe de Al Qaeda podía ser cuestión de pocas horas. Pero lo disimuló bien.

La operación fue realizada, bajo la supervisión de la CIA, por un amplio grupo de soldados entrenados en misiones especiales: los famosos Navy SEALs. Ellos, y un perro llamado *Cairo*, adiestrado para encontrar habitaciones ocultas y para escuchar antes que los humanos la llegada de individuos que pudieran resultar un peligro. Se utilizaron helicópteros militares Black Hawk y Chinook, que despegaron desde la base afgana de Jalalabad, a noventa minutos de vuelo del objetivo: la casa en la que se ocultaba Bin Laden, en la ciudad pakistaní de Abbottabad.

En el sótano del Ala Oeste de la Casa Blanca hay una sala de conferencias que lleva el nombre de John F. Kennedy, aunque se la conoce como la Situation Room. Literalmente, sería la sala de situación. En realidad es el bunker en el que se reúne el presidente en situaciones de crisis militar que afecten a la seguridad del país. Solo suelen entrar en esa sala el presidente, algunos de sus ministros, su asesor de seguridad nacional, su asesor de seguridad interior y el jefe del Gabinete de la Casa Blanca (que pasa por ser el segundo hombre con más poder real del país, aunque no todo el mundo sepa siquiera cómo se llama).

La Situation Room dispone de los mejores equipos de comunicaciones secretas, y en la actualidad tiene varias salas aledañas más pequeñas. Fue construida en tiempos de Kennedy, cuando se comprobó que el presidente no disponía de información en tiempo real de lo que había ocurrido en la fallida invasión de Bahía de Cochinos, en Cuba, en 1961. Siempre hay alguien trabajando en esa sala para poder informar de inmediato al presidente de cualquier novedad importante.

El 1 de mayo de 2011 a las 04.06 horas de la tarde, hora de Washington, el fotógrafo oficial de la Casa Blanca, Pete Souza, inmortalizó para la historia un momento clave para la presidencia de Barack Obama, para el mandato de Hillary Clinton como secretaria de Estado, para Estados Unidos y para el mundo. En una de las pequeñas salas que componen la Situation Room se habían reunido al menos catorce personas. Al final de la mesa, y ocupando la silla central, estaba el general Brad Webb, de la Fuerza Aérea, vestido de uniforme. Era el encargado de controlar en la distancia el vuelo de las aeronaves hacia la casa de Bin Laden. A su derecha, y unos centímetros más atrás, aparece en la foto el presidente Obama, sin apoyarse en el respaldo, y con gesto de extrema preocupación, mientras mira fijamente a las pantallas que tiene delante. No lleva corbata. En lugar de chaqueta tiene puesta una cazadora. Se ha comentado mucho el hecho de que Obama optara por no sentarse en la silla principal, sino en una lateral más pequeña, ocupando un espacio secundario y discreto. Delante de él, a la izquierda de la imagen, en mangas de camisa, está el vicepresidente Joe Biden. Detrás de todos ellos y de pie está Mike Mullen, el almirante jefe del Estado Mayor. Va vestido de civil: camisa y corbata. A su lado, Thomas Donilon, asesor en Seguridad Nacional. A su izquierda, William Daley, jefe del Gabinete de la Casa Blanca. Sentado delante de él está Denis McDonough, viceasesor de Seguridad Nacional. Detrás, con dificultades para aparecer en la foto, se ve a Tony Blinken, viceasesor de Seguridad Nacional del vicepresidente, y a Audrey Tomason, directora de la Sección Contraterrorista del Consejo de Seguridad Nacional, hasta ese día una perfecta desconocida. A la derecha de la imagen se apelotonan John

Brennan, asesor del presidente para Seguridad Interior, y James Clapper, el director de Inteligencia Nacional. Estos últimos están de pie. Sentados, se ve a Robert Gates, secretario de Defensa (que Obama heredó de Bush, por decisión propia), y a Hillary Clinton, la secretaria de Estado.

El secreto mejor guardado es la identidad del decimocuarto asistente a la reunión. En la foto solo se ve de él un brazo dentro de la manga de una chaqueta oscura y su corbata de color claro. Se ha dicho que es el analista de la CIA que se atrevió un año antes a poner por escrito que tenían una pista creíble para encontrar a Bin Laden. A esa decimocuarta persona se le ha dado en llamar John.

La fotografía de Pete Souza ya es parte de la historia. Lo es por el momento en el que se hizo y por el gesto de cada uno de sus protagonistas. El más comentado fue el de Hillary Clinton, que se tapa la boca con una mano, en una expresión que aparenta terror ante lo que estaban viendo. Aquella reunión para seguir el desarrollo de la operación duró unos cuarenta minutos. Souza asegura haber hecho unas cien fotografías. ¿Por qué solo se publicó aquella en la que Clinton parece estar aterrorizada? Según dijo después el presidente Obama, esa foto concreta debió de ser tomada justo cuando se supo que uno de los helicópteros utilizados por los Navy Seals se había estrellado al aterrizar junto a la casa de Bin Laden, y aún no se sabía qué suerte habían corrido los soldados que iban dentro. «Fueron los treinta y ocho minutos más intensos de mi vida», aseguró la secretaria de Estado; la misma mujer que había vivido años atrás, y en esa misma residencia oficial, la intensa dureza emocional de los meses que duró el escándalo Lewinsky. Otros asistentes dicen que aquellos minutos se hicieron muy largos, porque la tensión era enorme. Pero Hillary aseguró que su mano estaba en la boca no por el miedo que pudiera estar pasando, sino por una alergia primaveral que le provocaba tos, y que ella ni siquiera se enteró de que les estaban haciendo fotos.

Pero ¿qué estaban viendo? Nunca quedó del todo claro. Según algunas versiones, disponían de la señal de vídeo que emitía un dron que sobrevolaba la casa de Bin Laden, con lo que habrían visto la operación desde el exterior, y no lo que ocurría dentro de la casa. Otras versiones aseguran que la imagen disponible en la Casa Blanca era la de una cámara que alguno de los soldados llevaba en su casco, y que sí pudieron ver en directo el momento en el que dispararon y mataron a Bin Laden. Hillary Clinton desmintió esa teoría, diciendo que no pudieron ver ni oír nada una vez que los soldados entraron en la casa, y que la espera se hizo muy larga hasta saber lo que había pasado dentro.

La fotografía se convirtió, con el tiempo, en un icono del poder en Estados Unidos. Por primera vez, un hombre negro (Obama) y dos mujeres (Clinton y la casi desconocida Tomason) aparecían en una imagen que reflejaba quién mandaba de verdad en el país. Y allí estaba Hillary, con su mano en la boca. Ella, en realidad, hubiera querido ocupar el asiento (de segundo nivel) que ocupaba Obama. Ella quería haber sido la presidenta en lugar de él. Pero aquel hombre de Hawái, trasplantado al estado de Illinois, había terminado con sus esperanzas en la durísima campaña de las primarias demócratas de 2008.

OBAMA CONTRA HILLARY

«Fue Hillary Clinton quien alabó a Ronald Reagan por su política económica y exterior. Respaldó el NAFTA (el acuerdo de libre comercio norteamericano), que tantos empleos ha costado en Carolina del Sur. Y, lo peor de todo, fue Hillary Clinton quien votó a favor de la Guerra de Irak de George Bush». El texto entrecomillado aparecía en un spot de la campaña de Barack Obama en las primarias de 2008. Y terminaba con un slogan demoledor: «Hillary Clinton dirá cualquier cosa, pero no cambiará nada». El cambio, otra vez el cambio.

¿Quién se cree que es ese estirado de Barack para desafiar a Hillary? ¿Por qué lo hace? Aún es joven y puede esperar unos años más para tener una mejor oportunidad.

Esa preocupación no existía en el hogar de los Clinton el 20 de enero de 2007, cuando la web de Hillary anunció su campaña por la presidencia. Tampoco resultó preocupante que Barack Obama, compañero de escaño de Hillary en el Senado, pusiera en marcha su propia candidatura unos días después, el 10 de febrero. Solo tenía cuarenta y seis años, apenas llevaba dos como senador y era negro. Se trataba, pensaron, de una candidatura más reivindicativa que real. Solo pretende llamar la atención, asomar la cabeza en el partido y ganar algo de fama para el futuro. No es rival, Hillary. No lo es, Bill.

Hillary dominaba sin sombra los sondeos sobre las primarias. La distancia respecto a sus rivales era tal que nadie los consideraba, en realidad, rivales. Pero el 3 de febrero de 2008 el primer termómetro de las primarias demócratas puso la temperatura por encima del nivel indicado para la fiebre. Inesperadamente, los simpatizantes demócratas del caucus de Iowa otorgaron a Barack Obama el 38 por ciento de los votos. Otro candidato, John Edwards, fue segundo con el 30 por ciento. Hillary Clinton quedó en tercera posición con el 29 por ciento. Frustración, sorpresa. Obama entró aquel día por primera vez en el hogar de muchos americanos, que se preguntaban quién era ese tipo tan atractivo y que habla tan bien que ha ganado a Hillary... ¡Y eso que es negro!

Ese maldito 3 de febrero, la senadora y exprimera dama perdió el cartel de candidata inevitable. Su equipo de campaña entró en estado de pavor paranoico. Ya nada sería igual desde entonces.

Obama repitió buenos resultados en las inmediatas primarias de New Hampshire, Nevada y Carolina del Sur. Iowa no había sido una excepción. Estaba construyendo su candidatura a toda velocidad. El mensaje de cambio que aportaba era difícil de contrarrestar con el mensaje de experiencia que trataba de emitir Hillary. Los demócratas no solo querían cambiar a un presidente republicano (Bush) por uno demócrata. También querían que el nuevo presidente demócrata fuera realmente eso, nuevo, y Hilllary no daba ese perfil.

Bill Clinton decidió entonces pisar el barro de la campaña con todo su instrumental bélico. Durante algunas semanas, la retórica de las primarias no la mantuvieron Hillary y Barack, sino Bill y Barack. Trataba de dibujar a Obama solo como el candidato de los negros, una condición que hacía aparentemente imposible llevarle hasta la Casa Blanca. Hillary resucitó en algunos estados, alcanzando victorias esperanzadoras para su causa. Y cuando Edwards retiró su candidatura, la batalla por la nominación demócrata se convirtió en un mano a mano intenso, apasionado y belicoso entre Clinton y Obama.

El crecimiento de las expectativas del senador frente a la senadora se tradujo en una ofensiva por las donaciones económicas. Y hasta en eso Obama llegó a adelantar a los Clinton, considerados como los magos de las recaudaciones de campaña. El intercambio de golpes fue durísimo. Hubo debates entre ambos cargados de insultos personales… hasta el 3 de junio de 2008.

Aquel día se celebraban las últimas elecciones primarias en Dakota del Sur y Montana. Hillary ganó en Dakota del Sur, pero Barack ganó en Montana. Era suficiente. Entre los delegados conseguidos en las primarias y los superdelegados (cargos públicos del partido) que dieron su apoyo público al senador de Illinois, Obama había superado la línea: disponía ya de los 2.117 delegados cuyos votos necesitaba para ser elegido como candidato demócrata en la inminente Convención Nacional.

El 5 de junio, Hillary Clinton envió un email a sus seguidores anunciando que apoyaría la candidatura de Barack Obama a la presidencia de los Estados Unidos. Dos días después, dio un discurso en Washington: «Hoy suspendo mi campaña y felicito a Barack Obama por su victoria y por la extraordinaria carrera electoral que ha realizado. Le daré todo mi apoyo». El desastre se había consumado. Lo imposible había ocurrido. Quienes odiaban a los Clinton eran felices. Los Clinton se sumergieron en el fracaso más duro e inesperado de sus vidas. Hasta entonces.

¿Acabaría Donald Trump ocho años después con su última esperanza de alcanzar la cima del poder?

Hillary estaba convencida de que eso no ocurriría por segunda vez. No con Trump. Tan segura estaba, que poco después de la Convención Demócrata que la entronizó como candidata en 2016, el equipo de campaña empezó a ocuparse de dos cosas: la campaña en sí, y el programa de gobierno que pondría en marcha nada más tomar posesión como presidenta el 20 de enero de 2017. Hillary Clinton no solo quería ser presidenta, sino que se notara que lo era. Y había que preparar bien el camino. En casa de los Clinton aún recordaban las enormes dificultades que tuvo Bill para conformar su administración en 1993, y lo extraordinariamente mal que inició su mandato.

El primer y más difícil trabajo consiste en elegir a los varios miles de cargos públicos que trabajan para el gobierno. Y son, por tanto, varios miles de posibilidades de equivocarse con alguno/s. Como relataba *The Washington Post*, Hillary necesita «organizar de forma efectiva el equipo de la Casa Blanca para mantener el foco puesto en sus políticas prioritarias, y minimizar las controversias que siempre han perseguido a Clinton y a su marido». Muchas. Muchísimas…

Para organizar su presidencia, Hillary contaba con una ventaja: había sido primera dama, conocía bien la Casa Blanca; había sido senadora, conocía bien el Congreso; y había sido secretaria de Estado, conocía bien el gobierno y las relaciones exteriores. Perfecto. Pero no le serviría de nada. Aunque nadie lo sabía entonces, y aunque nadie quisiera imaginarlo, su derrota del 8 de noviembre de 2016 había empezado once meses antes: el 1 de febrero en el estado de Iowa.

Primarias republicanas con diecisiete candidatos

El Partido Republicano se encontraba en tan aparente mala situación, sin un liderazgo claro, que se presentaron hasta diecisiete candidatos a la nominación. Era tan absurdo que, cuando Fox News quiso organizar el primer debate entre los aspirantes republicanos, no cabían en el escenario. Los responsables de la cadena tuvieron que establecer que fueran solo diez, dejando relegados a los siete que peores resultados ofrecían hasta ese momento en los sondeos. Y eso que faltaba mucho para las primarias: el debate fue en agosto de 2015, y las elecciones primarias empezaban en febrero de 2016. Curiosidad: el debate se celebró en Ohio, estado clave en todas las elecciones presidenciales (también lo fue en las de 2016). El 8 de noviembre, Trump ganó en Ohio. En las primarias perdió.

Los diez aspirantes subieron al estrado en fila de a uno. Donald Trump era el sexto. Iba detrás de Jeb Bush. Eran diez hombres bien trajeados. Todos con el botón de la chaqueta abrochado. Todos, salvo Trump, al que será difícil encontrarle una imagen en la que no esté con la americana abierta y el pico de la corbata bien por debajo de la altura de su cinturón. Aquel día, cualquier apostador sensato hubiera invertido su dinero en Jeb Bush. Quien lo hiciera, lo perdió. Nadie (o casi) apostaba por Trump. Quien lo hiciera entonces hoy será rico.

Donald Trump parecía tenso aquella noche de su primer debate electoral. Miraba al enorme auditorio (el pabellón en el que juega el equipo de baloncesto de la NBA Cleveland Cavaliers) como quien pretende entender algo que no le cabe bien en la cabeza. Él no necesitó nunca de espectáculos como aquel para conseguir lo que se proponía. Sencillamente, si quería algo lo tomaba, o convencía a algún banco para que le diera el dinero que necesitaba para tomarlo. Pero la política tiene algunos matices más.

Aun así, en la política de los precandidatos republicanos faltaba un matiz que Donald Trump controla como nadie: el *marketing*. El objetivo era que se hablara de él. Mucho. Si se hablaba bien o mal era un asunto casi despreciable. La cuestión es que su nombre sonara más que el de ningún otro aspirante. Y lo consiguió desde el primer momento, siendo como es él: políticamente incorrecto.

UN NO-POLÍTICO ENTRE POLÍTICOS

Sus nueve rivales de aquella noche del primer debate eran o habían sido cargos públicos. Solo él era un tipo venido de fuera de la política. Por eso, los nueve restantes tenían ese apego natural a no quedar mal con los compañeros, por mucho que fueran sus rivales en ese momento. Trump no tenía problema alguno en romper esa tradición. Lo hizo nada más empezar. Uno de los moderadores pidió que levantara la mano quien no se comprometiera a apoyar a aquel que resultara finalmente nominado, y que renunciara a presentarse como independiente para competir en las urnas contra ese nominado. Solo uno de los diez levantó la mano: Donald Trump.

El pabellón entero estalló entonces en un silbido de reprobación o asombro, o ambas cosas, hacia Trump, al que no pareció importarle, porque ya desde el mismísimo primer minuto de su larga campaña hacia la presidencia de los Estados Unidos había conse-

guido que todo el mundo le prestara atención. Era el protagonista.
Dijo que sí se comprometía a no concurrir a las urnas como independiente, pero que no se comprometía a apoyar a otro candidato republicano que no fuera él. Otro de los candidatos le acusó
entonces de haber financiado campañas de políticos de varios partidos, y de ayudar con esa afirmación a la victoria de Hillary Clinton. La campaña más dura en decenios acababa de empezar.

Y aquel día dejó sentadas algunas bases de su posterior victoria.
Consiguió un aplauso general del pabellón cuando dijo que «uno
de los grandes problemas es que hay que ser políticamente correcto y este país no tiene tiempo ya para ser políticamente correcto.
Ya no ganamos a nadie. Perdemos con China, perdemos con México, perdemos con todo el mundo por los acuerdos comerciales… Francamente, yo digo lo que digo, y si a alguien no le gusta,
lo siento (…). Necesitamos fuerza, energía, necesitamos ser rápi-
dos, y necesitamos cabeza para darle la vuelta a la situación». Explicó a voz en grito que había que construir un muro en la frontera con México, para evitar la inmigración ilegal, «porque nuestros
líderes políticos son estúpidos, y los mexicanos nos envían a lo
peor de su gente». Y se burló de sus compañeros de escenario, asegurando que les había dado dinero para sus campañas electorales
previas. No era cierto. No en todos los casos. Pero la verdad ya no
tenía el menor interés. No lo tuvo entonces, y no lo tuvo después
durante el resto de la campaña. La mentira se impuso. El impacto
era lo único que importaba.

Y consiguió el impacto que buscaba cuando explicó con crudeza la realidad del funcionamiento del sistema que él quería derribar entrando en política: «Yo doy dinero a todo el mundo. Me
llaman y me piden dinero. Yo se lo doy. Y después, cuando pasa un
año o dos o tres y yo necesito algo, les llamo, y allí están disponi-

bles para mí. Ocurrió con Hillary Clinton. Yo le di dinero, y luego le dije que asistiera a mi boda, y vino a mi boda. ¿Saben por qué? Porque no tenía otra opción, porque yo había dado dinero para su fundación. Y no sé en qué se lo gastarían después».

Donald Trump abrió el debate. Donald Trump protagonizó el debate. Donald Trump cerró el debate. Había muchos candidatos, pero solo Donald Trump se hizo oír allí.

Seis meses después, el 1 de febrero de 2006, Ted Cruz conseguía la victoria en los caucus del estado de Iowa, por delante de Trump. Eran las primeras elecciones para seleccionar al candidato republicano a la presidencia de los Estados Unidos. Fuegos artificiales. Antes de que terminara el mes, Donald Trump había ganado en New Hampshire, Carolina del Sur y Nevada. Y antes de que terminara el mes, el favorito Jeb Bush, que había recaudado ya 150 millones de dólares en donaciones para su campaña, retiraba su candidatura. Fracaso mayúsculo. Un rival menos. Y muy importante.

En el llamado supermartes del 1 de marzo, con once estados en disputa el mismo día, Trump ganó en siete, frente a tres de Cruz y uno de Marco Rubio (senador de Florida). A mediados de marzo se habían celebrado primarias en quince estados más, con victoria de Trump en diez, algunos tan importantes como Florida, Illinois o Michigan.

Para finales de marzo, de los diecisiete candidatos que iniciaron la carrera ya solo quedaban tres: Trump, Cruz y John Kasich. De las doce primarias en las que compitieron los tres, Trump ganó ocho. Kasich no ganó ninguna, y a primeros de mayo se retiró. Ted Cruz hizo lo mismo.

Donald Trump había ganado. Sería el candidato del Partido Republicano a la presidencia de los Estados Unidos. Solo faltaba que se hiciera oficial en la Convención Nacional Republicana, a celebrar entre el 18 y el 21 de julio en el Quicken Loans Arena de Cleveland, Ohio. El mismo lugar en el que once meses antes había iniciado su carrera política en aquel primer debate entre diez candidatos republicanos. Se cerraba el círculo. Había ocurrido lo increíble, lo que no podía ocurrir.

3

RUTA HACIA LA CASA BLANCA

LOS MASONES Y LAS CONVENCIONES

Los meses de julio de cada año electoral, los americanos ponen en marcha el gran espectáculo político de las convenciones. Cada partido nombra con formalidad a su candidato a la presidencia y lanza globos de colores al aire. Pero no siempre existieron las convenciones.

Las inventaron quienes odiaban a los masones.

A principios del siglo XIX se extendió por Estados Unidos la impresión de que los masones (la llamada *Freemasonry*) se habían constituido en una sociedad clandestina elitista, convencida de que podía y debía gobernar el país desde la sombra. El sistema democrático cincelado por los Padres Fundadores estaba en riesgo si caía en manos de una organización secreta, constituida por individuos vestidos con extraños atuendos y decididos a realizar ceremonias que parecían satánicas.

En 1828, un grupo de inflamados antagonistas de los masones se escindió del Partido Nacional Republicano y constituyó el Partido Antimasonería. Aquel fue el primer tercer partido de los Estados Unidos, pero no el último. La historia ha ofrecido organizaciones políticas que supieron fracasar con mucho pundonor, tratando de quebrar el bipartidismo de demócratas y republicanos.

En 1832 conformaron la primera convención nacional para elegir a su candidato a la presidencia. Nombraron a William Wirt, antiguo fiscal general. Para no cumplir en absoluto con su objetivo prioritario, el Partido Antimasonería había elegido a un masón. Wirt lo era y se pavoneó de ello en su inacabable discurso de cuatro horas ante la propia convención antimasónica que le acababa de nombrar. Wirt no ganó las elecciones. Fue una nota a pie de página, al igual que lo fue William Pitkin, el primer americano elegido en una convención de la sociedad secreta Hijos de la Libertad, aunque para el cargo de gobernador de la colonia de Connecticut en 1754.

Los dos grandes partidos copiaron pronto la idea de la convención y, con el paso de los años, han llegado a situarla en el más alto nivel inoperativo: un monumental espectáculo político, y solo eso. El periodista William Safire lo ha explicado así: «La convención ha devenido en coronación». Hubo un tiempo en que en las convenciones sí pasaban cosas: había luchas políticas con debates intensos y la elección no era evidente, al contrario de lo que ocurre ahora. La cobertura televisiva las ha transformado en un *show* que a veces provoca vergüenza ajena; una coreografía televisiva a la que se llega después de las elecciones primarias y, por tanto, sin dudas que resolver.

UN GOLPE DE MANO CONTRA TRUMP

Casi nunca. Porque en la Convención Republicana de 2016, algunos dirigentes del partido llegaron a fantasear con dar un golpe de mano e impedir la entronización de Donald Trump justo antes de que el magnate les fuera impuesto para la posteridad. Si Trump no conseguía llegar a la convención con el 50 por ciento de los delegados, una conjunción planetaria de todos los demás podría tumbar a este *outsider* excéntrico, que finalmente asumió el liderazgo del partido en contra del partido.

Algo similar se intentó sin éxito en 1976. Llegados al final de las elecciones primarias, el presidente Gerald Ford tenía veinticinco delegados menos de los necesarios, frente a su arrojado competidor, Ronald Reagan, al que le faltaban cien. Kansas City, en Misuri, acogió aquella convención, que ha sido la última en la que pudo ocurrir un imprevisto. No ocurrió. Se impuso la ortodoxia: ganó el *incumbent*, el presidente en ejercicio, pese a que durante horas el sector oficialista temió la derrota, en medio de una sucesión de situaciones pintorescas.

Una delegada de Gerald Ford se rompió una pierna en una avalancha caótica y se negaban a hospitalizarla ante el temor de que su voto fuera crucial para no perder. Henry Kissinger trataba de gestionar las borracheras de algunos delegados, para impedir su ausencia en la votación. Los candidatos desayunaban, comían y cenaban varias veces al día para invitar y seducir a todos los delegados posibles. Ford había abusado, incluso, de regalar a delegados estancias en las dependencias de la Casa Blanca para torcer la voluntad de los menos convencidos. La tensión alcanzó niveles de paranoia cuando se amenazó con someter a varios delegados a la máquina de la verdad, para confirmar que votaban lo que habían prometido votar.

Gerald Ford alcanzó la nominación frente a Reagan, aunque después perdió las elecciones frente a Jimmy Carter, que a su vez perdió cuatro años después frente a Reagan, tras un solo mandato en el poder. Se cerraba otro círculo. Ford fue vicepresidente por la dimisión del vicepresidente que le precedió, Spiro Agnew. Y fue presidente por la única dimisión de un presidente en la historia: la de Richard Nixon por el caso Watergate. Ford es nota a pie de página.

Hillary Clinton sufrió una nominación más dura de lo que ella deseaba frente a Bernie Sanders, aunque no tanto como la de

John Davis en la convención de 1924, cuando se necesitaron ciento tres votaciones durante dieciséis días para elegir a un candidato que terminaría perdiendo las elecciones. Allí hubo hasta un aspirante apoyado por el Ku Klux Klan.

Desde entonces, apenas ha habido convenciones abiertas, como aquellas que empezaban sin que nadie supiera quién iba a salir nominado cuando terminaran. Pero sí han marcado el futuro político de grandes figuras. Barack Obama se dio a conocer con un discurso brillante y talentoso en la convención de 2004. Cuatro años después era presidente. Y Bill Clinton estuvo a punto de echar a perder su carrera política por un discurso tan largo como infame en la convención de 1988. Cuatro años después era presidente. Ni Bill, ni Barack son una nota a pie de página. Hillary, tampoco. Donald Trump estaba empeñado en no serlo. ¿Y Bernie?

Y Sanders se rindió... por fin

En caso de duda, color corporativo. Al contrario que en Europa, en Estados Unidos el rojo es el color de los más conservadores, los republicanos, mientras que el azul simboliza a los demócratas, más progresistas (o menos conservadores que los republicanos; aplicando los baremos políticos europeos, un demócrata americano es, como mucho, un centrista). Hillary optó por el azul para asistir a la tardía rendición del único rival que le hizo sombra en las primarias de su partido. Traje de chaqueta en tonos celestes y blusa blanca. Nada espectacular, siguiendo su estilo tradicional. La moda nunca ha enardecido los ánimos de Hillary.

Bernie Sanders, tan monótono en la vestimenta como ella, es lo más parecido a un socialdemócrata que haya tenido Estados Unidos en mucho tiempo. Por definición (supuesta) un socialdemócrata es para los americanos del norte el equivalente a un comunista. Hasta Obama ha sido considerado un comunista por determinado sector social filonazi, y ha sido acusado hasta de filoislamista por Donald Trump.

Sanders nunca había pensado llegar tan lejos. Solo pretendía llamar la atención de su partido, y empujarlo hacia la izquierda con un mensaje casi trasplantado desde movimientos como el 15-M español. Pero las primarias avanzaron, y este senador nacido en Brooklyn (Nueva York), que había sido miembro de la Liga Socialista, descubrió cómo cientos de miles de jóvenes alentaban su discurso en los mítines y le votaban en su recorrido estado por estado. A sus setenta y cuatro años, cuando quizá ya no lo esperaba, Sanders se había convertido en un personaje de ámbito mundial. En Estados Unidos se había hecho famoso en 2010, cuando protagonizó una sesión parlamentaria en la que aplicó la llamada «táctica del filibusterismo». Consiste en abusar del reglamento de la Cámara que permite hablar sin límite de tiempo, para retrasar o incluso paralizar la aprobación de una norma que no sea del gusto de algún congresista. Sanders tomó la palabra y no la soltó durante las siguientes ocho horas y media. Aquella intervención se hubiera podido resumir en dejar claro que estaba en contra de los recortes de impuestos a los ricos establecidos en la era Bush y que Obama pretendía mantener. Pero se tomó su tiempo para explicar el calado de su protesta.

Empezó con una frase de contenido solidario, en términos generacionales: «No quiero ver a nuestros hijos y nietos con un peor estándar de vida que nosotros». Y no terminó de forma muy distinta, después de consumir algo más de lo que dura una jornada de trabajo completa: «Voy a terminar», advirtió Sanders, para solaz de sus compañeros de escaño. «Podemos aprobar una propuesta mejor para el pueblo americano y, lo que es más importante, para nuestros hijos». (Si usted desea ver aquel discurso de Bernie Sanders en toda su extensión, puede hacerlo aquí: *http://www.c-span. org/video/?297021-5/senator-sanders-filibuster*).

Sanders ha batallado desde The Hill (como se conoce al Capitolio de Washington, la sede del Congreso, por estar en lo alto de una colina) contra todo lo que no fuera suficientemente parecido a lo que quizá aprobarían con normalidad los socialdemócratas escandinavos. Y eso permitió a Sanders representar a los americanos del progresista estado de Vermont como miembro de la Cámara de Representantes desde 1991 hasta 2006 y, desde entonces, como senador.

EL SENADO Y EL CÓNCLAVE

Hay quien ha dicho que el Senado de los Estados Unidos es el club más exclusivo del mundo, junto con el cónclave de los cardenales que tienen la responsabilidad de elegir al papa siempre que hay sede vacante. El Senado lo conforman cien honorables ciudadanos norteamericanos que han conseguido llegar muy cerca de la gloria. Hay dos senadores por cada uno de los cincuenta estados de la Unión. No se tiene en cuenta lo numerosa que pueda ser la población de cada estado. Todos tienen el mismo número de senadores. Un senador de los Estados Unidos es alguien muy poderoso, que ha conseguido llegar todo lo alto que se puede llegar en política, si exceptuamos la presidencia. Un cardenal ha conseguido llegar todo lo alto que se puede llegar en la Iglesia, si exceptuamos el papado.

Sanders es hijo de inmigrantes judíos que habían sufrido las consecuencias del nazismo en Europa. Nunca fue muy religioso. Se casó con una católica. Ambos admiran el discurso del papa Francisco. Sus inquietudes políticas fueron tempranas. Llegó a ser detenido en los años sesenta por participar en manifestaciones. Su discurso ha variado poco desde entonces: está contra los ricos. Y ya. Está en contra de todo aquello que pueda beneficiar a quienes más tienen.

En abril de 2015, Sanders hacía oficial que se presentaba a las primarias demócratas para ser el candidato del partido a la presidencia de los Estados Unidos. Lo hizo con su discurso de siempre, protestando porque «los millonarios se han apropiado del proceso político» en Estados Unidos. Y dando un consejo a quienes le observaban con escepticismo: «Creo que la gente debería cuidarse de no infravalorarme». Y, en efecto, quien le infravaloró se equivocó. Sanders ganó las primarias o los caucus en veintidós estados, y consiguió trece millones de votos, para sufrimiento de Hillary Clinton y sus seguidores. Bernie Sanders se convirtió en una pesadilla para ella durante meses.

Pero tenía todas las opciones para no conseguirlo. Y, de hecho, no lo consiguió. Aun así llegó muy lejos. Recorrió un camino mucho más largo del que cualquier observador avezado hubiera podido imaginar al principio de la carrera, porque es muy difícil que una suficiente masa crítica de votantes elija como mejor opción para liderar al país a un hombre de esa edad. El presidente que alcanzó el cargo con mayor veteranía fue Ronald Reagan, que llegó a la Casa Blanca con sesenta y nueve años y doscientos cuarenta y nueve días, cuando la media de los presidentes de Estados Unidos en el día de su acceso al poder es de cincuenta y cuatro años y once meses. Si Sanders hubiera ganado las primarias y las elecciones presidenciales, habría llegado a la Casa Blanca con setenta y cinco años y cuatro meses. Y, ampliando la especulación a futuro, de haber renovado su posición en las elecciones de 2020, terminaría sus dos mandatos como presidente con ochenta y tres años. Habría batido récords.

Pero el factor edad no era el mayor freno a sus opciones. De hecho, Hillary Clinton se presentó a las primarias sabiendo que si alcanzaba su objetivo sería la segunda en la lista de personas con más edad en llegar a la presidencia. El 20 de enero de 2017, día de la toma de posesión, Hillary Clinton iba a sumar sesenta y nueve años y ochenta y seis días, no muy lejos de la marca de Reagan.

La edad de Sanders, por tanto, era un freno, pero menor. Hillary Clinton era el freno mayor. ¿Quién podía pararla? ¿Cómo iba a perder por segunda vez, cuando todos daban por hecho que ya iba a ser presidenta en su primer intento, ocho años atrás? Obama había acabado con las opciones de Hillary Clinton en 2008. Sanders quería hacerlo en 2016. «Creo que la gente debería cuidarse de infravalorarme». Ya lo había advertido.

El Quijote Sanders

Pero, aunque el entusiasmo de sus seguidores era mucho, la meta se le vino encima a Sanders sin haber podido sumar el número necesario de delegados a la Convención Demócrata. Y los superdelegados (el Partido Demócrata nombra como tales a los cargos públicos, que pueden votar lo que deseen en la convención) estaban de parte de Hillary, en su inmensa mayoría. Era Don Quijote contra los molinos de viento.

Don Quijote se resistió a reconocer su derrota mucho más allá de lo que aconseja la tradición política americana. Mucho más allá de lo que le pedía la superestructura de su partido, y de lo que le pedía la propia Clinton. Y también mucho más allá de lo que podían soportar los guardianes del dinero público, porque mientras Sanders se mantuviera en la lucha de las primarias, tendría asignado un equipo entero de seguridad del Servicio Secreto de los Estados Unidos, pagado por los contribuyentes, a sabiendas de que ya no podía ganar. Los contribuyentes… esos a los que Sanders tanto defendía.

Pero el todavía candidato estaba forzando la maquinaria del partido hasta conseguir, como consiguió, que varias de sus propuestas fueran incluidas en el borrador de programa del partido. Por ejemplo, que se elevara el salario mínimo a 15 dólares la hora. Había sido una de sus promesas de campaña.

Hasta que ese momento llegó, el discurso oficial del Partido Demócrata era que asumir que había perdido era bueno para él, para Hillary y para las opciones de los demócratas de mantener en su poder el trono de la Casa Blanca. Pero Sanders apuraba el acelerador para forzar a Hillary a aceptar, aunque solo fuera de forma retórica, las exigencias del sector más izquierdista de su partido.

LA BRECHA EN EL PARTIDO DEMÓCRATA

El 12 de julio de 2016, Bernie y Hillary se citaron en el estado de New Hampshire. Sanders iba a dar su apoyo oficial a la candidatura de Clinton, pero sin evitar un ejercicio de autorreivindicación y de autocomplacencia en las primeras palabras de su discurso. «Permítanme empezar dando las gracias a los trece millones de americanos que votaron por mí durante las primarias demócratas. Y permítanme también dar las gracias a la gente de New Hampshire, que me dio la primera victoria importante». Sanders se quedó a gusto consigo mismo. He perdido, sí, pero te lo he hecho pasar fatal, Hillary… Y continuó con lo suyo: «Hillary Clinton sabe que es absurdo que la clase media americana esté pagando un impuesto efectivo más alto que los millonarios fondos de inversión». A su lado, la ya candidata asentía, a pesar de que quienes dirigen esos fondos millonarios eran, en buena medida, los donantes más generosos de su campaña hacia la Casa Blanca.

Clinton no tuvo otro remedio que reconocer el daño que los postulados de Sanders le habían provocado durante las primarias:

«Bernie ha dado energía e inspirado a una generación de jóvenes que está muy preocupada por nuestro país». Era cierto. Los más jóvenes partidarios de los demócratas estaban apoyando al candidato de más edad. Detrás de los dos protagonistas, varios simpatizantes de Hillary mostraban pancartas con el lema «juntos somos más fuertes». Pocos seguidores de Sanders asistían al evento. Muchos ya habían dejado claro que jamás apoyarían a Hillary, ni siquiera para evitar que Donald Trump fuera el presidente. Había una brecha y no se había cerrado a pesar del acto de apoyo celebrado en New Hampshire. Días después llegó la Convención Nacional Demócrata, que se cerró con los globitos de rigor, las fotos acostumbradas y los aplausos de manual. Hillary era la candidata. Bernie Sanders era historia. Quizá algo más que un pie de página, pero historia.

LA DECADENCIA DE LOS REPUBLICANOS

«Los candidatos presidenciales ganadores siempre se han dirigido al país entero y han prometido representar a todos los americanos». La frase aparece en un libro escrito a la carrera y desesperadamente por David Frum, cuando ya era evidente que Barack Obama conseguiría la reelección en noviembre de 2012, y que Mitt Romney se iba a estrellar, como otros republicanos antes que él. Frum no invirtió mucho de su tiempo en buscar un título imaginativo. No había necesidad. Directo y al grano: «Por qué Romney perdió».

Frum ocupó parte de su vida profesional como escritor de discursos para George W. Bush. Es un conservador, un hombre de derechas de toda la vida, orgulloso de serlo, y dispuesto a manifestarlo abiertamente. Pero a quienes son de derechas les puede ocurrir lo mismo que a quienes son de izquierdas: pueden ser sensatos y entender la diversidad política y sus ventajas, o pueden dejarse

arrastrar por el error de considerar que solo ellos están en lo cierto y que, por tanto, solo ellos tienen derecho a existir. Aquellos que
se rinden a esa equivocada tentación disfrutan de creerse sus propias mentiras, y pueden deslizarse hacia posiciones extremas en las
que el adversario se transforma en enemigo. «¿Si sabemos que el
extremismo es peligroso, por qué vemos tanto extremismo (entre
nosotros, los republicanos)?».

Frum, desesperado al ver a su partido dispararse repetidamente y con notable puntería en su propio pie, expuso con crudeza
algunos números poco discutibles. «El Partido Republicano está
cada vez más aislado de la América moderna. En el cuarto de siglo
que ha pasado desde 1988 ha habido seis elecciones presidenciales.
Solo en una de ellas (¡en una!) el candidato republicano consiguió
la mayoría del voto popular, y por un miserable 50,73 por ciento
(la segunda victoria de Bush hijo; en la primera, Al Gore perdió
las elecciones pero había ganado en número total de votos). Como
contraste, de las seis elecciones que hubo entre 1968 y 1988, los
republicanos ganaron cinco. La media de porcentaje de voto con-
seguida, incluyendo la derrota de 1976, fue del 52,5 por ciento».
Esta tesis de Frum no ha sido desmentida por las urnas en 2016.
De hecho, ha sido confirmada: la candidata demócrata Hillary
Clinton ganó el llamado voto popular con el 47,9 por ciento (cerca de 66 millones de votos), frente al 47,2 por ciento del republicano Donald Trump (en torno a 63 millones). Sí, los republicanos
siguen teniendo menos votos que los demócratas, pero su reparto
es el apropiado para sacar ventaja del peculiar sistema electoral
americano. Y eso es lo que cuenta en la práctica.

Pero a Frum no le faltan argumentos, y se desmelena en la explicación del recorrido republicano hacia una supuesta inoperan-
cia electoral, con una afirmación demoledora: «El GOP (el Partido
Republicano) se ha convertido rápidamente en el partido de la
América de ayer». Y remata su vitriólica autocrítica: «Los republi-

canos no solo dicen barbaridades, sino que se las creen y actúan en función de ellas». Pocos republicanos leyeron el libro de David Frum. Y pocos de los que sí lo leyeron le hicieron caso.

Frum no podía imaginar que cuatro años después de advertir a los suyos del desastre en el que se habían instalado, esos mismos suyos parecían lanzarse con el cráneo por delante hacia lo que casi cualquiera daba por hecho que sería la tercera derrota consecutiva en unas elecciones presidenciales. ¿Por qué se empeñaban en nominar a Donald Trump? La muy articulada tesis de David Frum demostró, con el paso de los meses, que no hay tesis articuladas en política que resistan su convalidación con las urnas. El 8 de noviembre se derribaron muchos mitos electorales. Muchas verdades sociológicas y políticas decayeron. Una vez más.

Y TRUMP ENGULLÓ SU PROPIA CONVENCIÓN

El enorme escenario del pabellón deportivo de Cleveland ya estaba lleno de entusiastas seguidores de Donald Trump. Había llegado el día: 20 de julio de 2016. El viejo partido de Abraham Lincoln iba a ser tomado al asalto por las milicias insurrectas de un millonario faltón, histriónico y muy hábil. Aquel partido que lideró con Lincoln la lucha por abolir la esclavitud, era ya una organización política en la que los negros tienen dificultades serias para encontrarse entre sí. Solo un 3 por ciento de los delegados en la Convención eran de raza negra.

El senador Ted Cruz había sido el último rival de Trump en abandonar la batalla de las primarias. Aguantó lo que pudo el empuje del empresario inmobiliario. Pero los votos mandan. Cruz no tenía opción, salvo que la organización burocrática del Partido Republicano hubiera optado por una asonada para reunir a todos los rivales de Trump con el objetivo de impedir su nominación.

Entre el escándalo de cuestionar el voto de los militantes republicanos o evitar el ridículo mundial de nominar a Trump, finalmente optaron por el ridículo mundial. Lo hicieron con éxito.

Cruz pudo haber ignorado la invitación de hablar ante la convención. Así lo hicieron personajes tan importantes para el partido como los hermanos George W. y Jeb Bush. Otros nombres destacados del orbe republicano renunciaron también a viajar hasta Cleveland. Pero Cruz acudió, y todos esperaban su discurso con una mezcla de interés político y de morbo patológico: ¿daría Cruz su apoyo expreso a Trump?

Cruz empezó a hablar para la galería. Populismo dialéctico, se llama la figura: digamos aquello que más se parezca a lo que quieren oír. Y lanzó frases resultonas del estilo de «América es una idea fuerte y simple: la libertad importa (*freedom matters*)». Cuando pronunció esas últimas palabras se puso muy serio, como advirtiendo al respetable de que aquello que estaba diciendo era la verdad revelada. Y, sobre todo, aguardando un aplauso espontáneo y entusiasta por parte de las cientos de personas megaconservadoras, superreligiosas, y cuasi reaccionarias que ocupaban la platea. No hubo tal.

Durante tres segundos eternos, Cruz silenció su discurso esperando a la claque, pero aquello no arrancaba. Al final, algún generoso asistente palmeó sus manos y una tímida ovación llena de desgana, y de pura cortesía, rompió la tensión del momento. No era eso lo que el público esperaba oír: querían que Cruz diera su apoyo inequívoco a Trump. Pero Cruz no quiso quedar en la historia como el perdedor que, además, se humilla. «Votad en conciencia; votad por candidatos en los que confiéis, que defiendan nuestra libertad y que sean leales con nuestra Constitución». Votad en conciencia. Solo le faltó pedir que, por Dios, no votaran a Trump. Pocos aplausos y muchos abucheos llenaron el ambiente, justo en el momento en el que Donald Trump apareció en la sala desde detrás de una cortina negra aplaudiendo altaneramente a Cruz, con más desprecio que aprecio. Quizá se aplaudiera a sí mismo.

En la grada reservada a la familia del candidato, Ivanka Trump, hija del magnate, ataviada con un vestido blanco que podría servir para una boda, mostraba su desdén por Cruz hablando por el móvil y haciendo aspavientos, mientras el senador terminaba su discurso. Ivanka estaba enfadada. Pocas veces había dado esa imagen en público. Siempre modesta, calmada, impoluta, esta vez irradiaba ira, se había irritado sin medida y apuntaba grosera y violentamente a Ted Cruz desde la grada, afeándole que no diera el apoyo a su padre.

El mundo no es de los perdedores y la historia la escriben los ganadores. Nadie recordará a Ted Cruz. De hecho, ¿quién le recuerda ya? Sin embargo, Ivanka tiene la expectativa de ser recordada. Fue ella quien presentó a su padre para el discurso de aceptación de la candidatura. La tradición dicta que sea una figura emergente del partido quien lo haga. Y quienes la conocen creen que algún día será ella la que se lance a la arena para disputar la presidencia de Estados Unidos a quien se atreva a plantear el reto. Ivanka es la preferida.

LA VERDADERA NOTICIA DEL 21 DE JULIO DE 2016

Era el día de Donald. Su entronización. El ascenso a la escueta lista de quienes fueron elegidos para intentarlo, lo consiguieran o no. El momento había llegado. Ciento y pico mil absurdos globos de colores cayendo de lo alto del pabellón de los Cleveland Cavaliers; miles de simpatizantes del Partido Republicano, con sus ridículos sombreros de cartón y chapas de colores en chalecos con aún más colores, e igual de ridículos… Así se hace política en América. Cada país tiene su propio estilo grotesco. Nada que reprochar, que no podamos reprocharnos los demás.

Donald Trump dio un paso al frente para salir del *backstage* y plantarse en el *stage*. Ya estaba allí, en la tribuna de la Convención Nacional Republicana que, solo diez meses atrás, era solo una fantasiosa quimera. Un *outsider*, alguien sin pedigrí ni actividad política, había atrapado y engullido al gran partido de Estados Unidos. *Things happen*.

En el escenario le esperaban un atril, el teleprompter para leer su discurso (decir que fue incendiario resultaría innecesariamente reiterativo), y treinta y seis banderas de los Estados Unidos. Treinta y seis. Una junto a la otra. Profusión de barras y estrellas. Rojo, blanco y azul. Patriotismo de fábrica. Atrezo televisivo.

Friends, delegates and fellow Americans: I humbly and gratefully accept your nomination for the presidency of the United States (Amigos, delegados y compatriotas americanos: con humildad y agradecimiento acepto vuestra nominación para la presidencia de los Estados Unidos). Humildad y agradecimiento eran neologismos en el diccionario Trump-inglés, inglés-Trump. Dicho en *prime time* para las cadenas de televisión de noticias veinticuatro horas. Pero, muy especialmente, para los espectadores de una de esas cadenas, cuyo máximo responsable acababa de restarle protagonismo al mismísimo Donald Trump: el muy poderoso e influyente Roger Ailes, presidente de Fox News, dejaba el cargo. Ailes era, en ese momento, casi más noticia que Trump. De hecho, en los periódicos del día siguiente, la destitución de Roger Ailes era la segunda historia del día, por detrás del discurso final de la convención. Ailes, el hombre que tanto había facilitado el triunfo de Trump con las coberturas de sus programas, caía el día en el que Trump ascendía. *Things happen, again*.

La apuesta de Rupert Murdoch

En 1996, el magnate de los medios Rupert Murdoch decidió jugarse el dinero (una parte de su inabarcable fortuna) en hacerle la competencia a la todopoderosa CNN. Tarea imposible, decían algunos. ¿Quién iba a robarle terreno a la primera cadena de noticias, cuya cobertura englobaba el ancho mundo, y que se había convertido en la referencia informativa permanente en los televisores que tienen en su despacho todos aquellos con algo de poder político, económico o social en cualquier parte de Estados Unidos y del planeta? Ese «quién» era Murdoch. ¿Cómo hacerlo? Con dinero (mucho), con paciencia (no mucha) y poniendo al frente a la persona idónea para el cargo: Roger Ailes.

Durante años había forjado sus habilidades televisivas en cadenas locales de poca monta, hasta que en los años sesenta consiguió empleo en el programa de emisión nacional *The Mike Douglas Show*. Entre los encargos de Ailes estaba gestionar entrevistas. Una de esas gestiones la hizo con el entonces candidato a la presidencia Richard Nixon. Se saludaron, se conocieron, se cayeron bien. Ailes empezó a trabajar para Nixon de inmediato. Inició así su carrera en política, en la que supo derrochar todos sus conocimientos televisivos y sus impulsos conservadores. Así lo hizo después al servicio de otros políticos republicanos, como Ronald Reagan o George Bush padre.

Cuando aterrizó en el proyecto de Murdoch puso en marcha una maquinaria extraordinariamente agresiva en términos televisivos y políticos. Agresiva, efectiva y exitosa. En apenas cinco años, Fox News se convirtió en líder de las cadenas de noticias, en una referencia inevitable en la información y la opinión de los americanos, y en una máquina salvaje de hacer dinero. Pero todo llega a su fin. Veinte años después, una mañana de junio de 2016, Gretchen Carlson había tomado una decisión.

Gretchen, cincuenta años, presentadora de Fox News, escritora, miss América 1989, graduada con honores en la Universidad de Stanford, estaba ante un momento muy delicado de su vida. Iba a denunciar a su jefe por acoso sexual. Llevaba nueve meses trabajando en silencio con sus abogados, pero había llegado el día de hacerlo público. ¿Sobreviviría a la potencia de fuego de Fox News? Sí, sobrevivió.

Roger y las mujeres

En los días que siguieron a su acusación pública contra Roger Ailes más y más mujeres se sumaron a la denuncia. Ellas también habían sufrido el acoso. Algunas habían perdido su empleo por negarse a dar cumplimiento a los deseos del jefe. Aparecieron casos que se remontaban a los años sesenta. No era una costumbre reciente de Ailes. Siempre había sido así, según quienes le acusaban.

Ailes lo negó todo. Consiguió que empleados relevantes de la compañía le apoyaran, incluidas varias presentadoras y analistas de prestigio muy reconocido. Pero la suerte estaba echada, aunque quizá no tanto por el acoso a sus trabajadoras. Los hijos de Murdoch, herederos del imperio, llevaban tiempo buscando la manera de acabar con el poderoso Roger. Y la ocasión se había presentado. *Things happen, once again.*

Nunca sabremos toda la verdad. Las versiones difieren. En aquellos días, Michael Wolf, biógrafo de Murdoch, declaraba a *The New York Times* que la caída de Ailes «no se debe principalmente al acoso sexual; es un golpe de Estado interno de la compañía». Otra persona cercana a la jefatura de 21st Century Fox, no citada por su nombre en el diario, aseguraba que «nada puede estar más alejado de la realidad que esa afirmación». Pero Roger Ailes era historia. Su impronta quedaría para siempre en los medios y, por extensión, en Estados Unidos. La línea informativa en extremo conservadora de Fox News era una realidad con él. Igual de real fue su capacidad para hacer noticias en televisión con calidad formal, enorme influencia, sensacionales audiencias y grandes beneficios económicos. Una estrella cercana al Partido Republicano había caído, casi a la misma hora en la que el Partido Republicano nominaba a Donald Trump. Cosas que pasan.

Pero nadie podrá decir que Trump no es un hombre agradecido, ni amigo de sus amigos. Y nunca ha tenido problemas para poner en cuestión a las mujeres por sus palabras o por sus actitudes. Sin complejos, que dicen aquellos que carecen de ellos, y que los ven como una muestra de debilidad. «Sé cuánto ayudó Roger a algunas de esas mujeres que le han denunciado, y muy recientemente. Y han escrito libros hace poco tiempo en los que dicen cosas estupendas de él. Y ahora, de repente, dicen cosas horribles. Es triste, porque es muy buena persona. Siempre he creído que es justo y muy, muy buena persona. Y, por cierto, tiene mucho talento. Fíjate en lo que ha hecho… Me siento mal por lo ocurrido». Dicho en *Meet the Press*, programa mítico para cualquiera que ame los informativos en televisión. Es, de hecho, el programa informativo más antiguo de la televisión mundial. Se emite con ese mismo nombre cada domingo por la mañana desde los años cuarenta (desde que existe la televisión).

HAMBURGUESA DE PERIÓDICO

Ocurrió el 21 de julio de 2016. Era jueves. La historia de Estados Unidos recordará este momento. El populismo menos sofisticado y más artificial alcanzaba la categoría de aspirante a la Casa Blanca. No se encontrará con facilidad el precedente de un personaje semejante a Donald Trump que haya conseguido la nominación de uno de los dos grandes partidos para ser presidente del país. Hacía un par de meses que Dana Milbank, uno de los más reconocidos analistas políticos, columnista de *The Washington Post*, tuvo que comerse sus palabras. No es una expresión figurada.

El restaurante Del Campo está en el barrio chino de la capital, pero no ofrece rollitos de primavera. Su cocina se inspira en las costumbres culinarias del sur de América. Carne y vino. El chef se llama Víctor Albisu. Aquel día de mediados de mayo, Albisu preparó un menú sin parangón posible: ceviche con trozos de calamares seccionados con pedazos de hojas de periódico, pequeños fragmentos de un artículo de periódico con chilaquiles mexicanos en salsa verde, tacos de papel prensa, carne con salsa de diario de la mañana, y algunas genialidades culinarias añadidas por el responsable del restaurante.

Dana Milbank se lo comió todo. Se comió sus propias palabras. Se había comprometido por escrito a zamparse lo que había puesto negro sobre blanco en su muy influyente diario: «Trump perderá o me comeré esta columna». Letras capitulares para el título de ese artículo publicado en octubre de 2015, antes de que empezaran las elecciones primarias. Milbank ampliaba su apuesta asegurando que «el pueblo americano es buena gente, y suele buscar alguien de un carácter similar para el cargo más importante del mundo (…). Estados Unidos es mejor que Trump (…). El día en que Trump consiga la nominación me comeré la página en la que está impreso este artículo». Trump consiguió la nominación y Milbank se comió su fino y fallido análisis político.

LA INEVITABILIDAD DE TRUMP

Dana Milbank estaba equivocado, pero igual que todos. Un error muy común en política y en quienes opinan sobre política es confundir los deseos con la realidad. Dejar las convicciones personales a un lado para analizar la situación con cierta distancia es una medida cargada de prudencia, pero no siempre fácil de aplicar. Nadie fue capaz de prever el grado de desequilibrio colectivo que elevaría a un personaje como Trump a la Casa Blanca.

Como predecir el pasado es siempre acercarse al acierto, desde que Trump se aseguró la nominación republicana los analistas se explayaron en sesudas explicaciones sobre la «inevitabilidad» de que el magnate derrotara a todos sus rivales. Pero no era extraño que en un principio nadie se tomara en serio las opciones de Trump. Se daba por hecho que entre los otros precandidatos emergería uno capaz de reunir los votos de los demás para imponerse en las primarias y evitar el riesgo de que un *outsider* sin experiencia política ni raíces en el partido se hiciera con la nominación. Pero no fue así. ¿Por qué?

Un sondeo realizado por *Yougov.com* a partir de febrero de 2016, en el inicio de las primarias, ya advertía del error que estaban cometiendo casi todos: entre los votantes republicanos Trump aparecía como el candidato más apreciado, como el que consideraban más probable ganador entre la docena de aspirantes que inició la carrera en 2015. Y algo extraordinariamente importante para Trump: cuando un candidato dejaba de serlo, sus votantes se iban con Trump y no con los demás. La inmensa mayoría de los responsables del partido y de sus cargos electos (alcaldes, gobernadores, congresistas) repetían cada día el mensaje de que Trump no podía ganar las elecciones de noviembre y que, por tanto, no debía ser elegido como el candidato. Rotundo fracaso.

Trump ganó las primarias a pesar de que cualquier observador medio entendía, con buenas razones argumentales, que nadie con ese discurso agresivo, cargado de insultos a buena parte de la población y lleno de extremismo pudiera ser acogido con simpatía por un número relevante de votantes republicanos. Pero lo fue. El sondeo aclaraba lo que iban confirmando las votaciones: que las posiciones descarnadas defendidas por Trump reflejaban muy bien el sentimiento político profundo de las bases republicanas. Los encuestadores preguntaron de forma muy específica a los encuestados sobre las propuestas más controvertidas de Trump: la prohibición de que lleguen más musulmanes a Estados Unidos, la construcción de un muro en la frontera con México y la deportación de inmigrantes. El resultado del sondeo aportó datos incuestionables. El 73 por ciento de los votantes republicanos estaba a favor de que se prohíba a los musulmanes entrar en Estados Unidos. El 85 por ciento estaba a favor de construir un muro en la frontera con México. Y el 90 por ciento apoyaba la deportación de inmigrantes. No hay matices cuando los números son 73, 85 y 90.

Pero casi nadie quiso creer que fuera posible. Una vez más, se confundieron los deseos con la realidad, y se ignoraron las señales. Donald Trump se había convertido en el candidato inevitable delante de los sorprendidos ojos del mundo.

El acierto de Trump

Quizá porque Donald Trump es algo más, mucho más, que un tipo histriónico, desafiante, cargante y despreciable. Trump supo encontrar lo que muchos americanos estaban buscando: alguien que pusiera boca abajo el sistema político del país, carcomido por décadas de amaneramiento y episodios de abuso.

La América profunda dista mucho de ser Manhattan. La América profunda no es *cool* ni cosmopolita. No es progre ni visita museos de arte moderno. La América profunda apenas sale de viaje más allá de su estado. Tiene problemas para situar a Europa en un mapa. Y no se avergüenza de nada de esto. Siente orgullo de lo que es, y odia Washington y lo que representa. Odia a quienes ocupan los cargos públicos, a los funcionarios que cobran su sueldo de los impuestos de la gente, odia a los representantes políticos que les obligan a

cooperar en el gasto común, odian que les digan lo que pueden o
no pueden hacer. Y Trump les prometió una revolución contra el
sistema. Les prometió golpes encima de la mesa. Les prometió acabar con todo lo que les da miedo y promocionar lo que desean. Les
daba a través de la televisión el mismo lenguaje que ellos, la gente
corriente, utiliza en la intimidad de su hogar. La duda en aquel momento era si satisfacer los bajos instintos de las bases republicanas
para ganar la nominación serviría también para la Casa Blanca.

En 2008, cuando el triunfo de Barack Obama ponía fin a ocho
años de presidencia de George Bush, ya se vislumbraba el problema que los republicanos podían tener a medio y largo plazo. Parece difícil ganar el voto de aquellos a los que insultas: hispanos,
negros, mujeres, homosexuales... El GOP, el Grand Old Party (el
viejo gran partido, como se conoce a los republicanos desde los
tiempos de Lincoln) llevaba para entonces un largo tiempo de desenfreno antiinmigrantes, anti-integración racial, antiderechos de
las mujeres, antiderechos de quienes tienen identidades sexuales
distintas de la mayoritaria. Y esa tendencia no había mejorado con
el paso del tiempo.

Pero conforme esos sectores sociales se apartaban del GOP,
otro sector se aproximaba al tradicional sentimiento conservador.
Y no eran los ricos, ni los religiosos, ni los llamados libertarios
(que pretenden eliminar los impuestos y las regulaciones económicas). Eran los trabajadores de raza blanca. Así lo han teorizado
Ross Douthat y Reihan Salam, dos defensores del renacimiento
del Partido Republicano, en su libro *Grand New Party. Cómo los
republicanos pueden ganar el apoyo de la clase trabajadora y salvar el sueño americano*, escrito en 2008. Ambos reconocen haber sido incapaces de adelantarse al fenómeno Trump. No creían que un dema-
gogo populista iba a ser capaz de reunir ese granero de votos que
ellos habían descrito tanto tiempo atrás. Su modelo de candidato
republicano era otro, pero la filosofía no era tan distinta.

LA CLASE TRABAJADORA DE DONALD TRUMP

En un artículo publicado en *The New York Times* en julio de 2016, Douthat y Salam describían cómo Trump había sabido dirigir su discurso más hacia la clase trabajadora y menos hacia los tradicionales mensajes republicanos de mucha religión y aún más libertad económica. Y cómo toneladas de populismo habían acumulado mensajes proteccionistas y contrarios a la inmigración. Eran ideas simples como «América primero», y compromisos de salvaguardar la seguridad social y el sistema médico. Con el añadido de que la mayoría de los votantes de Trump se alejaban de la cúpula del partido en, por ejemplo, estar a favor de la subida del salario mínimo o de que los ricos paguen más impuestos, como reflejaba el citado sondeo de *Yougov.com*. Y todo ello envuelto en un intento de enorgullecer a los blancos por ser blancos. «Nostalgia blanca», lo definían los autores que en julio apostaban por la derrota de Trump en las elecciones presidenciales y por la vuelta a la normalidad de la política republicana para encarar desde el principio el camino correcto y recuperar la presidencia en 2020.

El camino correcto era encontrar otro perfil de candidato menos populista, menos despreciable y más «vendible». Pero el mensaje no estaba tan equivocado. ¿Por qué nadie se ocupa del temor de la clase trabajadora blanca al estancamiento de los salarios? ¿Por qué, se preguntaban los autores, nadie pone remedio a la desproporción que existe en el uso de los escasos servicios públicos entre los inmigrantes o los negros y la clase baja trabajadora blanca americana? ¿Por qué la mayoría de los soldados americanos voluntarios que van a esas guerras por el mundo proceden mayoritariamente de estados republicanos? «Estos son problemas que merecen una respuesta política, al margen del aspecto racial». Y no son problemas que afecten únicamente a la clase trabajadora blanca.

DE TRUMP A LE PEN

¿Cuál es la base electoral del Frente Nacional de Marine Le Pen en Francia? La clase trabajadora de origen francés, que antes votaba a los socialistas o a los comunistas y que ha perdido parte de sus ya escasos ingresos por la caída de los salarios, que no puede disfrutar de los servicios públicos porque están colapsados y que no cree tener un horizonte mejor a la vista. ¿Quién votó por el Brexit en el Reino Unido? ¿Quién, a los ultranacionalistas del UKIP? ¿Quién vota a la ultraderecha holandesa, austriaca o danesa? No son los ricos potentados. Es la clase trabajadora nacional.

Los nuevos republicanos que quieren ver crecer al partido, pero no quieren ser liderados por Trump, coinciden sin embargo con Trump en que Estados Unidos debe hacer lo que ya hacen otras naciones menos acusadas de frenar los flujos migratorios y que, sin embargo, los tienen más controlados, como Australia o Canadá: atraer más inmigrantes con altas capacidades profesionales y menos con baja formación. ¿Por qué los trabajadores blancos de clase baja temen a los inmigrantes poco cualificados? Según los sondeos, porque ocupan los servicios sociales (que disponen de recursos limitados) y compiten por los puestos de trabajo de menor nivel, a los que antes accedían los nacionales. Como consecuencia, se pierden empleos y bajan los sueldos. No es, dicen, un problema de racismo, sino de temor por la propia supervivencia, al tener que compartir bienes escasos.

La inmigración de bajo nivel no crea problemas a las clases acomodadas. Quien dispone de ingresos suficientes no compite por una plaza en guarderías públicas, sino que paga una guardería privada. No tiene que rivalizar por la sanidad pública, porque dispone de seguros privados. No necesita dar la batalla por un asiento en la universidad pública, porque tiene medios para invertir en el futuro de sus hijos pagándoles una universidad privada. En todo esto hay una mezcla de situaciones reales y de impresiones tan extendidas como equivocadas. Pero en política, lo que parece es, aunque no se compadezca plenamente con la realidad.

Y, sin embargo, la impresión general era que el Partido Republicano no podría recuperar la Casa Blanca si no era capaz de seducir a quienes ha insultado de forma reiterada durante años. El GOP necesita, decían los autores, ofrecer una especie de nacionalismo unificador que abandone el llamamiento tan explícito de Trump a la identidad de los blancos y expandir una visión del partido que incluya a hispanos y negros, haciéndoles ver que también se preocupa por ellos. Pero ¿cómo Trump podía atraer el voto hispano si estaba proponiendo construir un muro en la frontera con México, y la deportación de once millones de inmigrantes?

Curioso, porque el muro ya existía desde antes, y lo construyeron administraciones republicanas y demócratas. Trump solo proponía completarlo y que lo pagara México, amenazando con impedir el envío de remesas si el gobierno mexicano se negaba a poner el importe sobre la mesa. Más odio, menos votos. Menos odio, más votos. ¿Cambiaría Trump su discurso? Cuando se acercaba la hora de la verdad hizo algún amago.

LO QUE NUNCA ÍBAMOS A OÍR EN BOCA DE TRUMP

Era la ocasión y Donald se puso serio. No era la primera vez. Pero era una vez especial. Iba a hacer algo que va contra todos sus principios.

Eligió para este momento único de su campaña la ciudad de Charlotte, en Carolina del Norte, uno de los estados en disputa electoral seria. Detrás, como fondo de escenario, banderas de Estados Unidos y de Carolina del Norte, entremezcladas como un tuya mía, tuya mía. Traje oscuro, camisa blanca y corbata roja, color «corporativo» de los republicanos (haciendo patriotismo de partido). Uniforme habitual de campaña. Cabello de color indescrip-

tible, con peinado inverosímil. Y teleprompter: dos pantallas de
cristal transparente, una a cada lado del candidato, en las que se re-
flejarían las palabras del discurso. Eso era noticia. Trump odia el
teleprompter. Apenas lo había usado en los meses de campaña. Le
gusta soltar su verbo al aire y decir lo primero que se le ocurre. Sin
dictados. Sin órdenes desde el banquillo de sus expertos en campañas. *No limits*. Después de centenares de mítines sin ayuda de un
texto escrito, Donald Trump llevaba ya tres discursos con Teleprompter en una sola semana, la tercera del mes de agosto. Y esta
vez había un motivo. Quería decir lo que quería decir, de la manera exacta que quería decirlo, y ni una palabra más.

Mano derecha apoyada en el atril, mano izquierda levantada
con la palma mirando al auditorio, como si estuviera a punto de
jurar decir la verdad, toda la verdad y nada más que la verdad en
una película americana de juicios. Y lo dijo, fuera o no cierto que
sintiera lo que dijo: «Algunas veces, en el calor del debate y hablando sobre una multitud de asuntos, no eliges las palabras co-
rrectas, o dices algo equivocado. Yo lo he hecho». ¿Estaba Donald
pidiendo perdón? ¡Eso parecía! Pero sus seguidores, aquellos que
asistían a su mitin, le miraban entre sorprendidos y apesadumbra-
dos. Ellos habían acudido con entusiasmo a ver en vivo al Trump
que conocían hasta el día anterior por televisión. Querían ver y
oír al Trump de siempre, no a alguien timorato y pusilánime, que
va por esos mundos de Dios pidiendo disculpas por decir las cosas
que dice. Si Trump no es Trump, ¿qué hacemos? Aquella gente
quería punk y solo les ofrecían baladas pop.

Pimpinela en vez de Sex Pistols

A esas alturas del discurso, con la frase bien estudiada para no equivocarse al decirla, ni en más ni en menos, el candidato había cam-

biado su posición corporal. Ya no mostraba la palma de una mano prometiendo decir verdad, sino el índice enhiesto de la otra para apuntalar su alocución y convertir en creíble lo que resultaba increíble. Hizo una leve pausa acompañada de una leve sonrisa y de un leve parpadeo de ojos, apenas perceptible, para darse tiempo a observar la reacción del público. La reacción se coció a fuego lento. Como aquellos entusiastas no podían imaginar que Donald no fuera Trump, tuvieron problemas para asumir lo que acababan de oír. Tardaron un par de segundos en empezar a dar su respuesta. Primero, con susurros de incredulidad, y después con algún grito de consternación. Un Trump blandito no es lo que ellos querían votar. Cantaba Pimpinela, cuando habían pagado entradas para ver a los Sex Pistols.

Ante el amago de protesta popular, Trump movió la cabeza arriba y abajo mientras ponía un gesto facial mussoliniano, como queriendo asentir y darse la razón a sí mismo. Y como aquello no podía estar pasando, Donald volvió a elevar al cielo su índice derecho para rematar la lidia: «Lo creáis o no, me arrepiento». *Regret. Oops!* Trump había pronunciado la palabra *regret,* cuando apenas cinco meses atrás había sido categórico cuando se le preguntó si se arrepentía de alguna de las cosas que decía en público: «Yo no me arrepiento», dijo entonces. Más *oops!*

El término «arrepentimiento» es como el término «perdón» que, como dice Elton John en una de sus maravillosas canciones, es la palabra más difícil. Pero, de hecho, nadie oyó de su boca la palabra «perdón». *Sorry is too much.* Richard Nixon consideraba que pedir perdón en política es un signo de debilidad que regalas a tus enemigos. Él nunca pidió perdón por Watergate. Aunque el gran virtuoso del arrepentimiento sin arrepentirse, pareciendo que sí se arrepiente pero sin que lo parezca del todo es Bill Clinton.

En julio de 2016, protagonizó en Filadelfia un mitin de apoyo a Hillary que fue interrumpido por dos jóvenes del movimiento «Las vidas de los negros importan». Ese grupo se había organizado como fruto de la indignación provocada por las repetidas muertes de negros (casi siempre pacíficos y desarmados) por disparos de la policía en varias ciudades del país. El gatillo fácil de algunos agentes estaba provocando problemas muy intensos a la primera administración americana presidida por un hombre de raza negra. Pero también derivó en protestas contra la ley contra el crimen aprobada en tiempos de Bill Clinton (1994), a la que se acusaba de favorecer la impunidad de los policías.

Aquellos dos jóvenes que quisieron reventar el acto de Bill consiguieron que el expresidente se pusiera a discutir con ellos durante un buen rato. Clinton sonreía de esa manera tan especial que lo hace cuando está furioso. Porque estaba furioso. Y lo demostró tratando de desacreditar a aquellos dos activistas que le querían estropear al mitin. Bill Clinton debió de ver después la grabación, o alguien le dijo que el tono se le había ido de las manos, y podía ser contraproducente si lo que se pretendía era que Hillary consiguiera el voto casi unánime de los negros. Quizá echaba de menos los debates políticos con sus rivales republicanos y confundió a dos jóvenes activistas con aquellos que eran su oposición en los noventa. Por eso, al día siguiente, en otro mitin tomó el micrófono con su mano derecha y, dando paseos por el limitado escenario del que disponía, dio vueltas lentamente a un argumento de autodefensa que derivó en una frase fantástica, para guardar en el libro de citas de la política moderna: «Casi quiero pedir disculpas». Casi.

Ni siquiera el rey Juan Carlos se atrevió a quedarse a medias al solicitar las disculpas de su pueblo, cuando en abril de 2012 se plantó delante de una cámara y dijo la frase más recordada de su largo reinado: «Lo siento mucho, me he equivocado y no volverá a ocurrir.» Su amigo Bill Clinton no iba a llegar tan lejos. En eso,

Clinton y Nixon no estaban tan distantes. Incluso Hillary había sido más directa un año antes, cuando se vio impelida a reconocer su error con el uso de un servidor privado de correo electrónico, cuando como secretaria de Estado disponía de uno de la Administración. «Incluso aunque estuviera permitido, aquello fue un error. Lo siento. Asumo la responsabilidad». En aquel momento, septiembre de 2015, Hillary estaba lanzando su campaña para las primarias que empezarían cuatro meses después, y las encuestas mostraban que más de la mitad de los americanos tenían una impresión desfavorable sobre ella.

PERDÓN, ¿A QUIÉN?

Tiempo después, en agosto de 2016, Donald Trump había mostrado arrepentimiento (quizá). Dirigido, y aquí el matiz de Trump no es residual, no a la ciudad y al mundo como en las bendiciones *Urbi et orbe* del papa, sino «particularmente a aquellos a los que haya podido causar un dolor personal». A ellos. Solo a ellos y sin citar a nadie. Que cada cual se sienta aludido, si lo desea. Pero ¿a quién no ha podido causar dolor algo de lo mucho y ofensivo que había dicho Trump hasta ese día tan especial de agosto de 2016? Hispanos, negros, musulmanes, mujeres, refugiados, soldados, personas con discapacidad, rivales políticos, compañeros de partido, izquierdistas, centristas, derechistas templados, derechistas no templados, obamistas, clintonianos, extranjeros en general (salvo algunos rusos y norcoreanos)… Y todos los votantes que no tuvieran intención de votarle. Porque pocos días antes, esa vez sin teleprompter, se puso imaginativo durante un mitin en Connecticut, y la lengua se le dispersó: «Podéis imaginar lo mal que me sentiré si gasto todo este dinero, toda esta energía, todo este tiempo… ¡y pierdo! Nunca jamás perdonaría a la gente de Connecticut, de Florida, de Penn-

sylvania, de Ohio…». La lista de los no afectados por la verborrea
de Trump sería más breve, pero igual de innecesaria.

Trump y su equipo sabían que aquel *regret but not exactly sorry*
se apropiaría del siguiente ciclo de veinticuatro horas de noticias.
No se hablaría de otra cosa en Estados Unidos que de las disculpas
de quien nunca se disculpa. Fue de eso, y pudo ser también de otro
hecho imposible que, por serlo, no ocurrió: la selección española de
baloncesto (la ÑBA de Gasol, Calderón, Reyes, Llull, Rudy, Miro-
tic, Navarro…) pudo conseguirlo, pero no logró derrotar aquella
noche al equipo de Estados Unidos, ni pudo arrebatar a los americanos la medalla de oro olímpica que tienen en propiedad sin discusión posible. Pero sí se habló entonces, y mucho, de la vergüenza
internacional provocada por cuatro nadadores fabulosos, converti-
dos de pronto en cuatro gamberros embusteros, que pretendían en-
gañar al mundo diciendo que les habían robado a punta de pistola,
cuando en realidad habían provocado destrozos en una gasolinera
de Río cuando volvían a la villa olímpica con demasiado alcohol
en sangre. Las disculpas de Trump tuvieron que competir con otras
noticias. El ciclo de la información suele ser plural.

But. En toda disculpa aparece un «pero» (*but*) para aguarla, desna-
turalizarla, rebajarla y, como consecuencia, dar la impresión de que
un arrepentimiento lo es solo parcial; que, desde luego, no es exactamente lo mismo que pedir perdón; y está muy lejos de ser una
rendición. *Regret, not surrender*. «Pero os puedo hacer una promesa:
siempre os diré la verdad». El matiz, de ser creíble, no sirvió para
frenar el hecho cierto de que Donald Trump se había visto obligado a hacer algo parecido a disculparse por primera vez desde
que anunció su candidatura más de un año atrás. ¿Se habría arre-
pentido alguna otra vez en su vida? Ni siquiera lo había hecho
cuando pocas semanas antes, en una situación sin precedente algu-

no en un país tan respetuoso con sus militares como Estados Unidos, se había mostrado despreciativo con los padres de un joven capitán de familia afgana que había muerto en Irak, con la bandera americana cosida en su uniforme.

Trump se lanzó entonces a por Hillary Clinton y retó a su rival a pedir disculpas por mentir: «Mientras que yo a veces puedo ser demasiado honesto (en referencia a sus sinceras salidas de tono), ella nunca dice la verdad. Una mentira tras otra, y va a peor cada día que pasa. El pueblo americano está esperando a que Hillary Clinton se disculpe por las muchas mentiras que ha dicho y por las muchas veces que les ha traicionado». Y no era este un mensaje en vacío. Era y fue la principal estrategia de campaña de Trump: presentar a Hillary como una embustera, indigna del puesto al que aspiraba. Muchos americanos pensaban y piensan lo mismo. Muchos de ellos, demócratas. Otros, también muchos, demócratas y republicanos, pensaban y piensan lo mismo de Donald.

Pero ¿por qué Trump estaba ahora dispuesto a moderarse y a pedir disculpas por sus evidentes errores de campaña? Por eso. Porque incluso él había llegado a la conclusión de que su estrategia podría ser un error. No habían pasado ni veinticuatro horas de su arrepentimiento cuando un nuevo seísmo sacudía a su equipo: Paul Manafort, su jefe de campaña, abandonaba la nave. Y Manafort no era el primer jefe de campaña que había tenido Trump. Llegó al equipo de Trump pocos meses antes, en primavera, lo que provocó poco después la salida de Corey Lewandowski, el hasta entonces responsable de la estrategia, si es que alguien que no sea Trump era capaz de imponerle una estrategia. Manafort se puso como objetivo asegurar la victoria en las primarias del Partido Republicano y, por extensión, ganar la convención y convertirla en la plataforma de lanzamiento hacia la Casa Blanca. De paso, y no menos importante, su trabajo más difícil era engrasar la relación entre Trump y la cúpula del partido. Lo intentó. Sin éxito.

Los observadores pensaron que la llegada de Manafort podía dulcificar en parte el discurso de Trump. También en eso fracasó. Y, por añadidura, días antes de su salida se produjeron dos acontecimientos que reventaron de forma definitiva su manejo de la campaña. Primero se publicaron datos sobre la relación de Manafort con dirigentes rusos y con Víctor Yanukóvich, el expresidente prorruso de Ucrania. Habría cobrado de él más de doce millones de dólares, si es que el dato era cierto. Las informaciones se hicieron públicas poco después de que Trump hablara lindezas de Vladimir Putin y agradeciera a los servicios de inteligencia de Moscú que filtraran emails de la jefatura del Partido Demócrata que evidenciaban su apoyo expreso durante las primarias a Hillary Clinton, en detrimento de Bernie Sanders. Demasiada Rusia para un candidato a la presidencia de los Estados Unidos.

LA FORMA DE IR AL CIELO

El segundo hecho, casi coincidente en el tiempo con el primero, fue la decisión de Trump de colocar en el equipo de campaña a Stephen K. Bannon (editor de una web ultraconservadora), a Kellyanne Conway (experta en sondeos) y, ya en septiembre de 2016, a David Bossie (activista conservador). El mensaje era claro: Trump quitaba poder a Manafort, en una evidente invitación a que saltara del barco por la borda. Y lo hizo. Manafort llegó a la campaña con la intención de que Donald Trump tuviera una imagen más presidencial que de *hooligan*, y se fue de la campaña con un Trump más *hooligan* que presidencial, pero justo después de que el candidato pidiera disculpas por primera vez. *Turning point?* No había modo de saberlo en aquel momento. Pero para entonces, Donald Trump ya se había encomendado al Altísimo.

A principios de agosto había pedido a las personas religiosas, que en Estados Unidos son legión, que votaran por él. «Estas serán las elecciones más importantes que ha tenido nuestro país. Así que debéis ir a votar para expandir la Palabra (de Dios) y (si gano las elecciones) podré hacer algo que hago muy bien (gestionar). Y creo que será la única forma de que yo vaya al cielo. Así que será mejor si lo consigo».

La nada tenida en cuenta cúpula del Partido Republicano se sintió algo más aliviada con su no deseado candidato al comprobar con agradable sorpresa su capacidad para reconocer arrepentimientos. Durante un par de horas podían no sentir vergüenza de su propio aspirante a la presidencia. Pero las alegrías suelen durar poco. Mientras Trump pedía disculpas, una portavoz de su campaña volvía a hacer algo muy del gusto de los estrategas del magnate: además de llamar mentirosa a Hillary y de pedir que la encarcelaran, sembraba dudas sobre el estado de salud de la candidata demócrata. Y la táctica no iba mal dirigida. La salud de un aspirante presidencial puede provocar movimiento de votos, y el historial médico de Hillary Clinton no estaba libre de problemas. Ni siquiera el historial conocido, porque los Clinton llevaban tiempo negándose a hacer públicos sus informes clínicos.

El último episodio era, en realidad, una suma de episodios variados, múltiples y, en algunos casos, alocados. Decenas de confidenciales en Internet (la mayoría de dudosa reputación y menor credibilidad) llevaban tiempo publicando historias disparatadas (o no tanto) sobre la salud de Hillary. Una de ellas aseguraba que agentes del Servicio Secreto habían alertado al menos a tres hospitales especializados en operaciones del cerebro sobre la inminente llegada de una alta personalidad para ser intervenida. Y concluían, sin género alguno de dudas, que se trataba de Hillary. Otra web ponía el acento en el repentino uso de gafas por parte de la candidata, y que ese hecho se hubiera producido justo un día después de que la aspirante demócrata hubiera tenido un ataque de tos (sufrió repetidos ataques de tos durante sus mítines de campaña).

LAS «ENFERMEDADES» DE HILLARY

Ese mismo día entró en acción Katrina Pierson, mujer del equipo de Trump, lanzando una nueva teoría de la conspiración médica: Hillary sufría disfasia, un desorden del lenguaje oral, que provoca problemas para coordinar las palabras, fruto de una lesión cerebral. Algunos periódicos de los considerados serios hicieron énfasis en el hecho de que Pierson había tenido recientes dificultades para contar alguna verdad sobre cualquier asunto que tuviera que ver con la candidata rival. Pero eso no restó cierta efectividad a la acusación. ¿Por qué podía ser creíble la nueva campaña de Trump sobre la salud de Hillary?

Años atrás, en 2012, la entonces secretaria de Estado Clinton sufrió un desmayo en su casa provocado, según la versión oficial de la época, por una infección estomacal. El desmayo hizo que Hillary cayera al suelo, golpeándose la cabeza. El comunicado de los Clinton aseguraba en 2012 que se trataba de una «conmoción cerebral leve», de la que se recuperó en pocos días o semanas. Dos años después, Bill Clinton estableció el tiempo de recuperación en seis meses, lo que podría cuestionar la supuesta levedad del problema. El propio Trump alimentó los rumores asegurando en Fox News que «Hillary da discursos con teleprompter y después desaparece. No sé si se va a casa a dormir. Y se toma muchos fines de semana libres. En realidad, se toma mucho tiempo libre. Y, sinceramente, eso no es justo», se burló el candidato republicano. Trump lanzaba este discurso después de que una web de extrema derecha pusiera en circulación la especie de que Hillary utilizaba sillas de forma disimulada como si fueran muletas, para sostenerse en pie en algunos actos públicos. Un médico, supuesto conocedor de la situación, llegó a declarar en medios americanos que Hillary no estaba recibiendo el tratamiento adecuado para una persona que sufre hipotiroidismo, además de una trombosis como consecuencia de la conmoción cerebral.

Los rumores sobre la mala salud de Hillary se fueron propagando conforme avanzaba la campaña. Y era incapaz de frenarlos. La realidad, cuando se hace tan evidente en actos públicos, es imposible de ocultar.

La mañana del 11 de septiembre de 2016 se cumplían quince años de los ataques del 11-S. Como en cada aniversario, la ciudad de Nueva York rindió homenaje a las víctimas en el lugar que un día ocuparon las Torres Gemelas. Nadie importante faltó a la cita. Hillary, tampoco. Vestía traje de chaqueta y pantalón azul oscuro preotoñal. Esta vez lucía un peinado distinto de los habituales, con el pelo recostado hacia atrás. Eligió unos zapatos negros, sin apenas tacón, de estilo taurino. Y se puso unas gafas de sol extraordinariamente oscuras y nada favorecedoras. No era su mejor día. Daba la sensación de que esa mañana no había dedicado mucho tiempo a ocuparse de su aspecto.

La candidata demócrata se situó de pie, junto a otras autoridades. Donald Trump no estaba lejos de allí. Durante el acto se vio a Hillary hablar al oído con una ayudante. Al poco tiempo se sintió mareada. Trató de superar la incomodidad y mantenerse firme en su lugar. Cuando estás en campaña electoral para ser la presidenta siempre hay una cámara pendiente de ti. Pero no pudo soportar más la situación.

Salió de allí casi levitando como un fantasma. Las gafas oscuras no permitían ver sus ojos, pero era fácil imaginar que tenía la mirada perdida en cualquier lugar. La llevaban en volandas a través de la gente, mientras el Servicio Secreto conformaba una muralla de seguridad en torno a ella. Uno de los agentes, el responsable del grupo, pidió a través de su micrófono que viniera el coche con urgencia para llevársela. Pero el coche no llegó tan de inmediato. No había dónde sentar a la candidata mientras esperaban. Decidieron apoyarla en un bolardo. A duras penas se mantenía en pie. Estaba rodeada por una docena de personas que la protegían. A pocos metros, una cámara grabada la escena para horror de los expertos en imagen de la campaña de Hillary, para inmensa satisfacción de los expertos en imagen de la campaña de Trump, y para YouTube.

Por fin apareció el coche. Se detuvo a dos metros de Hillary. Un agente del Servicio Secreto abrió la puerta con cierta parsimonia, dadas las circunstancias. La ayudante que tenía agarrado el brazo derecho de la candidata le dijo que ya podían entrar en el coche. Ella no contestó. Seguía mirando a cualquier lugar o a ningún sitio. Hillary no se podía mover. Sus piernas temblaron como si los adoquines que tenía bajo sus pies fueran en realidad arenas movedizas. Las rodillas se doblaron hacia dentro. Parecían a punto de quebrarse. Dos agentes de paisano decidieron intervenir, uno en cada brazo, como si acabaran de detener a un delincuente y tuvieran que meterlo esposado y a la fuerza en el coche de la policía. Era como un pelele. Dio un mínimo paso hacia delante y se desplomó. Solo los músculos de los agentes del Servicio Secreto evitaron que se derrumbara de cara sobre el asfalto. De un último arreón la metieron en el coche. La cabeza estaba casi a la altura del suelo. El objetivo de la cámara ya no alcanzaba a captar su silueta.

Hillary Clinton estaba a menos de dos meses de la gran meta de su vida, la presidencia de los Estados Unidos, pero cuanto más se acercaba más lejos la veía. Su imagen recordaba la de Gabriela Andersen-Schiess.

Hillary y la maratoniana

Quien tenga la edad suficiente no habrá podido olvidar a esa atleta suiza en los Juegos Olímpicos de Los Ángeles, en 1984. Competía en el maratón. Después de correr más de 40 kilómetros consiguió llegar al estadio. Tenía que dar una vuelta completa a la pista. Eran solo 400 metros, pero duraron toda una vida. Gabriela no podía. Estaba deshidratada. Arrastraba una pierna, porque los músculos ya no cumplían las órdenes del cerebro. Tenía la mente perdida, pero mantenía la obsesión de llegar a la meta. Caminaba más hacia los lados que de frente, como si estuviera ebria. La gorra de medio lado le daba un aspecto aún más dramático a la escena. Los médicos la seguían a poca distancia, pero ella no dejaba que se acercaran porque si la tocaban quedaría eliminada de la prueba. Tardó casi seis minutos en dar la vuelta al estadio. Estaba dispuesta a morir, pero no a pararse. Decenas de miles de personas lloraban en las gradas viendo la escena. Centenares de millones de seres humanos en todo el mundo se secaban las lágrimas asistiendo a aquel momento épico en directo a través de la televisión.

Gabriela dio el último paso por encima de la línea de meta y se desplomó sobre los brazos de los médicos. La sacaron de allí a toda prisa porque, después de alcanzar su objetivo de terminar la carrera, ahora había que salvar su vida. La atleta sobrevivió para seguir corriendo. Volvió a competir solo dos semanas después. Nadie recuerda quién ganó aquella carrera. Todos recuerdan a Gabriela, aunque quedó trigésimo séptima. Había protagonizado una de las imágenes más impresionantes que jamás se hayan visto en unos Juegos Olímpicos. Pero la imagen que convierte en heroína a una atleta podía resultar destructiva para una aspirante presidencial.

En el vídeo de Hillary Clinton desvanecida no había épica. Solo había una candidata a la Casa Blanca que desde hacía años ocultaba su estado de salud a la opinión pública. Había una mujer de apariencia débil y sin control ni sobre su mente ni sobre su cuerpo. ¿Podía en esas circunstancias asumir una de las más altas responsabilidades en el mundo? ¿Alguien con esa fragilidad física está en condiciones de enfrentarse a duras negociaciones con mandatarios de otros países que no sean amigos? ¿Puede un país ponerse en manos de alguien que no acredita disponer de todas sus capacidades físicas y psicológicas?

Hora y media después, Hillary Clinton salía por la puerta del edificio de lujosos apartamentos en el que vive su hija Chelsea, The Whitman, en Manhattan. Para entonces, el vídeo de su desmayo inundaba Twitter, ocupaba un espacio muy principal en las webs de los diarios más importantes y abría los informativos de televisión en cualquier esquina del mundo.

Hillary salió sola, pretendidamente sonriente, pretendidamente saludable y pretendidamente simpática. Seguía con sus horrorosas gafas de sol puestas. Saludó con la mano derecha en alto mientras la tribu periodística le gritaba desde el otro lado de la calle, preguntando si se encontraba bien. Era una pregunta retórica. Todos sabían que no y, por supuesto, ella respondió que sí. «Me siento muy bien, muy bien». Le preguntaron qué le había pasado y optó por hablar del tiempo: «Hace un día precioso en Nueva York», respondió, mientras abría los brazos y levantaba la vista al cielo, en busca de algún rayo de sol que diera fidelidad a sus palabras.

Decidió entonces ignorar el resto de preguntas, miró a su derecha y empezó a hacer el papel que le habían preparado sus asesores, tratando en vano de que la televisión mostrara esta imagen y no la de su colapso anterior. La escena prefabricada consistía en una niña que se acercó a la candidata y se hizo una foto con ella. Conmovedor. «Gracias a todos». Hillary fue engullida de nuevo por su coche acorazado y huyó de allí. Huía de un día terrible para sus opciones de victoria. Podía huir, incluso, de sí misma. Porque otra escena como la del desmayo y su campaña se hundiría por completo.

Las horas siguientes no fueron mucho mejores para ella. La primera versión oficial del incidente médico consistió en asegurar que solo había sufrido un inoportuno golpe de calor. Horas después la mentira (una más de su larga colección) se desvelaba. Los médicos confirmaban que Hillary Clinton sufría una neumonía desde días antes. Le habían recomendado que suspendiera la campaña por unos días para recuperarse, pero no lo había hecho. Como la primera versión se había demostrado falsa, ya nadie tenía motivos suficientes para creer que la segunda iba a ser más cierta. Hillary volvía a protagonizar un episodio de falsedades. La relación de los Clinton con el fingimiento, las medias verdades y el encubrimiento ha sido siempre muy estrecha.

Los problemas de salud obligaron a paralizar la campaña durante cuatro días, al término de los cuales la candidata reapareció en un mitin mientras en los altavoces sonaba la canción de James Brown «I feel good» (me siento bien). Hillary, como la maratoniana suiza, iba a seguir corriendo.

Pero el episodio no terminaba aquí. Donald Trump había encontrado la confirmación gráfica de que sus acusaciones sobre la salud de Hillary se acercaban a la realidad. Aquello era un filón para sus opciones de recuperar terreno en los sondeos y aproximarse a la victoria en noviembre. Forzó que los dos candidatos presentaran en público sus informes médicos, cuando él se había negado a presentar sus declaraciones de la renta. Según sus respectivos médicos particulares, tanto Hillary como Donald estaban en plenas facultades físicas y mentales para tener en su mano el maletín con los códigos de las armas nucleares. Estupendo. Aunque, dadas las dudas sobre la salud de dos personas de esta edad, en el ambiente empezaba a circular la idea de que quizá había llegado la hora de saber algo más sobre los candidatos a vicepresidente, por si se llegara a dar el caso...

Llegados a esas alturas de la campaña electoral, Trump tenía setenta años y Hillary estaba a punto de cumplir sesenta y nueve. Si la salud de alguno o de ambos no era la mejor, había que pensar en lo que vendría después de la toma de posesión de cualquiera de ellos: ¿estarían en condiciones de gobernar durante los cuatro años de mandato? ¿Podrían hacerlo durante ocho si ganaban la reelección? ¿Tendría el vicepresidente que asumir las funciones presidenciales en algún momento, o para siempre?

Seducir a Jackie Kennedy

Pero aún tenían que aparecer más historias. Hasta el sida entró en el circuito del *infoshow* americano. Algunos medios rebotaron una especie (cierta o no) desvelada en un libro titulado *Bill y Hillary: de manera que esto es eso que llaman amor* (cada cual titula como quiere). Los autores, Darwin Porter y Danforth Prince, aseguraban haber hablado con personas muy cercanas a los Clinton, y les habrían dicho que, ante la evidente pasión de Bill por las mujeres y por practicar el sexo sin preservativo, Hillary había obligado a su marido a hacerse las pruebas para descartar que tuviera VIH. Y no una vez, sino varias. También informaban de que la primera prueba dio resultado negativo. Se ignora el resultado de las siguientes. Para darle mayor realce al supuesto episodio, los autores llamaban la atención sobre la progresiva pérdida de peso (que resulta evidente a simple vista) del expresidente, debida, según la versión oficial, a la operación de corazón a la que se sometió tiempo atrás y a la dieta vegana a la que se ha entregado de unos años a esta parte. Bill Clinton asegura que esa dieta «me ha cambiado la vida, y no estaría aquí si no fuera vegano». Vegano o enfermo de sida. Todo sirve, sea verdad o mentira, para alimentar la máquina de triturar en la que se ha convertido la política mediática de estos tiempos.

En ese mismo libro de título tan entretenido se asegura también que Bill quiso ¡acostarse con Jackie Kennedy! Según el relato, la viuda de JFK había invitado a Bill una tarde a su apartamento

de la Quinta Avenida, en Manhattan. Y, por lo que cuenta, Bill trató de seducir a aquella mujer que ya superaba los sesenta años. Los
autores escriben que Jackie detalló lo ocurrido a su amiga, la entonces editora de *The Washington Post* Katharine Graham, que se
hizo famosa cuando a principios de los años setenta permitió y
alentó a sus periodistas a investigar el Watergate hasta el final, asu-
miendo las consecuencias que eso pudiera tener. Graham habría
mantenido en secreto el relato de Jackie, pero ahora sería desvela-
do (de ser cierto) en ese libro. «Casi acabamos en un combate de
lucha libre», habría dicho Jackie sobre el incidente con Bill, cuando este prácticamente se le echó encima, según el libro. «Quiero
decir que me sentí halagada de "ponerle" tanto a mi edad, pero Bill
era igual que Jack, en el sentido de que ninguno de los dos quería
aceptar un "no" por respuesta». La presunta historia fue despejada
sin miramientos por un portavoz de los Clinton pidiendo al periodista que le llamaba que simplemente le citara riéndose por «lo
absurdo de la historia».

En periodismo, como ocurre en todas las profesiones, hay leccio-
nes que solo se aprenden con el ejercicio del oficio. Una de ellas
es que algunos hechos son tan inverosímiles que solo serás creíble
si muestras las pruebas fehacientes de que ocurrieron. Si no tienes
la prueba, aunque tengas la seguridad de que los hechos son ciertos, perderás crédito como profesional, porque nadie con un mínimo de seriedad te creerá. Y eso le ocurre a ese libro, con esa historia.

Los autores no datan el episodio. Se limitan a dar alguna pista
temporal. Dicen que Jackie tenía más de sesenta años y Bill estaba
en sus últimos cuarentas. Teniendo en cuenta que ella era diecisiete años mayor que él; que Jackie murió en mayo de 1994 sin haber
cumplido los sesenta y cinco; que Bill cumplió cincuenta en 1996;

que Bill juró como presidente en enero de 1993 cuando tenía cuarenta y seis años… Teniendo en cuenta todos estos datos, el intento de seducción de Bill a Jackie tendría que haber ocurrido o bien poco antes de que Bill fuera presidente, o bien en el transcurso del primer año de Clinton como presidente.

El *sex-appeal* de Jackie fue evidente durante toda su vida. La pasión de Bill por casi cualquier mujer ha sido igual de evidente. Pero hay un elemento más que sobrevuela esta historia, sea inventada o real, y que los autores manejaron con inteligencia comercial: insinuaban que Bill se sentía atraído por la posibilidad de compartir cama y fogosidades íntimas con una mujer que había compartido cama y fogosidades íntimas con el número uno de su santoral político: John Fitzgerald Kennedy. En su reducción al absurdo, la idea sería esta: me llevé a la cama a la mujer de Kennedy; ¡ahí queda eso!

Morbo, perversión, desenfreno, mezcla de instintos básicos político-sexuales… Wow!! La cantidad de libros que se pueden vender así…

PERO LOS SONDEOS…

Además de las tentaciones eróticas, el sida, las enfermedades coronarias, las cerebrales, la trombosis… Una colección de males rondaba a los Clinton en aquellos calurosos e intensos días del verano de 2016, cuando Hillary y Donald estaban a dos meses de competir en las urnas. Las especulaciones sobre el estado de salud de la candidata acabaron por llegar a las tertulias de las cadenas de televisión, convirtiéndose, como deseaba Trump, en un asunto de campaña, a cuatro semanas del primero de los tres debates presidenciales.

Pero, a pesar de toda esa maquinaria pesada de campaña, a mediados de agosto los sondeos daban a Clinton una ventaja de más de cinco puntos en el ámbito nacional, y de los catorce estados en disputa (Pennsylvania, Michigan, Ohio, Florida, Iowa, Wisconsin, Carolina del Norte, Virginia, New Hampshire, Georgia, Missouri, Colorado, Nevada y Arizona) Trump solo iba por delante en Missouri y Arizona. Necesitaba con urgencia mover la coctelera. Y lo hizo con su primer vídeo de campaña: claro, focalizado, maniqueo, usando datos más que cuestionables y muy efectivo.

La primera imagen es el rostro de Hillary Clinton de perfil, retocado con tonos salmón, con gesto triste y apariencia enfermiza. «En la América de Hillary Clinton el sistema está perjudicando a los estadounidenses. Nos inundan de refugiados sirios. Se permite permanecer en el país a los inmigrantes ilegales condenados por haber cometido delitos. Reciben prestaciones de la Seguridad Social, saltándose la cola. Nuestra frontera está abierta. Es más de lo mismo, pero peor. La América de Donald Trump es segura. Los criminales y los terroristas se mantienen alejados de nosotros. La frontera está vigilada. Y nuestras familias están a salvo». Esta última frase se ilustraba con un matrimonio que se besa a cámara lenta, mientras su hijo se agarra de sus manos. Y algo muy relevante: antes de la imagen final de Trump aparece un barco de la Navy, bien pertrechado de cañones apuntando al cielo. ¡Es la seguridad y la economía, estúpido! Eso consideraba Trump en el verano previo a las elecciones: que la Casa Blanca se ganaba en 2016 por la seguridad y con mensajes económicos dirigidos a la clase media trabajadora de raza blanca, temerosa de perder sus empleos y sus derechos sociales.

En aquel momento estaba todavía recién salida del horno demoscópico la nueva de miles de encuestas que se publican a diario en Estados Unidos. El instituto Pew Research Center había preguntado a un amplio grupo de americanos si la vida para la gente como ellos era mejor o peor que cincuenta años atrás. Y el resultado daba una pista interesante sobre el sentir de los votantes a una docena de semanas de su cita con las urnas: la mayoría (47 por ciento frente a 36 por ciento) pensaba que la vida era mejor medio siglo atrás. Pero al entrar en detalles, el margen de análisis se ampliaba, porque los posibles votantes de Trump consideraban en un 81 por ciento que la vida había ido a peor, frente a un escaso 19 por ciento entre los posibles votantes de Clinton. Y, ¿qué sector social era el más proclive a pensar que las cosas habían empeorado? La población blanca: el gran objetivo de Donald Trump. Los negros, por el contrario, aseguran que su situación ha mejorado con el paso de las décadas.

Trump había lanzado esos días algún amago de mensaje conciliador hacia la población afroamericana, diciendo en un mitin que los Clinton se aprovechaban de ellos porque lo único que querían era su voto. En aquel mitin de Trump no había un solo asistente de raza negra, como en casi ninguno.

NEGROS: ¿QUÉ TIENEN QUE PERDER?

Para no repetir el ridículo, días después el renovado equipo de campaña de Trump se aseguró de que hubiera algunos negros en lo que en la jerga televisiva se conoce como el «tiro de cámara»: bien situados para ser captados por los objetivos y salir en televisión cerca del candidato. Los colocaron salteados en la pequeña tribuna en la que había varias decenas de asistentes a un nuevo mitin. Los necesitaba en la foto para lanzar el mensaje: «¿Qué vais a perder probando algo nuevo? Si ya vivís en la pobreza, si vuestros barrios están deprimidos, si vuestros jóvenes no tienen empleo, ¿qué demonios tenéis que perder (votándome)?». Más que una apelación parecía una bronca a los millones de negros americanos que a aquellas alturas de la campaña parecían a años luz de entregar su voto a Donald Trump. Y se vino arriba: «Al final de mi mandato de cuatro años como presidente, os garantizo que tendré el 95 por ciento del voto afroamericano. Os lo prometo».

Quizá eso pudiera ocurrir después de un eventual primer mandato de cuatro años en la Casa Blanca, pero a esas alturas de la campaña, con las elecciones ya a la vista, las encuestas mostraban que el 85 por ciento de los afroamericanos registrados para votar apoyaban a Hillary Clinton, y solo el 2 por ciento a Trump.

El hombre que había apostado todo su empeño político a seducir a los trabajadores blancos de clase media y media baja, se había dado cuenta (con un año de retraso) de que le faltaban votos; de que solo con los blancos ya no es fácil ganar elecciones en Estados Unidos, como ocurría algunas décadas atrás; de que las minorías raciales tienen un poder político creciente, especialmente en determinados estados en disputa, esos que se ganan o se pierden por un puñado de votos.

«Si los votantes afroamericanos le dan una oportunidad a Donald Trump, el resultado para ellos será fantástico». Trump, hablando de sí mismo en tercera persona del singular. «Quiero que nuestro partido vuelva a ser la casa de los afroamericanos».

Su equipo de campaña trataba de convencer a los votantes negros de que la propuesta más permisiva de Hillary Clinton hacia la inmigración es, en realidad, un grave problema para ellos, porque limita su acceso a los servicios sociales, pone en riesgo sus puestos de trabajo y mantiene bajos los salarios, porque los inmigrantes ilegales siempre están dispuestos a trabajar a cambio de menos dinero. El argumento era exagerado o, incluso, falso, según los demócratas, pero era políticamente inteligente en medio de la campaña. Y también servía para convencer a aquellos inmigrantes hispanos que ya llevaban años en Estados Unidos y que creían amenazado su nivel de vida por la masiva llegada de más personas (competidores en el mercado de trabajo) desde sus propios países. Los colaboradores de Trump empezaban a pensar con la cabeza, en vez de con el hígado, y el propio Trump parecía haberse dado cuenta de que quizá alguien que no fuera él podía tener ideas útiles.

Para buscar el efecto que aquel «nuevo Trump prominorías» podía tener en los votantes, las televisiones americanas se lanzaron a entrevistar a los pocos negros o hispanos que acudían a los mítines del candidato republicano. «Es hora de que los afroamericanos despertemos», manifestaba en Detroit Carl Nichols, de raza negra y seguidor de Trump. «Mi ciudad parece una zona de guerra por culpa de los demócratas, que han gobernado aquí durante cincuenta años. ¡Demos una oportunidad a este hombre! Los negros ya se la hemos dado a Obama y no ha funcionado». Otra seguidora de raza negra, Marquetta Colbert, se mostraba convencida de que Trump «hace lo que promete». Ray Flores, hispano, se sumaba al entusiasmo: «Es hora de acabar con la división que la administración Obama ha perpetuado, y Hillary Clinton solo nos puede llevar más allá por el camino de las desesperación».

Trump organizó entonces una reunión con algunos seguidores latinos. Y desde el grupo de asesores del candidato se empezaron a filtrar mensajes que hacían pensar que estaban revisando su postura sobre una de las viejas promesas de Donald Trump: la deportación de once millones de inmigrantes ilegales que se supone que viven y trabajan en Estados Unidos. Nada más estrenarse como nueva asesora de Trump, Kellyanne Conway fue entrevistada en la CNN. Le preguntaron si seguía en pie esa promesa electoral. La respuesta desató los rumores: «Ya se decidirá».

DEPORTAR A ONCE MILLONES DE PERSONAS

La frasecita fue interpretada como el primer movimiento de timón para que el trasatlántico Trump diese un viraje de 180 grados.

Y por dos motivos: el candidato republicano necesitaba los votos de los hispanos y, casi tan importante como eso, expulsar del país a once millones de personas se acerca mucho a una decisión imposible de cumplir. Tiempo atrás, el *think tank* American Action Forum había elaborado un estudio con un resultado rotundo: esa deportación masiva podía suponer un coste de 400 mil millones de dólares, reduciendo el Producto Interior Bruto del país en un billón de dólares.

Lo más que Trump había llegado a explicar es que quería repetir la experiencia de la llamada «Operación Espaldas Mojadas» (*Operation Wetback*) llevada a cabo por el presidente Eisenhower en 1954, cuando un millón de personas fueron detenidas cerca de la frontera mexicana en los estados de Texas y California. Toda aquella gente fue deportada a México.

La realidad es que Trump prometió muchas veces acometer una deportación de ese estilo, pero nunca dijo cómo pensaba buscar por el país a once millones de personas sin documentos identificativos (¿cuántos policías hacen falta para hacerlo?), proceder a su detención, mantenerlos detenidos (¿dónde?), someter a esas personas a un proceso judicial (¡once millones de juicios!), apartarlos de sus familias y, finalmente, ponerlos en la frontera. ¿Se imagina alguien la imagen de una masa de once millones de personas, una a una, conducidas hasta la frontera por cientos de miles de policías armados? «Ya se decidirá» era la nueva respuesta a tantas dudas.

En aquel momento, el rumor empezó a correr entre quienes seguían de cerca la campaña de Trump: quizá esté buscando una manera de prometer, no la deportación, sino la legalización de muchos de los inmigrantes ilegales. Sería un cambio casi sideral. El Trump que acusó a los inmigrantes mexicanos de «violadores», y que prometió deportarlos, ¿estaba a punto de legalizarlos para conseguir el voto de la creciente minoría hispana? Quizá el mundo iba a asistir al reblandecimiento de las intensas convicciones de Trump y al primer ejercicio de eso que en la política americana se conoce con el apelativo de *flip-flop*: prometer una cosa y luego su contraria.

A menudo, este ejercicio de contorsionismo político va acompañado de palabras tan intensas como las que se utilizaron tiempo atrás para defender la tesis antagónica. Y, por supuesto, aquellos que defendieron la posición inicial son ahora acusados de inmovilismo por el político que le da la vuelta a sus promesas como si fueran un calcetín recién extraído de la lavadora. Si algún lector conoce a un solo político que jamás haya hecho un ejercicio de *flip-floping* póngase por favor en contacto con el autor. Ese personaje merece otro libro.

Pero es muy interesante observar cómo se produce el *flip-flop*. Porque una vez ejecutado el cambio radical de criterio, el político que lo realiza y sus colaboradores más cercanos ocupan los días siguientes en negar con toda sus capacidades dialécticas que estén haciendo cosa distinta de la que prometieron hacer.

Pero, desengáñense. A principios de septiembre, setenta días antes de las elecciones, Donald Trump aceptó una invitación del presidente de México. Enrique Peña Nieto, en un alarde de candor político (y de insensatez ilimitada) creyó que él sí iba a conseguir lo que nadie había conseguido: que Trump se convirtiera en una persona razonable. Le trató como a un igual, como si ya fuera jefe de Estado. Peña Nieto y Trump estrecharon sus manos, dieron una conferencia de prensa conjunta perfectamente prescindible, y sin una palabra más alta que otra, en la que Trump llevaba la voz cantante y el presidente mexicano parecía apocado y timorato. El candidato republicano llegó a decir, revestido de piel de cordero de todo a cien, que se sentía muy honrado de estar en México, y que consideraba a Peña Nieto «mi amigo».

Se despidieron. Trump se dirigió de vuelta al aeropuerto de la Ciudad de México, embarcó, voló a Phoenix y dejó que su cerebro se recalentara con los aplastantes 40 grados de temperatura del desierto de Arizona, cuando aún no había terminado el verano. Ni un paso atrás: reiteró su promesa de construir un muro inabordable en la frontera con México; el muro lo pagará México, «aunque ellos no lo saben todavía»; y se expulsará a todos los inmigrantes ilegales (once millones), empezando por los delincuentes que son, según dijo, dos millones (tras ganar las elecciones aumentó esa cantidad a tres millones). En realidad, en esa cifra incluye también a los que alguna vez han sido multados por aparcar en un lugar no permitido. David Duke, un conocido exjefe del Ku Klux Klan, se sumó entonces con entusiasmo al bando de Trump, pidiendo el voto para él. Los responsables de campaña del magnate neoyorkino no sabían cómo quitárselo de encima.

El objetivo último de aquellos mensajes de ida y vuelta, de endurecer y reblandecer el discurso, no eran solo los negros y los hispanos. Quizá, ni siquiera fueran en realidad esas minorías, aunque pudiera parecerlo. Eran también los blancos independientes y moderados. Aquellos que pudieran dudar entre votar a Clinton o a Trump, y que estaban más tentados de dar su voto a la candidata demócrata porque no se sentían cómodos poniéndose del lado de un candidato que pasa por ser un racista. Y esos votantes menos politizados y más predispuestos a decidir su voto al final podían ser determinantes.

¡SON LOS BLANCOS, ESTÚPIDO!

En definitiva: pidamos el voto de los negros, pero con un mensaje que alivie a los blancos con remordimientos de raza. Porque, al final, ¡son los blancos, estúpido! El blanco de Trump eran los votantes blancos, una parte de América. La suya. Eran ellos quienes tenían la sensación, justificada o no, de que el trato de las administraciones hacia las minorías raciales y los inmigrantes les había situado lejos del disfrute de las prestaciones sociales y cerca de perder sus precarios empleos en la industria o los servicios. Eran ellos, los trabajadores blancos, quienes por primera vez en la historia de Estados Unidos no estaban en condiciones de decir lo que sí habían dicho generaciones anteriores: que sus hijos vivirían mejor que ellos. De hecho, ellos pensaban que su vida era peor que la de sus padres Y para romper esa inercia había llegado a la política alguien que odia la política, y que ha dedicado su vida a hacer dinero, gracias al dinero de los demás.

Y es megamillonario, aunque lo sea menos de lo que le gusta decir. Insistía en ese tiempo en haber reunido una fortuna de más de 10.000 millones de dólares, aunque alguna vez ha coqueteado con la idea de que sean casi 20.000 millones. Pero se sabe que ha tenido deudas enormes que dejó de pagar a los bancos que se le habían prestado el dinero. Es mucho más de lo que otras fuentes aseguran. El diario *The New York Times* publicó en plena campaña un trabajo de investigación sobre las cuentas de Trump, en el que se decía que «el laberinto financiero de los bienes inmuebles de Trump en Estados Unidos tiene una deuda de al menos 650 millones de dólares», mucho más de lo que el magnate reconocía. Y casi más importante que eso: buena parte de los que le habían prestado cantidades ingentes de dinero eran entidades a las que Trump había criticado durante su campaña.

Un edificio de oficias de la Avenida de las Américas de Nueva York, del que Trump posee una parte, tenía una hipoteca de 950 millones de dólares. Uno de los prestamistas resultaba ser el Banco de China, al que Trump había acusado de ser un enemigo de Estados Unidos. Otra entidad que había aportado parte del préstamo es Goldman Sachs, de la que Trump dijo que se dedicaba a financiar a Hillary Clinton, al haberle pagado 675.000 dólares por varias conferencias.

«Soy el rey de las deudas. Me encantan las deudas», dijo una vez en declaraciones a la CNN, cuando se le requirió información sobre su situación económica. Era otra de sus fanfarronadas, aunque no fuera incierto: se había acostumbrado a sufrir la ruina hasta en cuatro ocasiones, que se sepa. Porque saberse, no se sabe. Él se ha ocupado de impedir que sus cuentas salgan a la luz. Y Hillary Clinton intentó sacar partido de ello nada más celebrarse la Convención Demócrata: hizo pública su declaración de impuestos de 2015. La responsable de comunicación de su campaña, Jennifer Palmieri, se vanaglorió de mantener la transparencia de los Clinton, tal y como «han hecho desde los años setenta», cuando Bill entró en política. Comentario pretencioso. Quizá no falso en su totalidad, pero sin duda no completamente cierto.

El dinero de los Clinton

Según esa declaración de la renta, los Clinton habían pagado a la Administración Federal americana 3,6 millones de dólares en impuestos, lo que suponía un 34,2 por ciento de sus ingresos familiares: un total de 10,7 millones de dólares. Era bastante menos de la mitad de lo que declararon en 2014: más de 28 millones de dólares en ingresos. En 2015, Bill Clinton declaraba haber ingresado algo más de 5 millones de dólares por su único trabajo remunerado conocido: el de conferenciante. Hillary Clinton había ingresado más de 4 millones de dólares, entre lo que recibió por sus conferencias y lo que recaudó por la venta de sus libros. A estas alturas de su vida, cuando ambos rondaban ya los setenta años de edad, los Clinton podían por fin disfrutar de una situación económica boyante, después de haber gastado durante años mucho más de lo que ingresaban en pagar abogados para defenderse ante los tribunales.

Pero ¿y la declaración de la renta de Donald Trump? Guardada bajo llave. Durante décadas, todo candidato a la presidencia de los Estados Unidos ha hecho pública su declaración de impuestos durante la campaña electoral. No es una obligación legal. Sí había sido hasta ese momento una obligación ética y política. Pero ni la ética ni la política han influido nunca en las decisiones de Trump de manera decisiva. Y ni siquiera su candidatura a la presidencia de los Estados Unidos suponía un cambio en esa actitud.

Meses antes, Trump había dejado claro a los medios que su declaración de la renta «no es asunto suyo». Con el tiempo añadió el dato de que sí haría pública su declaración, pero no antes de las elecciones, sino después de ganarlas. Y no se inmutó cuando otro megamillonario, Warren Buffet, le retó a hacer públicas juntos sus respectivas declaraciones de impuestos. El reto iba acompañado de una pregunta que resuena periódicamente en Estados Unidos desde el 9 de junio de 1954: «¿No tiene usted el menor sentido de la decencia?».

EL MACARTISMO ENTRA EN CAMPAÑA

Para aquel día de mediados del siglo XX, el senador Joe McCarthy llevaba un mes escandalizando al país con la publicación de cientos de nombres de personas acusadas de connivencia con los comunistas: la caza de brujas. Ese 9 de junio, un abogado de sesenta y cuatro años llamado Joseph Welch se atrevió a encararse con McCarthy, cuando el senador acusó de comunista a un letrado de su despacho, Fred Fisher. Welch se plantó delante del micrófono y de la comisión, y le dijo a McCarthy que «hasta este momento, senador, no he calibrado en realidad su crueldad y su imprudencia. Terminemos ya con este "asesinato". Ya ha hecho usted suficiente. ¿No tiene sentido de la decencia, señor?». McCarthy trató de recuperar su discurso acusatorio, pero Welch le interrumpió para cerrar el círculo: «Señor McCarthy, no discutiré más con usted. Está sentado a tres metros de mí, y me ha preguntado por Fred Fisher. Si hay un Dios en el cielo no hará nada bueno ni por usted ni por su causa. No discutiré más». Welch se apartó del micrófono y recostó la espalda en su silla, mientras McCarthy no levantaba la mirada de sus papeles. La sala aplaudió. Muchos americanos estaban deseosos de que alguien se atreviera a plantarle cara a aquel senador obsesionado con encontrar comunistas debajo de las piedras. El alegato de Joseph Welch quedó en la historia de las mejores intervenciones escuchadas en el Congreso de los Estados Unidos.

Cuando en 2016 Warren Buffet recuperó aquella frase de Welch sobre la decencia para aplicársela a Trump, tenía una intención doble: que se conociera su declaración de la renta y, como consecuencia, que quedara claro que Buffet es mucho más rico que Trump sin ser como Trump. Pero a Trump no le importaba lo que dijera Buffet. Le importaban su dinero y sus posibilidades de ser presidente. Y a *The New York Times* le importaba la conjunción de ambos intereses, quizá contrapuestos, y publicó un artículo lleno de números, y de preocupaciones: «Como presidente, Trump tendría una influencia sustancial sobre la política monetaria y fiscal, así como el poder para hacer nombramientos o contactos que afectarían directamente a su propio imperio financiero. También podría ejercer influencia sobre las cuestiones legislativas que podrían tener un impacto significativo en su patrimonio, y tendría relaciones oficiales con los países en los que tiene intereses comerciales». Cierto. Pero ¿y Hillary? ¿No tenían los Clinton posibles conflictos de intereses?

Amistades económicas peligrosas

Las andanzas económicas del matrimonio Clinton han generado mucha literatura política en Estados Unidos. Se han escrito varios libros y cientos de artículos con supuestas investigaciones periodísticas sobre el origen de sus ingresos, y sobre sus amistades económicas peligrosas. Y no todo lo que se ha escrito es falso.

La mañana del 8 de noviembre de 2016 los ciudadanos de Estados Unidos, cuando iban a votar, no sabían si ganaría Hillary o ganaría Donald, pero sí sabían que ganara quien ganara ese día se iniciaba el mandato de un presidente o presidenta sobre cuya honorabilidad económica recaerían dudas más que razonables. Y con una circunstancia muy importante: en Estados Unidos ninguna ley fue elaborada nunca en la prevención de que un presidente tuviera tantísimos intereses económicos como los que tienen Trump y Clinton. De hecho no existe un control específico ni sobre el presidente ni sobre el vicepresidente. Están, por supuesto, sometidos a las normas lógicas para evitar sobornos que establece la Ley de Ética en el Gobierno, aprobada por el Congreso en 1978 como consecuencia del caso Watergate. Pero poco más. Se supone que los americanos deben confiar en que su presidente hará lo correcto.

Y si el presidente tiene empresas, ¿puede ocuparse de su gestión durante el mandato presidencial? Y si no lo hace personalmente, ¿quién lo hará? ¿Sus hijos? Eso dijeron Trump y Clinton. Pero si la gestión recae en otra persona, ¿por qué hay que suponer que el presidente se comportará ante su empresa como si se tratara de cualquier otra?

El nombre de Trump aparece, solo o acompañado, entre los responsables de unas quinientas empresas con intereses en medio mundo, no solo en Estados Unidos. La Fundación Clinton, la obra pospresidencial de Bill, es ya una entidad que maneja 2.000 millones de dólares, que, ¿de dónde han salido? En buena medida de donaciones, más o menos confesables, procedentes de grandes corporaciones y de gobiernos extranjeros de comportamiento no siempre ejemplar, como Rusia, China o Arabia Saudí. ¿Qué se ofrece a cambio de las donaciones? El dinero de la Clinton Foundation («la empresa más corrupta del país», según Trump), aunque se dedique a obras de caridad o investigaciones científicas, se convirtió durante la campaña en una herramienta muy útil para Donald Trump en sus ataques a Hillary, igual que lo fue el escándalo de los emails de la exsecretaria de Estado.

¿Era lógico que la Clinton Foundation siguiera recibiendo donaciones de otros países incluso cuando Hillary ya estaba lanzando su campaña a la presidencia? ¿Era cierto, como se publicó, que Hillary Clinton aprobó, siendo secretaria de Estado, un aumento en la venta de armas a países que habían hecho donaciones a su fundación? ¿Es cierto que la secretaria de Estado Clinton favoreció la venta a Rusia de una empresa dedicada al uranio, cuyo máximo responsable había donado dos millones dólares a la fundación? ¿Es cierto, como publicó la agencia Associated Press, que más de la mitad de las personas (no miembros del gobierno) que Hillary Clinton recibió en su despacho del Departamento de Estado eran donantes que habían aportado a la fundación un total de 156 millones de dólares?

Nadie puede probar que el dinero que recibía la fundación fuera «devuelto» por los Clinton con favores, y los seguidores del matrimonio mostraban su indignación con las acusaciones al recordar que gracias a la fundación hay once millones de personas en el mundo que reciben tratamiento médico contra el sida, o que gracias a la fundación se investigan remedios contra la malaria. Quizá no hubiera pruebas, pero las sospechas son libres. La campaña de Hillary Clinton entró, a dos meses de las elecciones, en una seria crisis porque las acusaciones pusieron a la candidata a la defensiva. Y no hay nada peor que estar a la defensiva cuando quieres ganar unas elecciones.

Trump supo sacar partido de la situación: «Los rusos, los saudíes y los chinos dieron dinero a Bill y Hillary y a cambio recibieron un tratamiento favorable». «No se sabe dónde acababa la secretaría de Estado y dónde empezaba la Fundación Clinton», remató el candidato republicano. La andanada de Trump hubiera sido más creíble si él, a su vez, no llevara años haciendo negocios con saudíes o rusos. ¿Negocios limpios? Algunos. El Despacho Oval no es gratis. Hay que ganárselo. Y cuesta.

Las dudas sobre la honestidad de los candidatos fueron un factor que circuló en ambas direcciones durante la campaña. Un sondeo realizado antes de las convenciones por la cadena CBS reflejaba que el 55 por ciento de los americanos no se fiaba de Trump y el 52 por ciento no se fiaba de Clinton. Y una encuesta de la NBC señalaba que el 65 por ciento tenía mala imagen de Trump y el 56 por ciento, de Clinton. Es curioso: los americanos desconfiaban de los dos candidatos a los que ellos mismos iban a elegir en elecciones primarias... No había problema. Los Clinton no habían cerrado su fundación, ni Trump sus empresas. Los Clinton eran ricos, y Trump aún más, aunque quizá no tanto como él decía.

HILLARY Y LA SATISFACCIÓN DE BILL

Una de las virtudes (por utilizar algún término) que se atribuyen a Trump es que siempre ha sido capaz de «dar la impresión de controlar activos que no son necesariamente suyos», y «ejercita su verdadero talento: el uso de su nombre como una suerte de crédito», en palabras de Mark Singer, autor del libro *El show de Trump*, y buen conocedor del magnate desde los años noventa. Dice de él que sabe «transformar el dinero de otras personas en su propia riqueza». Es hábil. Ha lidiado con personalidades como Mijail Gorbachov, Jimmy Carter, Ronald Reagan o George Bush. También Richard Nixon, que un día, después de un programa de televisión, le hizo llegar una nota que Singer desvela en su libro: «No vi el programa, pero la señora Nixon me dijo que estuvo usted sensacional. Como se podrá imaginar, ella es experta en política y pronostica que el día que usted decida postularse para la presidencia, ganará». Y se postuló. Y ganó. En efecto, Pat Nixon era una experta.

Y antes de ganar las elecciones fue soltando perlas venenosas por el camino, como un tuit muy comentado: «¿Si Hillary Clinton no puede satisfacer a su marido, qué le hace pensar que puede satisfacer a América?». Trump empezaba a jugar con el recuerdo que los americanos tenían de lo que había ocurrido durante el mandato presidencial de Bill Clinton. En realidad, de lo que había pasado durante las décadas de compleja vida matrimonial de los Clinton. Ni siquiera era necesario usar el nombre de la becaria más famosa de la historia. ¿Quién no pensaría en Monica Lewinsky al leer ese tuit? Incluso los más jóvenes habían oído hablar de ella. Trump no ha sido, precisamente, un santo varón. Pero nada de lo que perjudicaba a los demás parecía perjudicarle a él.

Donald Trump negó ser el autor del mensaje, aunque se publicara en su cuenta de Twitter. Culpó de ello a uno de sus empleados y eliminó el tuit, pero ahí quedó la idea, y el aviso de que la campaña no iba a ser elegante. No tenía por qué serlo. No lo fue.

4

BILL, HILLARY, MONICA Y LA CONSPIRACIÓN

LAS MUJERES DE BILL CLINTON

El día que tomó posesión de su cargo como secretaria de Estado en enero de 2009, Hillary dejó escapar con libertad su restringido sentido del humor. Miró a Bill, situado a su derecha junto a su hija, a su madre y al vicepresidente Joe Biden, y soltó la prenda: «Le estoy muy agradecida (a Bill) por toda una vida de… (hizo una pausa valorativa) todo tipo de experiencias…», y lanzó una carcajada entre sincera y dramatizada, mientras Bill apenas esbozaba una tímida sonrisa de compromiso. Esta vez le tocaba a él estar al lado de ella y resistir. A ella le había tocado años antes estar al lado de él tantas veces… Tragándose su orgullo…

Como cuando estalló otro de sus escándalos sexuales en el inicio de su primera campaña presidencial en 1992, y Hillary aceptó aparecer junto a Bill en *60 Minutes*, uno de los programas más prestigiosos de la televisión americana. Había que salvar las opciones de llegar a la Casa Blanca a cualquier precio: «Le amo, le respeto, me enorgullece lo que quiere conseguir y lo que queremos conseguir juntos». Léase de nuevo: «Lo que queremos conseguir juntos». Sincero relato de intenciones. ¿Un reconocimiento del pacto matrimonial/político de los Clinton? «Lo que queremos conseguir juntos». No solo lo dijo, casi lo golpeó: mientras pronunciaba esas estudiadas palabras, Hillary apretaba con fuerza su puño derecho delante de la cámara. Horas de ensayo previo. Bill se jugaba mucho. Bill y Hillary se jugaban mucho. Pero en ese juego siempre acababa por participar alguien que no había recibido la invitación de Hillary.

Las infidelidades se sucedían. Hillary sabía que podía (iba a) ocurrir. Por eso, años antes, no fue fácil para ella tomar la decisión de casarse con Bill. Lo explica con inteligente ironía el periodista Carl Bernstein, uno de los investigadores del caso Watergate, en su libro sobre Hillary Clinton *A Woman in Charge*. Dice Bernstein que Hillary ya sabía entonces que era más fácil que Bill llegara a ser presidente de los Estados Unidos, que verle convertido en monógamo.

Cuando Hillary encontró a Marla

Y llegó a ser presidente en 1992. Para entonces habían pasado dieciocho años desde que Marla y Bill intimaron. Tenían mucho en común. Ambos eran de Arkansas, sentían pasión por la política, simpatizaban con el Partido Demócrata y hasta cumplían años el mismo día. Marla tenía veintiuno. Aún estudiaba ciencias políticas. Él ya quería poner en práctica lo que había estudiado en la universidad y liberar la ambición que llevaba dentro desde mucho antes. Estaba a punto de iniciar su primera campaña política: quería ser miembro de la Cámara de Representantes. Apenas tenía veintisiete años. Se puso como objetivo sacar del puesto a un republicano que competía en un distrito donde el voto era siempre mayoritariamente republicano. Se llamaba John Paul Hammerschmidt. Se daba por hecho que era imbatible. Por eso ningún demócrata con algo de cerebro quiso presentarse y dejaron al joven e inexperto Bill que se estrellara. Y se estrelló, pero poco. De hecho, aquella derrota fue el principio de su camino victorioso. En las elecciones anteriores, Hammerschmidt había conseguido el 77 por ciento de los votos. Esta vez apenas llegó al 52, frente al 48 de Clinton.

La campaña fue intensa y emocionante. Rodeaban a Clinton unos cuantos jóvenes ingenuos y batalladores, entregados a la lucha política. Hillary se había instalado en Washington. Tenía un importante trabajo por delante: uno de sus antiguos profesores se la llevó a la capital para que prestara su servicio a la comisión del Congreso que investigaba el caso Watergate. Era su primera incursión seria en el mundo de la política, y empezaba desde muy arriba. En ocasiones viajaba a Arkansas. Solo en ocasiones. Marla sí estaba. Siempre.

La relación entre ambos solo fue del dominio público en el año 2000, cuando Bill y Hillary ya habían abandonado la Casa Blanca. Bill era expresidente y Hillary, senadora por el estado de Nueva York. El nombre de Marla apareció en un libro de investigación escrito por Jerry Oppenheimer, conocido por sus *bestsellers* biográficos. El libro se titula *El estado de una unión*, y revelaba detalles desconocidos hasta entonces sobre la muy particular relación entre Bill y Hillary Clinton.

Según Oppenheimer, Marla sabía que Bill y Hillary eran novios, pero sabía también que aún no estaban comprometidos. Y se da por hecho que Hillary tenía noticia de la existencia de Marla, y del riesgo en que ponía su noviazgo con Bill. No era una aventura más de Bill. Esta vez podía ir en serio.

HILLARY MARCA SU TERRITORIO

En el libro, Marla relata un supuesto episodio acaecido durante la campaña. Era uno de los días en que Hillary sí había viajado a Arkansas desde Washington. Bill estaba cerca de conseguir la nominación demócrata para competir contra el republicano Hammerschmidt por el puesto en la Cámara de Representantes. Había fiesta en el cuartel general de la campaña. Marla tenía una copa de vino en su mano. Hillary la vio y se dirigió hacia ella. Le quitó la copa, bebió y se la devolvió diciéndole: «Tendré que tomar algo más de esto». Marla lo entendió como un aviso: «Hillary estaba marcando su territorio». No fue la única escena de celos. En medio de una reunión de la campaña, Hillary se presentó preguntando a Marla en presencia de todos si sabía dónde estaban los calcetines de Bill. «Estoy segura de que sabes dónde están».

No mucho tiempo después, Marla descubrió una carta que Hillary había escrito a Bill. Estaba encima de la mesa, en la habitación. Era imposible no verla. De hecho, Hillary la había dejado allí para que no hubiera duda de que la vería. No era extraño que Marla entrara en la casa de Bill. Él le había dado una llave para que lo hiciera siempre que fuera necesario. Tanta cercanía había entre ambos.

«Querido Bill», había escrito Hillary a mano. «Aún no entiendo por qué haces cosas que me duelen. Me dejaste llorando al no reconocer el verdadero sentido de nuestra relación. Sé que esas niñitas están a tu alrededor. Pero ellas no estarán contigo cuando las necesites». Los celos personales terminaron derivando en el núcleo duro de su argumentario: «Ellas no son lo que tú necesitas para conseguir tus objetivos (…). Recuerda los objetivos que hemos establecido juntos (…). Piensa en ello y llámame cuando lo tengas claro. Hillary».

Marla se quedó petrificada cuando leyó esa frase, «los objetivos que hemos establecido juntos». ¿Qué era aquello: una pareja de enamorados o una sociedad anónima?

«¿HAS ESTADO ENAMORADO DE VERDAD ALGUNA VEZ?»

Días después, sin decirle a Bill que había leído la carta, le preguntó hasta dónde llegaba su compromiso con Hillary. «Estamos tratando de ver qué hacemos con nuestras vidas», respondió. «¿Estás enamorado de ella?», preguntó entonces Marla. «Sí, pero no sé si esto funcionará. No quiero perjudicar su carrera, y no sé si ella encaja aquí (en Arkansas). No sé si es capaz (de adaptarse). Pero me gusta que me someta a un permanente reto intelectual. Hillary me hace mejor. Me obliga a hacer lo que debo», se sinceró Bill. Marla, incapaz de entender aquello, le preguntó si iba a construir un matrimonio sobre esa base. Y le espetó de forma descarnada si alguna vez había estado enamorado de verdad: «Cuando te duele el corazón y no puedes ni comer». Bill fue realmente Bill en aquella respuesta: «Quizá mi problema es que tengo esos sentimientos demasiado a menudo».

Al pasar de algunos días, Marla le dijo a Bill que se iba. Dejaba de ser miembro de su equipo de campaña. Su historia había terminado para siempre. Clinton se mostró compungido pero comprensivo: «No sabes cuánto significas para mí». Jerry Oppenheimer, el investigador que encontró a Marla y sacó esta relación a la luz, escribe en su libro que «años después, la conversación final entre Bill Clinton y Monica Lewinsky fue muy similar». Bill ya tenía práctica en despedidas.

MARLA Y LA MADRE DE BILL

Casi veinte años después, poco antes de las elecciones de 1992 que llevaron a Clinton a la Casa Blanca, Marla se cruzó con Virginia Kelley, la madre de Clinton, en una calle de Hot Springs, en Arkansas. Se abrazaron. Marla felicitó a Virginia porque estaba a punto de ver a su hijo como presidente. «Sí, y tú estabas aquí cuando todo esto empezó», le respondió. Virginia sujetó entonces a Marla por los hombros y de forma delicada y cariñosa se acercó a su oído para susurrarle: «¡Oh, Marla! ¿Qué hubiera pasado si...?». Quién lo puede saber.

Marla murió debido a un cáncer de mama en noviembre de 2014, no mucho después de contar a Oppenheimer su historia con Bill, de la que, por lo que parece, no había olvidado un solo detalle.

Pero quizá Marla dejó de añorar el pasado cuando Bill Clinton se convirtió en una figura política nacional y empezaron a publicarse sus paseos por el lado oscuro del amor, con mujeres distintas a la suya. Gennifer Flowers, Juanita Broaddrick, Paula Jones, Kathleen Willey... y la madre de todas las aventuras extramatrimoniales de la historia reciente del mundo: Monica Lewinsky.

Quizá nada habría ocurrido si la madre de Monica, en vez de estar en Washington, hubiera estado con su hija cuando ella sufría uno más de sus episodios de cierto desequilibrio emocional. Y estaba transitando con dificultades serias por uno de ellos. Acababa de terminar sus estudios de psicología en Portland, y quería dejar de sufrir por su relación secreta con Andy Bleiler, un hombre casado. Descubrió, además, que Andy tenía más relaciones extramaritales además de la suya. Era la primera vez que le ocurría algo así en su vida, y no sería la única.

La madre de Monica y las coincidencias

Para entonces, mayo de 1995, la madre de Monica, Marcia Lewis, vivía en Washington, en el edificio Watergate, el lugar en el que empezó el famoso escándalo político que acabó con la presidencia de Nixon, y en cuyo equipo investigador estaba... Hillary Clinton. ¡Qué cosas! La madre de Monica tenía un amigo llamado

Walter Kaye que era un generoso donante del Partido Demócrata, y de los Clinton en particular. Tenía contactos muy cercanos con… Hillary Clinton. ¡Qué cosas!

Kaye movió sus hilos en la Casa Blanca para que Monica consiguiera una beca, aunque después se arrepintió cuando conoció lo que pasaba allí dentro y, además, comprobó que Marcia, escritora, había publicado un libro en el que hacía creer que había tenido un *affaire* amoroso con ¡Plácido Domingo! Pretendía que se publicara en las revistas del corazón para vender más libros. El tenor, por supuesto, lo negó todo. Aquel libro vendió no más de 20.000 ejemplares, pero la madre de Monica Lewinsky se llevó 50.000 dólares.

Todo eso tuvo que ocurrir para que Monica cayera cerca del Despacho Oval. Estaba previsto que fuera solo durante seis semanas, y para ocuparse de la correspondencia del jefe de Gabinete del Presidente. Pero por algo se empieza.

Para entonces, los Clinton llevaban ya dos años en la Casa Blanca y cada poco tiempo se publicaban historias más o menos creíbles y nunca confirmadas sobre cómo era el ambiente en la residencia presidencial. La prestigiosa revista *Newsweek* llegó a hacerse eco y hasta a ampliar una información que apareció en el *Chicago Sun-Times*: Hillary había lanzado una lámpara contra Bill en medio de una discusión que pudo ser escuchada por varios agentes del Servicio Secreto. La obsesión de los Clinton con la prensa había hecho que los responsables policiales advirtieran a sus agentes contra cualquier filtración. Les amenazaron con el despido. Pero los rumores no cesaban.

SANGRE EN LA CAMA DE LOS CLINTON

Se publicaron dos historias sobre lanzamiento de libros por parte de Hillary a la cabeza de su marido. Uno de esos libros era la Biblia. Pero nada parecido a lo que se contó poco después de que estallara el escándalo Lewinsky. Una mañana, una empleada del servicio de limpieza encontró manchas de sangre en la cama de los Clinton. Se dijo que la sangre era de Bill y que él había explicado que se debía a un golpe que se había dado en el baño, cuando se levantó en medio de la noche. Otras versiones hablaban de un nuevo incidente matrimonial.

La historia de la sangre en la cama de Bill y Hillary no es necesariamente incompatible con otra especie que siempre ha circulado alrededor de los Clinton: que han dormido en habitaciones separadas desde muchos años atrás, y que su unión es puramente política, nada amorosa y mucho menos sexual. Monica apareció alrededor de Bill cuando, según alguno de sus hagiógrafos con ánimo más exculpatorio, él se sentía más poderoso y, sin embargo, más solo y más necesitado de cariño. Pero Bill Clinton no ha sido el único presidente incapaz de controlar sus pasiones encendidas.

Se han publicitado lo suficiente las aventuras sexuales de Kennedy con Marilyn Monroe, entre otras muchas mujeres, como, por ejemplo, tres becarias que han pasado a la historia con los apelativos de Faddle (Patricia Weir), Fiddle (Jill Cowan) y Mimi (Marion Beardsley).

Según quienes han investigado estas aventuras, Marilyn no llegó a compartir lecho con JFK en la Casa Blanca, sino en hoteles de Nueva York o en el apartamento de su hermano Bobby en el Departamento de Justicia. Ese apartamento era un dúplex que Robert Kennedy utilizaba cuando se quedaba a trabajar hasta la noche. Bobby conoció allí a Marilyn, y después pasó lo que pasó: también él intimó con la famosa actriz.

Sin embargo, las becarias eran visitantes habituales de la piscina de la Casa Blanca cuando JFK estaba allí, generalmente por las tardes. Los agentes del Servicio Secreto eran testigos (casi siempre mudos, pero no ciegos) de lo que ocurría, temerosos de que cualquier día una de ellas, quizá agente al servicio de Moscú, asesinara a Kennedy y los focos del mundo se volvieran sobre ellos por su incompetencia para proteger la vida del presidente en la mismísima residencia presidencial. Pero el peligro no estaba en el Kremlin. El peligro se llamaba J. Edgar Hoover, eterno director del FBI, que tenía datos, testimonios y grabaciones. Lo sabía casi todo, o al menos lo suficiente como para utilizar la información en forma de herramienta de chantaje.

Conocer los pecados de los presidentes permitió a Hoover ser el jefe del FBI (incluida la oficina que precedió al FBI) durante casi cinco décadas. Vio pasar por el Despacho Oval a Calvin Coolidge, Herbert Hoover, Franklin Roosevelt, Harry Truman, Dwight Eisenhower, John Kennedy, Lyndon Johnson y Richard Nixon. Hoover murió en el cargo. Ninguno de esos ocho presidentes se atrevió a destituirle. Sabía demasiado.

Sabía, por ejemplo, que hubo orgías en la Casa Blanca de JFK que incluían sesiones de intercambio de parejas. El mito y la realidad se mezclan cuando se trata de Camelot.

Jackie, la esposa de JFK, raramente iba por allí. Muy a menudo estaba fuera de la Casa Blanca. Pero, en previsión de males de naturaleza mayor, el Servicio Secreto había instaurado una metodología de respuesta rápida: si aparecía la primera dama se daba la voz de alarma para que las chicas (Faddle, Fiddle, Mimi y otras muchas) pudieran salir de la piscina por una puerta trasera. Se da por hecho que Jackie las vio huir alguna vez.

EL PENE DE LYNDON JOHNSON

Cuando las balas de Lee Harvey Oswald acabaron con la vida de Kennedy en noviembre de 1963 en Dallas, el vicepresidente Lyndon B. Johnson se instaló en el Despacho Oval junto con su inseparable Jumbo. Así es como Johnson llamaba a su pene: Jumbo. Robert Caro, el escritor y periodista ganador de dos premios Pulitzer, escribió una biografía de LBJ en la que recreó una escena que se repitió varias veces cuando Johnson era congresista. Si coincidía en el urinario con algún colega, LBJ solía mostrarle su órgano sexual mientras le preguntaba «¿has visto alguna vez algo tan grande?». Johnson llegó a pedir a su sastre que no le hiciera tan estrechos los pantalones a la altura de Jumbo, porque no le dejaba espacio suficiente y le apretaba mucho. Incluso existe una grabación de esa charla telefónica entre el presidente y su sastre, disponible en Internet para los interesados. No puede haber mayor ejercicio de transparencia.

En el libro *La residencia*, de Kate Anderson, se cuenta que LBJ exigió un cambio en su ducha de la Casa Blanca: quería que se instalara un grifo dirigido exclusivamente hacia su pene. Cuando el encargado de ejecutar la orden puso reparos, el presidente echó mano de la guerra de Vietnam, que estaba en pleno desarrollo: «Si puedo movilizar a 10.000 soldados en un solo día, usted seguro que puede arreglar la ducha tal y como le he dicho». Se desconoce si el progresivo incremento de tropas americanas en Vietnam se debió a la ausencia del grifo solicitado por Johnson.

Otro de sus biógrafos, Robert Dallek, documenta que en cierta ocasión Johnson recibió a un periodista empeñado en interrogar al presidente sobre ese creciente número de soldados americanos en Vietnam. ¿Por qué tantos?, le preguntó. Johnson se abrió la chaqueta, maniobró en su cinturón, soltó el botón de su pantalón, bajó la cremallera, se alivió de la presión de su ropa interior haciéndola descender unos centímetros, y expuso a la vista aquel «órgano tan sustancial», según definición de quien lo estaba viendo. «Es por esto», respondió LBJ. El periodista, impresionado, le dijo que «si yo tuviera un pene como ese lanzaría una guerra espacial».

UN SISTEMA DE ALARMA EN EL DESPACHO OVAL

La erótica Casa Blanca de JFK no lo fue menos con su sucesor LBJ. De hecho, Johnson mostraba cierto desencanto ante el hecho de que la fama de su antecesor en materia de éxitos sexuales superaba con mucho la que él había conseguido alcanzar. De ahí que, siempre que tenía ocasión y al interlocutor adecuado, solía informarle con minuciosidad de las que consideraba sus destacables capacidades amatorias: «He estado con más mujeres por puro accidente que las que Kennedy consiguió después de empeñarse mucho en tenerlas» en su lecho.

A los pocos meses de jurar su cargo, Lady Bird Johnson, la esposa del presidente, se presentó inadvertidamente en el Despacho Oval. Su marido, sin apenas ropa, estaba tumbado en el sofá con una de sus secretarias. No estaban resolviendo ningún asunto de la agenda del presidente. LBJ se quejó ante los jefes del Servicio Secreto por no haberle avisado, y por no impedir a su esposa entrar en el despacho. El presidente ordenó entonces instalar un sistema de alarma algo más sofisticado que el de Kennedy. Si los agentes veían aproximarse a Lady Bird apretaban un botón que daba el aviso al interior del Despacho Oval. La electrónica había llegado a la Casa Blanca en los años sesenta.

Mucho antes, en los años treinta y cuarenta, el presidente Franklin Roosevelt recibía periódicamente en la Casa Blanca a la señorita Lucy Rutherford. Habían sido amantes desde tiempo atrás, cuando Lucy trabajaba como secretaria de Eleanor Roosevelt, la esposa del presidente. Eleanor descubrió la relación, que estuvo a punto de provocar su divorcio. Pero los intereses políticos se impusieron a los deseos humanos. Claro que Eleanor no estaba sola. Durante años compartió intensos momentos de amor con la periodista Lorena Hickok. Salían juntas, cenaban juntas y llegaron a vivir casi juntas, habitación con habitación.

Las historias de infidelidad en los matrimonios presidenciales empezaron, casi en todos los casos, tiempo antes de que esos matrimonios se instalaran en la Casa Blanca. Por ejemplo, en plena campaña para las elecciones victoriosas de 1992, Hillary Clinton se enteró viendo la televisión de que una tal Gennifer Flowers aseguraba haber tenido una relación con Bill. Sin mover un músculo de la cara, Hillary descolgó el teléfono, llamó a Bill y habló con él relajadamente sobre cómo enfrentarse políticamente a este asunto para que la campaña no sufriera ningún perjuicio. «Desde que empezamos sabíamos que esta iba a ser una lucha contra los republicanos y contra la prensa», decía Hillary negándose a aceptar que aquellos asuntos pudieran desviar a los Clinton del camino hacia la Casa Blanca.

Sangre fría con el corazón ardiendo. Su padre le enseñó que mostrar las emociones es un ejemplo de debilidad. Y, según cuenta Gail Sheehy, una de sus biógrafas, Hillary aprendió a separar las cosas: un corazón de convicciones progresistas y una mente de ejecución conservadora. «Tiene una enorme necesidad de sentir que las cosas están controladas».

Sheehy escribió *La elección de Hillary* a finales de los años noventa, con los Clinton aún en la Casa Blanca. Asegura la autora que la primera decisión importante que tomó fue aparcar sus ambiciones políticas porque en los años setenta no pensaba que pudiera llegar a ser una figura importante por el hecho de ser mujer.

LA PASIÓN DE BILL

En aquel tiempo, según Sheehy, «Bill logró hacer sentir a Hillary como una mujer. Quizá fue el primero que lo consiguió». Hillary encontró en Bill algo que no conocía: la pasión. «Y fueron capaces de conformar una gran simbiosis intelectual, política y personal». Ella era la imprescindible disciplina y él, la improvisación en el momento oportuno. La improvisación… y también la incapacidad para controlarse. Según Sheehy, en 1990 Bill y Hillary tuvieron que sentarse a negociar. Él, de nuevo, mantenía una relación con otra mujer. Hillary le dejó claro que si abandonaba aquella aventura podrían luchar juntos por la presidencia de los Estados Unidos en 1992. Y lo hicieron. Los dos se presentaron a la presidencia, aunque en la papeleta solo figurara él. «Pero no era solo un pacto político. También se querían», dice la autora. «Siempre ha sido una relación tempestuosa. La presidencia de Bill Clinton es inseparable de su matrimonio».

Ella no era solo una primera dama. Estaba en política y quería actuar en política. Y Bill le encargó el durísimo, histórico y fracasado intento de reformar el sistema de salud del país. El proceso fue doloroso, especialmente cuando se mezcló con otros problemas políticos y personales que hicieron que la pareja estuviera cinco meses sin apenas dirigirse la palabra. Ese silencio mutuo ayudó a que la reforma se estrellara. Ni siquiera llegó a votarse en el Congreso. Hillary se sinceró entonces con Dick Morris, analista político hoy enemigo de los Clinton pero muy cercano al matrimonio en aquella época: «Estoy muy confusa. Ya no sé qué funciona y qué no. He dejado de confiar en mi propio criterio. Simplemente, no sé qué hacer». Hillary siempre quiso ser perfecta, forzada por la estricta educación de su padre. Y no lo había sido. Pero Hillary tiene otra cualidad: no se rinde nunca.

Optó entonces por dedicarse a viajar por el mundo defendiendo desde su posición de primera dama americana los derechos de las mujeres. Lo hizo incluso en Pekín, delante de la plana mayor del régimen comunista, exigiendo libertad de expresión y criticando la costumbre china de la época de que las embarazadas abortaran cuando sabían que iban a tener una niña.

Por cierto, Dick Morris dejó de trabajar para los Clinton cuando se supo que durante un año había «contratado» periódicamen-

te a Sherry Rowlands, una «acompañante» que cobraba 200 dólares a la hora por su «compañía». El detonante del despido fue
conocer que Dick dejaba a Sherry escuchar sus conversaciones telefónicas con el presidente y le permitía leer los discursos que se
preparaban para el vicepresidente Al Gore y para la primera dama
Hillary Clinton. Se llegó a contar (quién sabe si era cierto o no,
pero al menos era divertido) que durante una de las sesiones de
sexo oral en el despacho privado del presidente, mientras Bill se
entretenía con Monica, hablaba por teléfono con Dick, quien, a su
vez, estaba en la cama de un hotel con Sherry. Aquel ejercicio múl-
tiple fue bautizado con salero por algunos periodistas como «sexo
quadraphónico».

LA BECA DE MONICA

Y mientras Hillary viajaba por Estados Unidos y por el mundo y
empezaba a construir su propia identidad política pensando en el
futuro, Bill gobernaba el país… y se sentía solo. Eso dicen sus
amigos, aquellos que tratan de justificar lo que ocurrió a partir de
noviembre de 1995. Lo explicó de una manera brillante e irónica
el periodista Jeff Greenfield en un libro (titulado en inglés *Oh,
Waiter! One Order of Crow!*) que escribió sobre las disparatadas
elecciones del año 2000, en las que el país con tecnología más de-
sarrollada del mundo fue incapaz de saber si había ganado Bush
o había ganado Gore, porque no terminaban de contar bien los
votos.

Según la imaginativa tesis de Greenfield, «la culpa fue de Newt
Gingrich», el entonces presidente de la Cámara de Representantes
y representante de la derecha más dura, por entender equivocada-
mente que el objetivo de aquel Congreso controlado por los republicanos era hacer la revolución conservadora. Llevó a tal extre-

mo la batalla política por el presupuesto que no se aprobó, provocando el cierre de la Administración Federal durante una semana a partir del 14 de noviembre de 1995. Eso hizo que los funcionarios se quedaran en casa porque no iban a cobrar por su trabajo. La propia Casa Blanca se vio entonces obligada a utilizar a becarios para determinados trabajos menores. Entre ellos, a Monica. Esta es la sardónica tesis de Greenfield.

Bill y Monica empezaron a intimar el día 15 de noviembre de 1995. Como consecuencia del parón presupuestario, la Casa Blanca estaba semidesierta. Con poco que hacer hasta que se aprobara el presupuesto, se organizó una pequeña fiesta de cumpleaños. Clinton apareció allí para celebrar los treinta años de Jennifer Palmieri, asistente del jefe de Gabinete Leon Panetta y en 2016 (otra casualidad) directora de Comunicaciones de la campaña de Hillary Clinton. Es decir, que Bill y Monica establecieron algo más que contacto visual porque la que luego fue jefa de comunicaciones de Hillary tuvo la equivocada ocurrencia de cumplir años ese día, y celebrarlo con sus compañeros de trabajo.

EL TANGA DE MONICA

Monica se acercó al presidente, se levantó la chaqueta y le enseñó parte de su ropa interior: un tanga. Revisen la escena y valoren lo que significa: una becaria le enseña el tanga al presidente de los Estados Unidos. Punto. Por algún motivo, el fiscal del caso Lewinsky, Kenneth Starr, consideró que ese detalle tan específico era suficientemente importante como para incluirlo en su informe final bajo el epígrafe: «Encuentros sexuales iniciales». Nada en esta historia parece real.

Años después, el tanga de Monica se convirtió en la comidilla de las tertulias el día que se publicó. El informe dice así: «En el curso del flirteo, ella se levantó la parte trasera de la chaqueta y le mostró el tanga que sobresalía por encima de sus pantalones». Es posible que el pueblo americano hubiera entendido bien lo que ocurrió sin necesidad de tanto pormenor. Pero este ejemplo es apenas un toque erótico en comparación con los datos escabrosos, casi pornográficos, que menudean en el informe y que, para regodeo de quienes no se los quieren ahorrar, sigue a disposición del mundo en Internet.

El acercamiento entre el presidente y la becaria se había iniciado semanas antes, cuando ella hizo lo posible por estar a su lado en pequeños actos protocolarios que se celebraban en la Casa Blanca. Es lo que Monica Lewinsky calificó en su declaración ante el fiscal especial como un «intenso flirteo». Esa intensidad se convirtió con el paso de los días en un «flirteo continuo», según la versión de la becaria, hasta que el día 15 se produjo el episodio del tanga.

Después de observar el modelo de ropa interior de Monica, el presidente salió de la sala a través de la oficina del jefe de Comunicación George Stephanopoulos, hoy presentador de un programa de entrevistas y debate político en la cadena de televisión ABC y en aquel tiempo hombre de la máxima confianza de Clinton. También eso se rompió después. Cuando vio que no había nadie en el despacho se volvió hacia Monica y le hizo un gesto para que entrara. Ella lo hizo. Él le preguntó si quería conocer su oficina privada, situada junto al Despacho Oval. ¡Cómo decir que no! Al llegar a la oficina, el presidente preguntó a la becaria si podía besarla. La becaria le dijo que sí. El autor del informe se pone hasta romántico para describir la escena: «En el pasillo sin ventanas que hay junto a la oficina se besaron». Monica sabía que aquella era su ocasión, y le dio a Clinton un papel con su número de teléfono. Eran las ocho de la tarde.

CUANDO BILL Y MONICA INTIMARON

Ese mismo día, a las 22.00 horas, Monica estaba sola en la oficia del jefe de Gabinete. Clinton se le apareció de repente y la invitó de nuevo a pasar al despacho de Stephanopoulos. Durante la investigación el muy perspicaz fiscal preguntó a Monica si sabía el motivo de la invitación del presidente, y ella respondió con picardía que «tenía una idea». Aún con más lirismo, si cabe, el redactor del informe relata que ambos llegaron de nuevo hasta la oficina privada del presidente y «esta vez las luces estaban apagadas».

Se besaron de nuevo. Ella se desabrochó la chaqueta. La ropa interior de Monica dejó de hacer el trabajo para el que fue diseñada, circunstancia que el presidente aprovechó para recorrer aquellas partes del cuerpo de la becaria que solían estar bajo la protección de tales prendas. Clinton hizo los tocamientos que pueden imaginarse con facilidad y que fueron descritos con un considerable ejercicio de memoria fotográfica y una notable precisión técnica por Monica cuando se le interrogó al respecto: «El presidente estimuló mi zona genital». Una vez convenientemente estimulada, el fiscal recoge en su informe que la becaria procedió a satisfacer al presidente mediante la práctica del sexo oral, mientras oralmente el presidente respondía a un par de llamadas telefónicas de congresistas. Un presidente no tiene tiempo que perder. Dos miembros de la Cámara de Representantes serán recordados no por sus buenas actuaciones parlamentarias, sino por ser aquellos que hablaban con Bill Clinton mientras el presidente disfrutaba con los pantalones en el suelo de la pericia de Monica Lewinsky: los demócratas John Tanner y Jim Chapman. Cada cual entra en la historia como puede.

Aquel primer encuentro sexual tuvo un final inesperado. Después de colgar el teléfono, Bill le dijo a Monica que parara. «Quiero terminar con esto», contestó ella. «Necesito esperar hasta que confíe más en ti», le dijo Bill según el testimonio de Lewinsky. «Hace tiempo que no tengo algo así», bromeó (o no) el presidente.

El informe del fiscal señala después que Clinton se había dado cuenta de que Monica tenía colgada al cuello su tarjeta de becaria de la Casa Blanca, y eso (el hecho de ser una becaria) podía convertirse en un problema. Las normas de la residencia presidencial prohíben que un becario esté en el Ala Oeste sin un acompañante (se supone que distinto del presidente). Además, el informe insinúa un amago de arrepentimiento de Clinton, ante la evidencia de que estaba cometiendo un acto «inapropiado».

Inapropiado o no, dos días después, el viernes 17 de noviembre de 1995, todavía en medio del parón presupuestario, la chaqueta de Monica se manchó con pizza en la oficina del jefe de Gabinete. Fue al baño a limpiarse. Al salir, el presidente estaba esperándola. «Ven conmigo», le dijo. Presidente y becaria recorrieron otra vez el camino hacia el despacho privado. Se besaron. Monica le dijo que tenía que volver a su oficina. Bill contestó que la esperaba, si podía llevarle un poco de pizza. Esa excusa permitió a Monica justificarse ante sus compañeros de trabajo: «El presidente me ha pedido que le lleve un trozo de pizza». Cuando llegó al Despacho Oval, la secretaria del presidente (la señorita Currie) abrió la puerta: «Señor, la chica está aquí con la pizza».

Un rato después, con Monica dentro del despacho, la señorita Currie se arrimó a la puerta para confirmar que el presidente hablaba por teléfono con un congresista (otro que ha pasado a la historia: el representante de Alabama Sonny Callaham). Mientras estaba al teléfono, según la versión oficial, Clinton se desabrochó el pantalón y «se expuso». Monica volvió a practicar sexo oral y Bill, una vez más, interrumpió la labor «antes de eyacular». Apréciese el hecho no menor de que la no eyaculación del presidente de los

Estados Unidos de América y comandante de las fuerzas armadas más poderosas del mundo aparezca en un documento oficial firmado por un fiscal especial y enviado al Congreso.

Preguntado Bill Clinton por aquel segundo encuentro con Monica Lewinsky, el presidente se limitó a decir que «una noche me trajo un poco de pizza. Estuvimos charlando».

El tercer acercamiento sexual tuvo lugar en esa misma oficina privada a mediodía del 31 de diciembre de 1995. Había pasado mes y medio desde el anterior. Monica tuvo la impresión de que Bill había olvidado su nombre, porque la había llamado «Kiddo». Volvieron a su nido de amor del despacho privado. Se besaron. Hubo sexo oral con el mismo límite impuesto por el presidente en las dos ocasiones anteriores. Y ese límite tenía un motivo. En algún lugar profundo del cerebro del jurista Bill Clinton se encendió la luz roja de aviso sobre lo que ocurría. La relación entre un presidente y una becaria es asunto que, eventualmente, podía complicarse mucho ante un tribunal. Y Clinton debió llegar a la conclusión técnico-jurídica de que si los encuentros con Monica no terminaban como suelen terminar ese tipo de encuentros, entonces es como si no se hubieran producido. En sentido estricto, no había habido acto sexual.

Este fue el argumento que trató de utilizar cuando fue interrogado por un gran jurado (institución judicial americana equivalente al interrogatorio del juez durante la instrucción de un caso). Clinton negó cualquier contacto sexual con Monica Lewinsky en el año 1995. Sí reconoció «conductas equivocadas» y «contactos íntimos inapropiados» en 1996 y 1997.

El 7 de enero de 1996 Bill Clinton llamó por primera vez al teléfono de Monica Lewinsky. Le dijo que iba a estar en la oficina. «¿Quieres que te haga compañía?, preguntó ella. «Sería estupendo», respondió él. Y establecieron la estrategia a seguir para saltar por encima de todos los obstáculos que rodean al Despacho Oval: ella se acercaría con algunos papeles y entretendría al oficial del Servicio Secreto con alguna charla sin importancia. Entonces el presidente aparecería como por casualidad y la invitaría a entrar. Tal cual lo hicieron. Clinton le dijo al agente que dejara pasar a Monica y que estarían allí dentro durante un rato. Hablaron unos minutos en el Despacho Oval y entraron en el despacho privado. Más besos, sexo oral y demás detalles similares a los de encuentros anteriores. Pero también hubo novedades. Esta vez Clinton quiso asumir un papel sexual más activo, algo que ella impidió al informarle de que aquel no era el mejor momento del mes para lo que él pretendía.

El 21 de enero de 1996 se volvieron a ver. Llegados a aquel momento de su relación, Monica empezaba ya a pensar en algo más que el sexo, y le preguntó a Bill por qué no se interesaba por saber más cosas sobre ella, en conocerla mejor como persona. Clinton sonrió y regateó la pregunta con una respuesta propia de un político avezado, diciendo que «valoraba mucho el tiempo que pasaba con ella». A Monica le resultó un argumento frío e insuficiente para sus altas expectativas. En medio de la charla volvieron los besos y todo lo demás.

Estaban en la sala cuando escucharon que se abría la puerta del Despacho Oval. Monica contó después que el presidente se abrochó a toda prisa los pantalones y entró en su despacho «visiblemente excitado». Recibía la visita de un amigo de Arkansas.

DEL SEXO A LOS «ASUNTOS PERSONALES»

El 4 de febrero de 1996 se produjo un nuevo episodio entre ambos, unido a lo que los investigadores calificaron como «la primera conversación larga sobre asuntos personales». Bill llamó a la mesa de trabajo de Monica. Planearon encontrarse «por casualidad» en el pasillo. Entraron de nuevo en el despacho privado. El informe oficial relata otra vez cada pequeño detalle de la aproximación sexual entre ambos. No debía de estar el presidente muy ocupado aquel día porque después del sexo hablaron durante 45 minutos en el Despacho Oval. «Nuestra amistad floreció» tras aquella larga charla, que terminó con un beso de Bill. Ella, para examinar el grado de intensidad de los sentimientos del presidente, quiso comprobar si ya se sabía de memoria su número de teléfono, y Bill le dijo no uno, sino los dos números: el de casa y el de la oficina. Un rato después, Bill marcó ese número de la oficina para decirle lo mucho que había disfrutado con ella.

Y, sin embargo, dos semanas después Bill Clinton quiso acabar con aquella relación. Llamó a Monica a su apartamento del complejo Watergate. Ella dice que por el tono de voz del presidente notó que algo no iba bien. Monica fue a la Casa Blanca. Se vieron en el Despacho Oval. Bill le dijo que no se sentía bien con la relación que tenían, y que había que ponerle fin. Aun así, invitó a la becaria que le visitara de vez de cuando como amiga. Bill la abrazó, pero no la besó.

Días después volvió a llamar por teléfono a Monica. Se mostró triste por no haberla visto últimamente. Monica entendió el mensaje. El 10 de marzo, Natalie Ungvari visitó a Monica en la Casa Blanca. Natalie era una vieja amiga de California. Casualidad o no, se encontraron con Bill, y el presidente hizo lo que solía hacer siempre: impresionar a la gente. «Tú debes ser la amiga de California». Natalie no salía de su asombro al ver que el presidente de los Estados Unidos, el líder del mundo libre, sabía quién era.

MONICA EN LA CASA BLANCA Y HILLARY… EN IRLANDA

El domingo 31 de marzo Hillary Clinton estaba en Irlanda. Clinton llamó a Monica. Ella acudió al Despacho Oval. Le regaló una corbata de Hugo Boss. Se besaron. Según Monica, él se mostró muy activo. Fue ese día cuando se produjo otro episodio muy celebrado meses después en las tertulias: cuando el presidente utilizó un puro habano durante su encuentro sexual. El informe oficial se recrea en ese pasaje en el que se mezclan los humos del tabaco y los fluidos corporales.

A esas alturas de la aventura empezó a circular entre el personal de la Casa Blanca el rumor de que Monica pasaba poco tiempo en su lugar de trabajo y demasiado tiempo en las cercanías del Despacho Oval. El Servicio Secreto trasladó esa sensación a la responsable de personal del jefe de Gabinete, Evelyn Lieberman, conocida por su carácter estricto. Lieberman declaró que Monica tenía una especial tendencia a «estar siempre donde no debe estar». Según Lewinsky, los asesores del presidente querían defenderle a él acusándola a ella. Lieberman aseguró desconocer que circularan historias sobre una posible relación entre Clinton y Lewinsky, pero sí reconoció que «el presidente es vulnerable a este tipo de rumores». Esa fue la razón por la que Monica Lewinsky fue trasladada de la Casa Blanca al Pentágono, la sede de la Secretaría de Defensa.

El 5 de abril era viernes. Los viernes suelen ser los días utilizados por las empresas que quieren despedir a alguien porque empieza el fin de semana y eso aplaca las preocupaciones de los demás empleados por su propio puesto de trabajo. Timothy Keating, el director de Asuntos Legislativos de la Casa Blanca, le dijo a Monica que no la estaban despidiendo, sino dándole «una oportunidad diferente» en el Pentágono. Incluso podía decirle a la gente que era un ascenso. Monica empezó a llorar, mientras pedía que le dieran la posibilidad de quedarse en la Casa Blanca incluso sin cobrar. «No», respondió Keating, añadiendo la clave principal del movimiento laboral: «Eres demasiado sexy para trabajar en el Ala Oeste». Monica pensó que con aquel traslado terminaba su relación con el presidente.

Pero dos días después, el 7 de abril, el presidente llamó a Monica otra vez. Hablaron por teléfono. Ella, entre lágrimas, le contó lo sucedido. Él parecía sorprendido y triste. «¿Por qué te apartan de mí?», preguntó retóricamente el comandante en jefe de la mayor maquinaria de guerra del mundo, que, paradójicamente, no tenía poder para mantener a una becaria a su lado. Ella le dijo que quería verle. Él aceptó. Se encontraron de nuevo en el despacho privado del presidente. Bill se mostró quejoso por el traslado al Pentágono. Temía que alguien estuviera ya sospechando que algo ocurría entre ambos. «Te prometo que si gano las elecciones en noviembre (Clinton se presentaba a la reelección ese año) te traeré de vuelta», y para que trabajara en lo que ella quisiera. «¿Puedo ser la asistente del presidente para sexo oral?», soltó con descaro la muchacha. «Eso me gusta», se sinceró Bill.

Cuando el gran jurado preguntó a Clinton si era cierto que había prometido un puesto a Monica, el presidente dio una larga e incomprensible respuesta laberíntica para reconocer que sí, pero sin decirlo. Tras aquella conversación, Bill y Monica compartieron pasiones otra vez. El informe oficial cree necesario destacar que ese día sí, Bill finalizó con la becaria todas las labores sexuales propias de un momento como ese. Durante el intercambio amatorio, y sin interrumpirlo, el presidente recibió la llamada de Dick Morris, uno de sus asesores políticos en aquel momento. Poco después, una voz masculina llamó al presidente. Clinton salió del despacho privado. Cuando volvió, Monica se había ido a la carrera. Temía que los descubrieran.

Esa misma tarde, Clinton llamó a la responsable del despido de Lewinsky. La señora Lieberman no perdió el tiempo con eufemismos y demostró una notable capacidad de síntesis. Le explicó que «Monica estaba prestando demasiada atención al presidente y que el presidente estaba prestando demasiada atención a Monica».Y remató la explicación con un argumento puramente político: «No me preocupa lo que pase después de las elecciones, pero alguien tiene que preocuparse de lo que ocurre antes de las elecciones». Este último análisis fue claramente comprendido por Clinton, animal político de manual, que llamó a Monica para decirle que hiciera una prueba en el Pentágono, a ver qué tal le iba. Si no le gustaba, siempre podía pedir un trabajo en el equipo de la campaña electoral.

Bill y Monica no volvieron a tener encuentros sexuales durante el resto del año 1996. Sí practicaron «sexo telefónico», en expresión del redactor del informe oficial, que especifica los días en que esas excitantes llamadas se produjeron, y desde dónde, tanto en Estados Unidos como desde la República Checa, Hungría y volando hacia Bolivia. Solo se vieron personalmente en algún acto público, rodeados de gente. Bill Clinton estuvo en campaña durante buena parte del tiempo. Hablaban tres o cuatro veces al mes. Una de esas apasionadas conversaciones telefónicas finalizó de forma abrupta cuando Monica escuchó que el presidente estaba roncando al otro lado de la línea. En otra ocasión, Monica pidió al presidente que la dejara ir a verle. Él le dijo que no, por las consecuencias que pudiera tener. Bill le preguntó a Monica si quería que dejara de llamarla. Ella respondió que no.

OTRA RELACIÓN Y UN ABORTO

Durante el tiempo que Monica permaneció al servicio del Pentágono encontró consuelo en un funcionario de cuya identidad solo se sabe que se llamaba Thomas. La historia fue revelada por Andrew Morton, escritor experto en biografías descarnadas. Según su investigación, mientras mantenía su relación con el presidente también intercambió juegos sexuales durante tres meses con el tal

Thomas. La aventura duró tan poco porque Monica descubrió que él tenía la habilidad de convencer a otras jóvenes de que hicieran con él lo mismo que él hacía con ella. El problema surgió después de la ruptura cuando, según Morton, Monica confirmó que estaba embarazada. En el libro se cita a la protagonista diciendo que no estaba emocionalmente preparada, y que solo tendría hijos cuando tuviera una relación estable. Monica abortó. Clinton no lo supo hasta que se publicó el libro de Morton.

Monica Lewinsky se describió a sí misma como una persona insegura. Dijo temer que Clinton se olvidara de ella, y que por eso cuando había un acto público iba antes que nadie para colocarse en un lugar en el que él pudiera verla. En una de esas ocasiones Clinton lucía una corbata regalada por Monica. «¡Eh, guapo! Me gusta tu corbata», le dijo. Esa noche, Bill descolgó el teléfono y la llamó. Monica le dijo que iba a ir al día siguiente a la Casa Blanca por encargo del Pentágono. Quedaron en verse allí, como en los viejos tiempos. No pudieron. La eficiente y muy estricta señora Lieberman conocía la presencia de Monica en el lugar e impidió el encuentro. Quien evita la ocasión, evita el peligro. Alguien tenía que ocuparse de lo que ocurriera antes de las elecciones, y era ella. Pero lo que ocurrió después de la reelección de Bill Clinton puso en serio riesgo su legado político y su consideración humana ante los americanos y ante el mundo.

LA FRUSTRACIÓN DE MONICA

Pasadas las elecciones Monica se sentía crecientemente frustrada por no recibir llamadas de Clinton, y por no haber sido trasladada de vuelta a la Casa Blanca, como ella aseguraba que le había prometido. Pero a principios de 1997 volvieron a verse. Ahora, las visitas de Monica al Despacho Oval las gestionaba la secretaria Currie, que evidentemente sabía (o imaginaba) lo que estaba pasando. Habitualmente, la señora Currie abría todo el correo que llegaba para el presidente, pero decidió no abrir ninguno de los muchos paquetes que Monica enviaba a Bill. «Suponía que eran personales», declaró durante la investigación. La diplomática y discreta señora Currie declaró también que el presidente solía decir que «la gente joven le mantiene en contacto con lo que pasa en el mundo, y entendí que esa podía ser una razón (por la que estaba tanto tiempo con aquella mujer de veinticuatro años), pero me preocupaba que ella pasara con él mucho más tiempo que los demás». Un día Monica le dijo a la señora Currie que «si nadie nos ve no ocurre nada», pero la secretaria le pidió que no siguiera hablando: «No quiero oír nada más».

La secretaria solía utilizar una línea directa para llamar a Monica en nombre del presidente, de forma que podía esquivar a la operadora de la Casa Blanca y evitar que la llamada quedara reflejada en los archivos. Incluso a veces pedía a los agentes del Servicio Secreto que no apuntaran las visitas que Monica hacía al presidente, y hasta conducía a Monica por pasillos poco transitados para que no la vieran determinadas personas.

El informe señala que algún agente del Servicio Secreto propuso incluir a Monica Lewinsky en la lista de personas que no podían acceder a la Casa Blanca, pero el responsable dejó claro que no era su trabajo decidir a quién recibía el presidente.

El día de San Valentín, Monica pagó un anuncio por palabras en *The Washington Post*. Era un pasaje de Romeo y Julieta. Firmó con una M, la inicial de su nombre. Días después, según el testimonio de Monica, los amantes volvieron a tener un encuentro sexual. Habían pasado once meses desde la última vez. El presidente la invitó a ver la grabación de su mensaje de radio semanal, una tradición que estableció Franklin D. Roosevelt. En su honor, el mensaje se suele grabar en la Sala Roosevelt de la Casa Blanca. La señora Currie condujo a Monica al despacho privado y se ausentó durante unos veinte minutos. Bill dio algunos regalos románticos a Monica y volvieron a donde solían. En plena interpretación del acto oyeron un ruido y se escondieron precipitadamente en el baño, donde siguieron con lo que estaban haciendo… hasta que Bill volvió a interrumpir las labores orales de Monica antes de llegar a la fase final. Ella se quejó de que no la dejara terminar. «Es importante para mí», le dijo. Bill la abrazó y le dijo que no quería ser adicto a ella ni que ella fuera adicta a él. «Pero… no quiero decepcionarte». Y, según explicita el informe oficial del fiscal especial del caso, «por primera vez ella realizó un acto de sexo oral completo».

LA MANCHA EN EL VESTIDO AZUL

Aquel día, Monica llevaba puesto un vestido azul, inspirado en la Navy, comprado en la tienda GAP. Es el vestido más famoso de finales del siglo XX: el vestido que recogió en una mancha las interioridades genéticas de todo un presidente de los Estados Unidos, según quedó bien especificado por un análisis minucioso realizado por especialistas del FBI (que no parece que tuvieran nada más importante que hacer).

Clinton describió lo ocurrido aquel día: «Creo que estuvimos solos durante quince o veinte minutos. Creo que ocurrieron cosas inapropiadas. Aquello no debió empezar nunca y, desde luego, no debió empezar de nuevo después de decidir que había terminado en 1996». Pero el encuentro de febrero de 1997 no fue el último. Hubo uno más.

Ocurrió el 29 de marzo de 1997. El presidente había llamado a Monica. Quería decirle algo importante y debía ir a la Casa Blanca. La señora Currie volvió a ocuparse de la logística semiclandestina. Clinton caminaba con muletas porque se había lesionado la rodilla en un viaje a Florida dos semanas atrás. Ocurrió lo que otras veces, que cuando Monica iba a decir algo él la besaba. «Me silenciaba», dijo Monica. Siguieron adelante con el intercambio sexual. Pero lo importante de aquel día llegó después. El presidente se puso serio: sospechaba que una embajada extranjera (que no especificó) estaba grabando sus conversaciones telefónicas. Pidió a Monica que si alguna vez le preguntaban dijera que solo eran amigos.

Clinton negó después que este encuentro se produjera. Solo reconoció haber estado a solas con Monica Lewinsky varias veces en 1996 y una sola vez en 1997, el día del mensaje semanal de radio. En esos meses, Monica pidió con insistencia a Bill que hiciera algo por encontrarle un puesto en la Casa Blanca. Él le dijo que lo estaba intentando.

En abril de 1997 la preocupación del presidente iba en aumento. Temía que su relación con Monica se hiciera pública, y le preguntó si se lo había contado a su madre. «Por supuesto que no», respondió ella. Mintió. Sí se lo había contado. Clinton tenía motivos para la sospecha. Su amiga Marsha Scott, una de sus asesoras, había recibido una confidencia sobre lo que ocurría de Walter Kaye, el donante de la campaña de Bill Clinton y amigo de la madre de Monica que la había ayudado a conseguir una beca en la Casa Blanca. ¿Quién se lo había contado a Kaye? Solo podía ser la madre de Monica. Kaye culpaba a Monica por comportarse con «agresividad» en persecución del presidente. Pero la familia de Monica culpaba a Clinton de ser el «verdadero agresor». Para entonces, a los oídos de Kaye habían llegado los rumores que circulaban entre los responsables del Partido Demócrata, pero no quería creerlos.

«ESTO TIENE QUE ACABAR»

El 24 de mayo de 1997 Clinton dijo basta. Monica estuvo en la Casa Blanca algo más de una hora. Se fue antes de las dos de la tarde. Llevó unos regalos para el presidente, incluida una camiseta comprada en la tienda Banana Republic. «Esto tiene que acabar», le dijo Bill. Le contó que cuando era más joven había tenido «cientos de aventuras con mujeres», pero que cuando cumplió los cuarenta hizo un esfuerzo para ser fiel. «Espero que sigamos siendo amigos. No es culpa tuya». Monica trató de convencerle para que no terminara su relación, pero no tuvo éxito. Se besaron, se abrazaron y dieron por finalizada su historia.

Monica intentó durante un tiempo conseguir un puesto en la Casa Blanca y recuperar su relación con Clinton. No consiguió ninguna de las dos cosas.

Tal y como señala el informe oficial, apenas tres días después de aquel último encuentro entre Bill y Monica la Corte Suprema rechazó la petición del presidente Clinton de disfrutar de inmunidad constitucional ante demandas civiles. Por tanto, se daba la orden de poner en marcha la investigación por el supuesto acoso de Bill Clinton a Paula Jones, exempleada del estado de Arkansas, del que Bill fue gobernador antes de llegar a la Casa Blanca. En aquel momento nadie podía suponerlo, pero esa investigación derivaría con el tiempo en la investigación judicial del caso Lewinsky.

EL PENE PRESIDENCIAL

El caso de Paula Jones aporta un documento muy destacado a la historia del país más poderoso del planeta. La señorita Jones registró en sede judicial una declaración jurada en la que aportaba detalles muy prolijos sobre la anatomía genital del comandante en jefe. Jones aseguraba en esa declaración que fue citada por Clinton en la habitación de un hotel en Little Rock, la capital de Arkansas. Y allí, el entonces gobernador extrajo su virilidad del interior de sus pantalones. Jones declara que «observé brevemente el pene erecto de William Jefferson Clinton en una suite del hotel Excelsior el 8 de mayo de 1991. Es la única vez que vi su zona genital, y nadie me la ha descrito, ni he leído nada a este respecto». «Este respecto» es la zona genital de Clinton.

Después, Jones pasa a describir de forma puntillosa y detallista las circunstancias y dimensiones de ese tal «respecto». «El pene del señor Clinton está circuncidado y me pareció corto y delgado: trece o catorce centímetros de largo, o menos, y con una circunferencia parecida a la de una moneda de un cuarto de dólar, o poco más». La precisión es fundamental si se quiere dar un testimonio creíble. Es de suponer que la pretensión última de los letrados de Paula Jones era que el juez ordenara un informe forense para que Bill Clinton mostrara su órgano genital erecto ante algún experto que tomara las medidas pertinentes y eso sirviera de prueba en un juicio. En pos de ayudar lo más posible a la administración de justicia, la declaración jurada de Paula Jones aporta un dato definitivo en su quinto punto: «el eje del pene del señor Clinton se inclina, o se tuerce, de derecha a izquierda o, desde el punto de vista de un observador, de izquierda a derecha mirando de frente al señor Clinton. En otras palabras, la base del pene del señor Clinton, visto por un observador que esté frente al señor Clinton, estará más a la izquierda que la cabeza del pene».

No había error posible. Con estos datos tan escrupulosamente explicitados cualquiera podría identificar a Clinton viendo su pene, sin necesidad alguna de mirarle a la cara. Paula Jones firmó de su puño y letra esta declaración jurada enviada a un tribunal de justicia de los Estados Unidos de América. La declaración fue entregada en el registro del notario Robert C. Lockhart con fecha 26 de mayo de 1994, exactamente a las 10.15 horas. Ni antes ni después.

Los médicos de Bill Clinton emitieron un informe contradiciendo la descripción que Paula Jones había realizado de la anatomía del presidente. Su abogado, Robert Bennett, se limitó a glosarlo con estas palabras: «En cuanto a tamaño, forma, dirección, cualquier cosa que sea lo que una mente desviada quiera inventar, el presidente es un hombre normal». Pero ¿qué es normal, cuando nos referimos a lo que nos referimos? Monica Lewinsky añadió alguna información suplementaria. En una de las sesiones de interrogatorio se mostró dispuesta a describir aquello que conocía extraordinariamente bien. En su muy informada opinión, y teniendo en cuenta las comparaciones que su experiencia le permitía establecer, Bill Clinton tenía un pene «normal» o, al menos, «cercano a la normalidad». Se ignora qué reacción pudo provocar esta opinión en el presidente.

Por algún motivo, Paula Jones no denunció el caso hasta pasados tres años, y cuando Clinton ya estaba en la Casa Blanca. Sus abogados tardaron apenas minutos en recorrer todas las cadenas de televisión detallando la historia, y a finales de 1998 Bill Clinton decidió poner fin a aquel suplicio político-judicial pagando a la demandante 850.000 dólares, aunque sin ofrecer sus disculpas ni reconocer ninguna conducta equivocada.

MONICA PIDE TRABAJO A BILL

El procedimiento judicial del caso Paula Jones se desarrollaba en paralelo a la tempestuosa relación de Bill y Monica. La joven llegó a escribir al presidente para que le ayudara a conseguir un puesto en la sede de Naciones Unidas en Nueva York. Era la primera vez que su examante parecía rendirse a la evidencia y mostraba su disposición a irse a otra ciudad. Clinton accedió a recibirla el 4 de julio de 1997, fiesta nacional, el día de la independencia. Fue una reunión «muy emotiva», declaró Monica.

Llegó a la Casa Blanca antes de las nueve de la mañana. A esa hora, el presidente ya llevaba veinte minutos en su despacho, a pesar de ser día festivo. Clinton se quejó del tono de una de sus cartas. Llegó a decirle que «es delito amenazar al presidente de los Estados Unidos», pero Bill acabó abrazando y besando a Monica en el cuello. Ella fantaseó sobre la posibilidad de que pudieran estar juntos de nuevo cuando Bill dejara de ser presidente. Y Bill bromeó sobre lo que harían cuando él llegara a los setenta y cinco años y tuviera que hacer pis veinticinco veces al día. «Ya nos ocuparemos de solucionar ese problema», contestó Monica. «Me di cuenta de que estaba enamorado de mí».

Antes de irse, Monica advirtió al presidente de algo que podía ser peligroso para él. Se había enterado de que la revista *Newsweek* trabajaba en un reportaje sobre un posible caso de acoso sexual del presidente a otra mujer con empleo en la Casa Blanca llamada Kathleen Willey. Clinton se burló de la acusación diciendo que él nunca se acercaría a «una mujer con pechos tan pequeños». En realidad, Clinton ya tenía noticia de ese reportaje y sus asesores en comunicación trataban de frenar su publicación.

APARECE LINDA TRIPP

Monica se había enterado de la investigación de *Newsweek* porque se lo había contado Linda Tripp, funcionaria del Pentágono con quien entabló cierta relación de confianza. Tripp siempre ha dicho que actuó por patriotismo cuando filtró los datos del caso Lewinsky. La enamoradiza Monica, rebosante de ingenuidad juvenil, le había contado su *affaire* con el presidente y Tripp tardó muy poco en usar la información. Hay un sector de la raza humana al que le resulta física y psicológicamente imposible mantener la boca cerrada. Linda es un espécimen de esa raza, y empezó a grabar sus conversaciones con Monica, para que no se le olvidara el contenido. No se podía perder un detalle.

El 11 de agosto *Newsweek* publicó la historia de Kathleen Willey. El artículo incluía declaraciones de Linda Tripp y esta escribió una carta a la revista quejándose de que habían malinterpretado sus palabras.

El 16 de agosto Monica trató de dar nueva vida a su relación con el presidente. Le visitó en la Casa Blanca y le llevó regalos porque iba a ser su cumpleaños tres días después. Le cantó el «Cumpleaños feliz». Monica le preguntó si podían besarse para celebrar sus dos cumpleaños, porque el de ella había sido unas pocas semanas atrás. Lo hicieron. Monica declaró que en aquel momento intentó una nueva aproximación sexual hacia él, pero el presidente la rechazó visiblemente irritado, mientras le decía que estaba intentado «ser bueno». Monica quedó impresionada por la frialdad de Bill y se lo reprochó por escrito unos días después: «Tiro la toalla». «Yo te quería, y deseaba que me quisieras. He esperado demasiado. Me rindo. No debí confiar en ti al principio». Tiempo después, Monica intentó de nuevo hablar con el presidente. Fue a la Casa Blanca sin avisar. Tuvo que esperar en la puerta durante largo rato, hasta que la secretaria Currie acudió a verla. Estaba llorando. Bill no la recibió. En una carta posterior, y en medio de su desesperación, le dijo que «nunca te haré daño. No soy esa clase de persona. Además, te quiero».

PROTEGER AL PRESIDENTE DE SÍ MISMO

Llama la atención que todo un presidente de los Estados Unidos no pudiera conseguir un empleo en la Casa Blanca para alguien de su supuesta confianza. Se produjo un movimiento de varias personas con altos cargos en el edificio presidencial para evitar la cercanía entre Bill y Monica. Pretendían proteger al presidente de sí mismo. Para Monica todo era un desastre: ni estaba con Clinton ni tenía trabajo debido, precisamente, a su relación con Clinton.

El presidente hizo intentos por colocar a Monica en alguna empresa privada en Nueva York. Un día se reunieron en la Casa Blanca para hablar del asunto. Él la recibió con un beso en la frente. Monica recibió una llamada de la embajada de Estados Unidos ante la ONU. La entrevistaron. Tiempo después le ofrecieron un empleo. Monica se tomó varias semanas antes de rechazar la oferta. Clinton había movido los hilos, pero Monica tenía otros planes. Quería un buen empleo en el sector privado, y facilitado por Bill como compensación por lo ocurrido entre ambos.

Para entonces, noviembre de 1997, Bill Clinton tenía que prestar declaración por el caso de Paula Jones. Para que se entienda la verdadera intensidad de esos interrogatorios, incluso tratándose del presidente de Estados Unidos, es suficiente saber que le pidieron a Bill Clinton que elaborara una lista de todas las mujeres con las que hubiera tenido alguna relación, o hubiera propuesto tenerla, o hubiera intentado tenerla mientras era fiscal general de Arkansas, gobernador de Arkansas y presidente de los Estados Unidos. Es decir, durante toda su vida política. Clinton rechazó aquel cuestionario por «irrelevante». Su respuesta fue «ninguna».

A mediados de noviembre, Monica insistió varias veces en ser recibida por el presidente. En una ocasión esperó en el aparcamiento de empleados de la Casa Blanca bajo la lluvia. La fiel y discreta secretaria Currie la acompañó finalmente hasta el despacho privado. Monica seguía sin renunciar a reavivar la relación con Bill. Volvió a proponerle un rato de sexo oral, pero Clinton, otra vez, rechazó la oferta. Minutos después recibía en la Casa Blanca al presidente de México Ernesto Zedillo para una cena de Estado.

«SÉ QUE ES DOLOROSO DECIRTE ADIÓS»

Monica seguía esperando que las gestiones de Bill le permitieran tener un empleo. Y aquello no ocurría. Y no descartaba convencerle para reanudar la relación. Y aquello tampoco ocurría. Llegó incluso a escribirle una nota en la que agradecía lo que había hecho por ella, porque en caso contrario «estaría en un manicomio».

A principios de diciembre de 1997 la paciencia de Monica había terminado. Después de charlar con Clinton en la Casa Blanca durante una recepción previa a la Navidad, la exbecaria escribió una carta en apariencia concluyente que, sin embargo, nunca llegó a entregar a su amante: «Siento que esto (la relación) haya resultado ser una experiencia tan mala. Sé que es doloroso decirte adiós; nunca pensé que iba a ser con un papel. Cuídate».

Monica quiso llevar esta carta y algunos regalos en mano a la Casa Blanca. Lo hizo sin previo aviso. Cuando llegó a la puerta noroeste del complejo los agentes del Servicio Secreto consultaron con la secretaria Currie. Ella les informó de que el presidente estaba reunido con sus abogados. Monica debía esperar allí, en la puerta. Mientras esperaba, los agentes comentaron que el presidente había recibido la visita de Eleanor Mondale. Monica escuchó ese nombre y perdió los estribos. Eleanor es una atractiva periodista de radio y televisión, hija del exvicepresidente Walter Mondale. De ella se dijo que mantuvo una relación con Clinton. Monica estaba convencida de que era así. Una más. Lewinsky, enfurecida y celosa, se marchó, llamó a la secretaria del presidente desde una cabina telefónica, la abroncó por no haberle dicho la verdad y volvió a casa con su carta y sus regalos.

Desde su apartamento del edificio Watergate, Monica llamó al presidente, y él la invitó a la Casa Blanca. Monica volvió. La reunión en la que iba a entregar una carta de adiós definitivo terminó, sin embargo, siendo «agradable» y «afectuosa». Comentaron el incidente que se había producido en la puerta. Ambos sospechaban que algún agente del Servicio Secreto pudiera estar contando demasiadas cosas a alguien sobre las reiteradas visitas de Monica. Pero para entonces la lista de posibles filtradores incluía ya a la poco discreta Linda Tripp, la amiga de Monica. Tenía buenos motivos para sospechar.

MONICA, LLAMADA A DECLARAR

El 5 de diciembre de 1997, los abogados de Clinton recibieron un fax enviado por los abogados de Paula Jones. Era la lista de testigos que proponían. En esa lista aparecía ¡Monica Lewinsky! ¿Por qué?, se preguntaron incrédulos. La presidencia de Bill Clinton se tambaleaba.

Diez días después, los abogados de Paula Jones pidieron formalmente a Clinton que entregara un documento con la lista de «las comunicaciones entre el presidente y Monica Lewinsky». El 17 de diciembre, a las dos de la madrugada, Bill Clinton telefoneó a Monica Lewinsky. La conversación duró una media hora, aunque lo que tenía que decirle no necesitaba mucho tiempo: «Monica, tu nombre está en la lista de testigos del caso Paula Jones... Me rompe el corazón», le dijo Clinton con aparente sentimiento. «Quizá no te citen a declarar», y le sugirió firmar una declaración jurada para satisfacer a los abogados de Paula Jones. «Podrías decir que ibas a la Casa Blanca para visitar a la secretaria Currie y que, en ocasiones, cuando trabajabas en la Casa Blanca, me traías cartas». Cuando Clinton declaró en el marco de la investigación aseguró que «nunca le pidió (a Monica) que mintiera».

A estas alturas del embrollo, nada de lo ocurrido se había publicado todavía. Se supone que Hillary Clinton no tenía un solo dato. Apenas una docena de personas estaba al tanto de este agujero negro que se cernía sobre la Casa Blanca. Un mes después, el caso iba a ser la primera noticia en los medios de comunicación del mundo.

El 19 de diciembre, Monica Lewinsky recibió una citación para declarar en el caso Paula Jones. No era un puro trámite. Tenía que comparecer con cualquier «regalo, prenda, accesorios o joyas» que hubiera recibido del presidente, y con documentos sobre su relación, como cartas, tarjetas o una lista de llamadas telefónicas. Y un detalle tan preciso que resultaba sospechoso: querían cualquier sombrero que llevara un pin regalado por el presidente. Nadie pide algo así sin conocer su existencia. ¿Quién lo habría contado? Monica empezó a llorar desconsolada.

Habló con Vernon Jordan, importante personaje en esta historia por su amistad personal con Clinton. Jordan realizó una especie de mediación entre Bill y Monica para enfrentarse a las consecuencias judiciales que se avecinaban, y buscó un abogado para Lewinsky. Jordan preguntó por separado a Bill y a Monica si habían mantenido relaciones sexuales. Ambos lo negaron. Ella se sintió en la necesidad de contarle a Jordan los temores que tenía por un aspecto concreto de su citación: las llamadas telefónicas cuyo detalle exigían los abogados de Paula Jones: «Hemos tenido sexo por teléfono».

«NOS BESAMOS APASIONADAMENTE»

El 28 de diciembre, Monica Lewinsky estuvo, una vez más, en el despacho privado de Clinton. «Nos besamos apasionadamente». Poco después, la secretaria Currie recogía en casa de Monica una caja que contenía buena parte de los regalos que le había hecho el presidente. Buena parte, pero no todos. Currie los llevó a su casa y los metió debajo de la cama. Cuando fue interrogada por este episodio, la secretaria Currie respondió a todas las preguntas con un «no lo sé» o «no lo recuerdo». Fidelidad hasta el final. Monica ya no podía entregar ante los investigadores los regalos que no estaban en su poder. Días después, ante una sugerencia de Vernon Jordan, Monica se deshizo de unas cincuenta notas escritas que ella había enviado o tenía intención de enviar al presidente. A pesar de la presión sobre las notas y los regalos, Monica quiso hacer a Bill un último regalo: un libro sobre los presidentes de los Estados Unidos con una nota de amor. Era el 4 de enero de 1998.

Para entonces, Linda Tripp se había puesto ya en manos de… ¡los abogados de Paula Jones! Cuando esos abogados conocieron la historia de Monica y el presidente entraron en trance: si unían las dos aventuras de Clinton podrían demostrar más fácilmente que el presidente era un embustero acosador de mujeres distintas de la suya. El caso estaba ganado. Linda Tripp entregó las grabaciones de sus charlas con Monica al fiscal Kenneth Starr a cambio de inmunidad. Tripp relató a Starr buena parte de los detalles, incluidos los más escabrosos, que luego iban a figurar en su informe sobre el caso.

El 7 de enero Monica fue llamada a declarar en el curso de la investigación. Para mantener a salvo su identidad en el documento figuraba como la testigo «Jane Doe». Monica juró decir la verdad bajo la amenaza de cometer perjurio, y lo negó todo: «Nunca tuve relaciones sexuales con el presidente, él nunca me propuso que las tuviéramos, no me negó un empleo u otra clase de beneficios por rechazar una relación sexual, no conozco a ninguna persona que haya tenido relaciones sexuales con el presidente». Monica había mentido, salvo por un detalle que ella no consideró menor a efectos judiciales y que explicó tiempo después: «En el documento se dice que no tuvimos relaciones sexuales, y pensé que yo podía defender eso, porque nunca tuvimos relaciones completas». Todo quedó en sexo oral y telefónico. Es el mismo argumento con el que Clinton trató de defenderse, cuando en ese mismo mes de enero de 1998 declaró con cara de indignación que «no he tenido relaciones sexuales con esa mujer; las acusaciones son falsas».

El estallido público del caso se acercaba. El periodista de *Newsweek* Michael Isikoff llamó a la secretaria Currie para pedir información sobre los regalos de Monica Lewinsky al presidente. Era cuestión de días que aquella historia estuviera en los periódicos. De muy pocos días.

El 17 de enero de 1998 pasó a la historia porque William Jefferson Clinton se convirtió en el primer presidente de los Estados Unidos que durante su mandato tiene que declarar bajo juramento en un caso judicial. «Te someterán a *impeachment* (proceso de destitución parlamentaria) si mientes», le dijo su abogado. Pero Clinton estaba relativamente sosegado al saber que la declaración de Monica iba en la misma dirección que la suya: negar que hubieran tenido relaciones sexuales.

Antes de empezar la declaración del presidente, la jueza del caso, Susan Webber Wright, se creyó en la necesidad de establecer una definición común de «relación sexual», para evitar equívocos y regates cortos malintencionados. Según puso después por escrito el fiscal Starr, la jueza estableció que existe relación sexual a los efectos de ese caso concreto «cuando la persona entra en contacto con los genitales, el ano, la ingle, el pecho, la cara interna de los muslos o las nalgas de cualquier persona con la intención de excitar o satisfacer el deseo sexual». Y se entiende por «contacto», tocar intencionadamente, ya sea de forma directa o a través de la ropa. A Clinton se le cerraban las vías de escape.

Clinton dijo pocas verdades, algunas medias verdades y un buen número de mentiras. Por ejemplo, dijo que Monica era una amiga de su secretaria, la señora Currie. No era del todo falso, pero, desde luego, no era toda la verdad. Dijo no recordar si alguna vez había estado a solas con Monica en la Casa Blanca. «Quizá sí, pero no lo recuerdo». Tampoco recordaba ninguna conversación con ella. Pero los abogados de Paula Jones tenían muchos datos y fueron arrinconando a Clinton. Le preguntaron directamente si había tenido una relación sexual extramatrimonial con Monica. Clinton lo negó. Sí reconoció haber recibido algún regalo de ella y recordó haberle enviado un pin. Pero negó «enfáticamente» haber mantenido relaciones sexuales con Monica: «Nunca he tenido una relación sexual con Monica Lewinsky. Nunca he tenido un *affaire* con ella».

Clinton se reunió después con la secretaria Currie. La conversación era un evidente intento de dirigir las respuestas que la secretaria tendría que dar sobre el caso, con una idea muy principal: Clinton quería que Currie confirmara en su declaración que ella siempre estuvo presente las veces en que Bill y Monica coincidieron en la Casa Blanca. Currie no quiso contradecir al presidente, pero ante las preguntas no pudo evitar acercarse a la verdad: quizá ellos dos se vieran alguna vez cuando ella no trabajaba, y quizá estuvieron alguna vez juntos en el despacho privado del presidente. Pero, eso sí, «no oí nada». El desastre estaba en marcha. Solo faltaba una filtración a la prensa. Y la duda no era si se produciría, sino cuándo. Había llegado la hora.

El rumor merodeaba desde hacía tiempo por las redacciones de Washington. Algo turbio ocurría en la Casa Blanca. Pero nadie tenía datos suficientes como para lanzarse a publicarlo. El periodista que estaba más cerca de la verdad era Michael Isikoff. Su investigación sobre el caso Paula Jones le había conducido de forma automática hacia Monica Lewinsky. Isikoff recibía datos de Linda Tripp, la mujer que odia guardar un secreto y a la que Monica consideraba su amiga. También accedió a filtraciones de Lucianne

Goldberg, una editora a la que Tripp se lo contaba todo. A partir de esos datos solo había que tirar del hilo. Isikoff tenía la información, pero no pudo publicarla. Su revista, *Newsweek*, no se atrevía a poner la historia en la portada. Y, como ocurre siempre en periodismo, la exclusiva que no das tú la da otro.

EL PRESIDENTE Y LA BECARIA, EN INTERNET

Matthew Nathan Drudge es un irreverente personaje, al que le gusta salir en las fotos con un sombrero estilo años cuarenta. Nunca ha tenido un especial cuidado con la veracidad de las historias que se cuentan en su web, *drudgereport.com*. Pero en ocasiones acierta. Drudge se atreve a publicar aquello que otros no publican. El joven Matt de 1994 empezó a trabajar en los estudios de la cadena CBS en Hollywood. Allí se enteraba de cotilleos sobre los famosos, y decidió elaborar un informe llamado *The Drudge Report*, que enviaba a algunos amigos por email con un ordenador Packard Bell que le regaló su padre. Con el paso de los años y el desarrollo de Internet creó una web, y empezó a agregar noticias sobre asuntos políticos que se publicaban en otros medios. Pero nada parecido a lo que ocurrió la noche del 17 al 18 de enero de 1998.

A las 23.32.47 horas de la costa oeste (poco después de las dos de la madrugada del día 18 en Washington), el joven Drudge lanzó una «exclusiva mundial», según sus propias palabras: «*Newsweek* elimina una noticia sobre una becaria de la Casa Blanca. Una exbecaria de veintitrés años tuvo relaciones sexuales con el presidente». Debajo de ese tempestuoso titular, Drudge contaba que la revista había eliminado la noticia en el último minuto, antes de enviar los textos a la imprenta. Y buceaba en el contenido de la historia que firmaba Michael Isikoff: la becaria había mantenido la relación con Clinton durante dos años; los encuentros sexuales se desarrollaban en el despacho privado del presidente; el rumor sobre esa relación se había extendido por la Casa Blanca hasta provocar que se destinara a la becaria al Pentágono; la becaria escribía cartas al presidente; a menudo visitaba el Despacho Oval después de la media noche; gestionaba sus visitas con la secretaria Betty Currie; existían grabaciones de las conversaciones telefónicas más íntimas; y la relación se tambaleó cuando el presidente empezó a sospechar que la becaria estaba contando la aventura a otras personas. Añadía Drudge que varios medios (*Time* o *The New York Post*) andaban merodeando esta historia, pero no habían llegado a publicarla.

Drudge Report no citaba el nombre de la interna en esta primera publicación de la noticia. Sí lo hizo veintitrés horas después, cuando explicó de quién se trataba y relataba su historial en la Casa Blanca. Drudge recibió la información de la editora Lucianne Goldberg que, a su vez, la recibió de Linda Tripp que, a su vez, la recibió de Monica Lewinsky. El efecto mariposa. Era la primera vez en la historia del periodismo que una noticia de este calibre se publicaba en Internet antes que en un medio tradicional.

La web lanzó varias exclusivas sobre el caso. El día 18, el analista conservador William Kristol se atrevió a comentar la historia en la cadena ABC. Sabía que era cierta. Se la había confirmado un antiguo colaborador que ahora trabajaba para el fiscal Starr. Y el día 21, el caso Lewinsky se convirtió en la gran noticia mundial.

EL *WASHINGTON POST* EN LA PUERTA DE MONICA

Es una costumbre en Estados Unidos estar suscrito al periódico local, de manera que un repartidor se ocupa de llevarlo hasta tu puerta en medio de la madrugada para dejarlo en el picaporte o tirado en el suelo. Monica no conseguía conciliar el sueño la madrugada del 21 de enero de 1998. Hacía frío, mucho frío, en Washington; estaba preocupada por su búsqueda de empleo, por la distancia con Bill y por los efectos judiciales que pudiera tener su declaración en la investigación del caso Paula Jones. A las cinco de la madrugada, harta de dar vueltas en la cama sin poder dormir, Monica optó por arrancar el día. Hizo lo de siempre: ir hasta la puerta de entrada del apartamento que compartía con su madre en el edificio Watergate. Al otro lado, dentro de una bolsa blanca, esperaba cada mañana un ejemplar del diario *The Washington Post*. A Monica le entraron sudores al leer el titular: finalmente, la noticia que andaba dando vueltas por Internet, sin que nadie quisiera concederle demasiada verosimilitud, había llegado a la primera página de la Biblia del periodismo político de la capital de Estados Unidos.

El *Post* titulaba: «Clinton acusado de exigir a una asistente que mintiera». La prensa seria optó por dedicar sus letras capitulares a las consecuencias judiciales y políticas que podía tener para Clinton una acusación de ese tipo: perjurio, falso testimonio y obstrucción a la justicia. La historia de la becaria y el sexo había que buscarla leyendo más abajo. Pero estaba allí, y el presidente Bill Clinton se encontraba ante el problema más grave de una vida llena de problemas graves, justo cinco años y un día después de tomar posesión de su cargo como presidente.

Era un ejemplo más del mejor periodismo americano. La prensa anglosajona aporta un hecho diferencial muy importante con respecto a la de otros países. Un medio de comunicación puede ser de derechas o de izquierdas y defender esas posturas en sus editoriales, pero nunca será un medio de comunicación al servicio de un partido ni de un presidente. *The Washington Post* suele pedir el voto abiertamente, sin recato alguno, para los candidatos demócratas, pero una noticia está por encima de todo. Si un presidente demócrata está metido en un escándalo, el diario lo contará. Y lo contó.

En la Casa Blanca no necesitaron esperar a que el periódico estuviera en la calle para saber lo que iba a publicar. El diario había contactado con el abogado de Clinton, Robert Bennett, antes de poner la noticia en su venerada primera página. Horas antes, los responsables de comunicación recibieron el aviso de lo que les esperaba a la mañana siguiente. Recorriendo el conducto reglamentario, trasladaron la información al jefe de Gabinete. Y el jefe de Gabinete entró en el Despacho Oval con el rostro lívido para confirmar al presidente que había llegado la hora que suponían que iba a llegar.

En la medianoche, Clinton llamó a su abogado. Bennett aparecía en el texto de la noticia desmintiéndolo todo: «El presidente niega rotundamente haber tenido relaciones con la señorita Lewinsky y ella así lo ha confirmado: esta noticia es ridícula». Clinton llamó de madrugada a su secretaria Currie, al viceconsejero de la Casa Blanca Bruce Lindsey y a su amigo el abogado Vernon Jordan (le dijo que la noticia era falsa). Clinton no durmió esa noche. Por la mañana, la Casa Blanca emitió un comunicado negando la noticia del *Post*: el presidente «nunca tuvo una relación inapropiada con esa mujer». ¿Qué es una relación apropiada según los códigos personales de conducta de Bill Clinton?

«HILLARY, NO VAS A CREER ESTO»

Un día antes de que se publicara la noticia, el 20 de enero, Bill Clinton recibió en la Casa Blanca al primer ministro israelí Benjamín Netanyahu. Un día después de la publicación, el 22 de enero, se reunió con el líder palestino Yaser Arafat. Clinton trataba de actuar como presidente de los Estados Unidos, en medio de la avalancha de fango que amenazaba con sepultar su vida política, humana y familiar.

Entre esas dos reuniones, el día 21 de enero de 1998, poco después de las siete de la mañana, en las habitaciones privadas de la Casa Blanca, un atormentado Bill Clinton se sentó en la cama y despertó a Hillary: «No vas a creer esto…». Como dice el autor Jerry Oppenheimer, ahora el escándalo era público y sus vidas nunca volverían a ser lo mismo. Hillary Clinton describe así la situación en su libro de memorias *Historia viva*: «Bill me dijo que Monica Lewinsky era una becaria que había conocido dos años antes (…). (Bill) dijo que (Monica) había malinterpretado su atención, lo cual era algo que yo (Hillary) había visto suceder docenas de veces. Era un escenario tan familiar que no me costó nada creer que las acusaciones eran infundadas (…). Le pregunté a Bill una y otra vez sobre aquella historia, pero él siguió negando cualquier comportamiento improcedente por su parte (…). Por qué (Bill) sintió la necesidad de engañarme a mí y a otros es parte de su propia historia, y será él quien deba contarla a su manera».

Hillary publicó su libro de memorias en 2003. Ya era senadora de los Estados Unidos y en su cabeza estaba la posibilidad de optar algún día a la presidencia. Necesitaba poner por escrito una visión personal de lo ocurrido que resultara prudentemente auto-exculpatoria, pero sin sonar demasiado ridícula; un argumentario con el que encontrar una soportable vía de escape cuando se lanzara a luchar por la Casa Blanca y fuera inevitable que le preguntaran por aquel episodio una y otra vez. Cada palabra del libro está elegida con extremo cuidado para salvar los muebles familiares que se puedan salvar y mantener lo más intacta posible la opción política de futuro. Dejar que Bill diera las explicaciones sobre por qué mintió resulta hasta conmovedor, como si quisiera hacer creer al mundo que ella nunca le pidió esas explicaciones.

Pero, subiendo un escalón en el análisis, la verdadera personalidad de Hillary Clinton aparece de forma transparente pocos párrafos después, cuando vuelve a mezclar lo familiar con lo político. Valga la redundancia. «Creí a mi marido cuando me dijo que las acusaciones no eran ciertas, pero comprendí que nos enfrentábamos a otra horrible e intrusiva investigación justo en el momento en que pensaba que nuestras preocupaciones legales habían acabado. También sabía que el peligro político era muy real». El peligro político… En una situación como esa, en la que la vida entera de cada miembro de una familia está haciendo equilibrios al borde de un precipicio, la catástrofe personal y familiar que se produce deja poco espacio para cualquier otra preocupación que no sea sobrevivir al desastre personal… salvo que se sea un Clinton, y la política sea un miembro más de la familia.

Un espía en las filas del enemigo

Hillary apenas había necesitado unos pocos segundos para pasar del impacto emocional a darse cuenta de que ella y su marido iniciaban ese día la más dura batalla personal y política de sus vidas. Iba a ser una lucha a matar o morir, y en la que los prisioneros serían un estorbo. La mujer fuerte, decidida, inteligente y brillante creyó a su esposo. Eso le dijo aquella mañana a su amigo Sidney Blumenthal: «Son acusaciones falsas», mientras repetía una tras otra las mismas explicaciones que le había dado Bill.

Sidney Blumenthal había conocido a los Clinton diez años antes, cuando era periodista de *The Washington Post*. Bill era entonces gobernador de Arkansas, pero ya tenía en mente la lucha por la presidencia. Y se lo contó a Sidney. En la campaña de 1992, durante la campaña, Blumenthal estrechó lazos con Hillary. Cuando Bill llegó al poder, el periodista ya era corresponsal en la Casa Blanca para la revista *The New Yorker*. Tiempo después, empezó a trabajar desde las sombras en los discursos del presidente y, al final, terminó por ser contratado como asesor de Clinton. Y fue muy útil para el matrimonio, especialmente durante los tormentosos meses del escándalo Lewinsky, porque Blumenthal disponía de una fuente informativa con acceso directo a los planes de la derecha republicana. Se llama David Brock. En tiempos era un iluminado ultraderechista, obsesionado con acabar con los Clinton. Por algún motivo difícil de entender, Blumenthal consiguió poco a poco, a base de comidas en elegantes restaurantes de la capital, convencerle de las bondades de la administración demócrata, y Brock pasó de odiar a los Clinton a querer salvarles de sí mismos. La fe del converso. Brock le tenía al tanto de casi todo lo que tramaban sus enemigos políticos. Era su espía.

Para entonces, Blumenthal había organizado una vasta estrategia de control de daños y recopilaba información que pudiera servirle para poner en marcha las operaciones de contragolpe. Reunió toda la información conocida y subterránea a la que pudo tener acceso sobre la vida pública y privada de sus enemigos: el fiscal Starr, sus colaboradores, Paula Jones, sus abogados, los líderes de la oposición republicana, periodistas poco amistosos… En definitiva, todo lo que se pudiera conseguir sobre aquellos a los que llamaba «los elfos», los componentes del equipo de la conspiración derechista contra los Clinton.

¿Y qué haría Hillary? Muchos que la conocían, y la querían, piensan que es imposible que fuese tan ingenua como para creer en Bill, porque sabía mejor que nadie cómo es su marido. Pero la primera dama no iba a romper con el presidente. Hubiera sido la destrucción del matrimonio, de cada uno de sus dos miembros individualmente, de la presidencia de Bill (que ambos compartían) y de las aspiraciones políticas de Hillary. En aquel momento, con la crisis en plena erupción, ella era la clave para salvar la presidencia y sus vidas. Si Hillary rompía la baraja, todo se desplomaría. Si

Hillary se mantenía firme junto a su marido a la vista de los americanos, aún había alguna opción de seguir adelante. Y se mantuvo. Creyera o no la versión de Bill, se mantuvo.

Justo después de la llamada de Hillary a Blumenthal fue el presidente quien le citó en su despacho. Quería darle una explicación suplementaria que resultara creíble, porque era consciente de la estrecha relación que Sidney tenía con su mujer. Era evidente que hablaría con Hillary y le necesitaba como aliado. Le dijo a su amigo que Monica había querido tener sexo, pero que él se negó y ella reaccionó con una amenaza. Cuantos más detalles daba, más mentía. Blumenthal se mostraba escéptico, y le preguntó si alguna vez había estado a solas con la becaria. El presidente le dijo que siempre había alguien cerca. Clinton era un hombre apagado, a la defensiva y rodeado de una mezcla de fantasmas reales e inventados, pero todos igual de dañinos para su integridad emocional y mental.

Tres horas después de que Bill despertara a Hillary con *The Washington Post* en la mano, ella se dirigía en tren hacia la ciudad de Baltimore, cerca de la capital. Tenía que dar un discurso en una universidad. Mal día para salir de casa. Nunca tantos periodistas habían seguido un acto de la primera dama. «¿Confía en su marido?», preguntaban a gritos los reporteros. «Absolutamente», fue su única respuesta.

Por suerte, el texto de su intervención ya estaba escrito, y podía dedicar el corto viaje a iniciar la elaboración de una estrategia de supervivencia. Era pronto. Había muchos americanos que ni siquiera sabían todavía lo que pasaba. Pero tenía que adelantarse a los acontecimientos. Manejar los tiempos es determinante en política. Era necesario actuar con rapidez, pero manteniendo las actividades previstas, como si nada ocurriera. Y, también, disponer del armamento adecuado para utilizarlo en caso de necesidad. Y era evidente que sería necesario.

«YA LO ENTENDERÁN»

Con Hillary camino de Baltimore, en la Casa Blanca el presidente trataba de convencer a sus más cercanos colaboradores de la false-dad de las acusaciones. «Cuando se conozcan todos los datos lo entenderán». La estrategia consistía en convencer a la opinión pú-blica de que la derecha había organizado una conspiración para acabar con Clinton. Una más. Eso era todo. En marcha.

La noche no iba a ser más tranquila que el día. Los Clinton recibieron en su hogar presidencial a David Matthews y a su espo-sa Mary Beth. Matthews era amigo personal de la pareja y, curio-samente, un conocido abogado especializado en divorcios. Bill les dijo a todos que las acusaciones eran falsas, que Monica mentía, que nunca tuvieron una relación. David le animó entonces a que se lanzara al contraataque y se enfrentara con todos, con la verdad (que, en realidad, era una mentira) por delante. Pero Hillary puso en marcha su cerebro político. «No —les dijo—. No sabéis cómo es Washington. No importa lo que digas. La prensa no querrá creernos».

El escritor Jerry Oppenheimer asegura que en los días que si-guieron a la revelación pública del *affaire*, Hillary defendió a su ma-rido en televisión, pero le odió en privado. La primera dama «gri-taba, maldecía y tiraba las cosas; y, al menos en una ocasión, golpeó a Bill en la cara». Dicen que Bill lloraba durante largo rato, ence-rrado en su habitación. Dicen que se oían golpes desde la planta de abajo. Dicen que el presidente hablaba con su perro *Buddy*. Dicen.

«Washington se obsesionó con el escándalo hasta la histeria. Todos los días salían a la luz nuevos datos sobre la mecánica de lo que esencialmente era un golpe para atrapar a un presidente», dejó es-crito Hillary. Otra vez la política y la familia, y en ese orden. Y lo dijo por televisión, apenas unas horas después que se publicara la noticia en la prensa. Estudios de la NBC en Nueva York; programa *Today*; presentador, Matt Lauer: «Últimamente solo hay una pregunta en la mente de los norteamericanos, señora Clinton, y es la siguiente: ¿cuál es la naturaleza exacta de la relación de su marido con Monica Lewinsky? ¿Le ha descrito con detalle esa relación a usted?». Hillary llevaba preparadas en su cabeza las respuestas que quería dar con las palabras exactas. Y, entre ellas, estaba lista para enfrentarse a las cuestiones más ácidas sobre Bill. «Es una gran conspiración de derechas que está tratando de perjudicar a mi marido desde el día en que se presentó a presidente». Una vez más, la política y la familia, y sin cambiar el orden. Pero no era tan incierto lo que decía Hillary. Bill había mentido, pero también existía esa conspiración de derechas desde mucho tiempo atrás. («Ver a Hillary defendiéndome me hizo sentir aún más avergonzado por lo que había hecho», reconoció Bill tiempo después).

Horas antes, el presidente había dicho a uno de sus colaboradores que no sabía si podría mantenerse en el cargo ni siquiera una semana más y que quizá se viera obligado a dimitir. El respaldo público de Hillary le permitió sostener su posición durante el tiempo suficiente como para solidificar su suelo y evitar el hundimiento inmediato de su presidencia. Hillary había salvado a Bill (una vez más), aunque el coste sería elevadísimo en términos personales, políticos y económicos.

LA CONSPIRACIÓN

No se es nadie en política si no se ha sufrido una conspiración. Y toda buena conspiración es siempre una excusa adecuada para culpar a otros de las incapacidades propias. Newton Leroy Gingrich era un conspirador congénito. Tenía cincuenta y dos años cuando en 1994 alcanzó la cumbre de su carrera política: *speaker* (equivalente a presidente) de la Cámara de Representantes.

Un año antes, Newt Gingrich y un grupo de renovadores republicanos muy conservadores se pusieron como objetivo conseguir algo que no lograba su partido desde hacía cuarenta años: controlar la cámara baja del Congreso, como elemento fundamental para controlar las políticas del presidente. Bill Clinton llevaba dos años en la Casa Blanca, tratando de aplicar políticas liberales. Gingrich quería impedir que eso ocurriera por más tiempo.

En Estados Unidos las elecciones no se convocan cuando quiere el primer ministro o el presidente del país, habitualmente para su propio beneficio político. La cita de los ciudadanos con las urnas se realiza siempre el martes después del primer lunes de noviembre, todos los años pares. Por tanto, siempre será como pronto el día 2 y como muy tarde el día 8. Las elecciones presidenciales se celebran cada cuatro años, y las elecciones a la Cámara de Representantes y al Senado se celebran cada dos años. El mandato de los senadores dura seis años, por lo que el Senado se renueva en un tercio del total de escaños en cada elección bianual. El mandato de los miembros de la Cámara es de solo dos años, con lo que en cada elección se renuevan todos los escaños.

Cuando pasan dos años de la elección presidencial se celebran las que se conocen como *midterm elections* (elecciones de mitad de mandato). Su resultado es determinante, porque permite establecer hasta dónde va a llegar el control del Congreso sobre las políticas del presidente y hasta dónde el presidente va a tener un Congreso amistoso o enemistado. Si el Congreso está controlado por el mismo partido que controla la Casa Blanca el resultado es muy distinto del que se produce cuando el Despacho Oval tiene enfrente a un Capitolio (sede del Congreso) poco afín. Bill Clinton disfrutó de un Congreso demócrata durante sus dos primeros años de mandato, pero las *midterm elections* de 1994 dieron un vuelco a la situación y convirtieron los años siguientes en una pesadilla política para el presidente.

No era tan extraño. El sistema político americano diseñado por los padres fundadores pretendía precisamente eso: que ni la Casa Blanca ni el Congreso tuvieran todo el poder. Gingrich sabía que si los republicanos controlaban el Congreso frenarían a Clinton y podían iniciar una revolución conservadora para asaltar la Casa Blanca en las siguientes elecciones presidenciales de 1996. El objetivo era convertir a Bill Clinton en presidente de un solo mandato. Es decir, en un fracasado. Aquello, que podía ser un objetivo político legítimo, se convirtió en la cabeza de Gingrich en una obsesión enfermiza, sin importar los medios que hubiera que utilizar. Los renovadores siempre ponen límite a los medios que utilizan para alcanzar sus fines. Los revolucionarios no saben de límites. Consideran legítimo cualquier medio. Hillary sabía que con el escándalo Lewinsky estaban otra vez metidos en un tornado, igual que cuando estalló el caso Whitewater, o el Troopergate, o el de Gennifer Flowers… O incluso peor que cuando Vince Foster apareció muerto.

EL AMIGO VINCE SE SUICIDA

Vincent Walker Foster Jr. conocía a los Clinton desde los viejos tiempos de Arkansas. Foster nació en el mismo pueblo que Bill, en Hope. Y Hillary había sido su compañera en un despacho de abogados de la ciudad de Little Rock. Eran íntimos. Mucho. Cuando Bill ganó la presidencia se llevó a Vince a la Casa Blanca como asesor. Pero nunca supo adaptarse a la dureza de la política. Él era un tipo normal, no un *killer*.

Foster alquiló una casa en Georgetown, uno de los barrios más agradables de Washington, con restaurantes y comercios muy coquetos y un gran ambiente nocturno, especialmente los fines de semana. Es habitual que cualquier recién llegado a la ciudad busque su hogar en Georgetown, a pesar de los elevados precios de las casas.

Pero pasaba solo mucho tiempo. La esposa y los hijos de Foster no siempre estaban en Washington. El trabajo le agobiaba, y empezó a sufrir de forma desmedida ante las críticas ocasionales que recibía desde algunos medios de comunicación. En especial, de *The Wall Street Journal*. No estaba acostumbrado a eso. No lo asumía como algo normal en la actividad política. Su piel era demasiado fina para soportar las afiladas y dañinas agujas que se utilizan en la vida pública. Tuvo episodios de depresión y ansiedad. Empezó a medicarse.

El 20 de julio de 1993, el día en que Bill Clinton cumplía seis meses desde el juramento de su cargo como presidente, el cuerpo sin vida de Vince Foster apareció en un parque de Virginia. Tenía un disparo en la boca, realizado con un revólver Colt, propiedad de su padre. Después se encontró lo que parecían los restos de una carta de dimisión, en la que criticaba a la prensa de Washington y aseguraba que en la capital de los Estados Unidos «arruinar la vida de la gente se considera un deporte». Bienvenido a la política, querido y malogrado Vince.

Las autoridades pusieron en marcha hasta cinco investigaciones paralelas para averiguar lo que le había ocurrido a Foster. Las cinco dieron como conclusión que se había suicidado. Pero desde entonces se desataron también las teorías de la conspiración. Alguna de ellas llegaba a acusar a los Clinton de haber ordenado el asesinato de su amigo. Alimentó esas teorías el hecho de que personas cercanas a los Clinton vaciaran de documentos el despacho de Foster y se los entregaran, precisamente, al abogado de Bill. Allí había papeles sobre el viejo caso Whitewater, un negocio ruinoso en el que los Clinton metieron (y perdieron) dinero muchos años

antes de llegar a la Casa Blanca. Otras teorías sugerían que Foster
había sido amante de Hillary, aunque alguna voz desmintió esta
tesis lanzando otra tan llamativa como la anterior: que Hillary es
lesbiana.

La propia primera dama escribió en sus memorias que «los seis
meses transcurrido desde el exuberante día del principio del mandato habían sido brutales. Mi padre y mi amigo, muertos; la mujer
y los hijos de Vince, su familia y sus amistades, destrozados; mi sue-
gra, enferma y muriéndose; los vacilantes errores de una nueva administración se convertían literalmente en casos (judiciales) fede-
rales. No sabía a dónde dirigirme, así que hice lo que suelo hacer
cuando me enfrento a la adversidad: me lancé a una agenda de trabajo tan intensa que no me quedara tiempo para consumirme en
mis pensamientos». Y así estuvo hasta que el nombre de Monica
Lewinsky apareció en el titular de aquel periódico, el 21 de enero
de 1998.

Esa mañana, el ambiente en la Casa Blanca era propio de un fune-
ral. Y George se lo estaba perdiendo.

Uno de los hombres que más cerca había vivido de los Clinton la intensidad política de los últimos cinco años estaba en Birmingham, en el estado de Alabama. Hacía poco más de un año
que George Stephanopoulos había dejado de trabajar en la Casa
Blanca, primero como responsable de Comunicaciones y después
como asesor del presidente. Joven, brillante, atrevido, a veces un
poco ensoberbecido, dispuesto a la batalla con la prensa y con los
rivales políticos, Stephanopoulos admiraba a Clinton por encima
de todas las cosas, y sufrió con él las consecuencias de una presidencia que, en ocasiones, amenazaba con naufragar. Stephanopoulos sufrió depresiones, y tuvo que medicarse por ello hasta
más allá de dejar sus cargos en la Casa Blanca. Dimitió poco des-

pués de que Clinton lograra la reelección en noviembre de 1996. Escribió entonces un libro sobre su experiencia política, titulado *All Too Human* (*Todo demasiado humano*). Empezó así su nueva vida como analista político, que derivó con el paso del tiempo en su contratación por la cadena ABC como director y presentador del programa *This Week*.

Aquel 21 de enero de 1998, Stephanopoulos leyó el titular del *Post*. Por deformación profesional buceó en la letra pequeña buscando datos exculpatorios o hechos que pudieran ser cuestionables y a los que pudiera agarrase el presidente para salir vivo del problema. A eso se dedicaba cuando trabajaba para Clinton, a encontrar cualquier fisura en una acusación para intentar echarla abajo. No encontró nada que pudiera salvar a quien todavía era para él su presidente. Llamó a sus excolegas de la Casa Blanca. Los encontró aterrorizados.

«BECARIA GUAPA, TETONA Y COQUETA»

La cabeza de George bullía mientras iba en un taxi en dirección a la emisora filial de ABC en Birmingham. Y un recuerdo asaltó su mente. Sí, conocía a Monica. La había visto en ocasiones en las salas o en los pasillos de la Casa Blanca, «la becaria guapa, tetona, coqueta», según relata textualmente en su libro. Un domingo por la mañana, a finales de 1996, George salió de su apartamento camino de un Starbucks cercano. Se cruzó con ella. Monica le saludó y le lanzó una intrigante pregunta: «¿El presidente dice la verdad?». «Me pareció una pregunta peculiar, pero en aquellos tiempos la gente me paraba en la calle muchas veces para decirme cosas raras. Después de mascullar alguna respuesta como "hace lo que puede", compré mi café y no volví a pensar en ello. Hasta ahora», escribió Stephanopoulos.

Aunque George no podía ni imaginar que un presidente de los Estados Unidos asumiera esos riesgos, en su interior sabía que lo fundamental de la noticia era cierto. «Por mucho que quisiera creer a Clinton, no podía. ¿Cómo ha sido tan estúpido?». Minutos después tenía que intervenir como analista político en el programa matinal de ABC News *Good Morning America*. No quería ni acusar ni defender, sino analizar: «Estas son probablemente las acusaciones más serias que se han hecho contra el presidente. Si son ciertas, no solo provocarán daños políticos sino que pueden derivar en un *impeachment*. Pero aún hay muchas dudas y por eso creo que todos debemos respirar profundo antes de ir demasiado lejos». En su primera declaración pública sobre el escándalo ya había pronunciado la palabra maldita, la *I word*, con I de *impeachment*.

Sidney Blumenthal cuenta en su libro *Las guerras de los Clinton* que aquellas palabras de Stephanopoulos provocaron la ira de muchos de sus antiguos compañeros en la Casa Blanca. Consideraban que era demasiado pronto para ir tan lejos augurando desastres para la presidencia. Pero todos recordaban también que George siempre había sido el pesimista del grupo y que si Clinton hubiera hecho caso de su consejo se habría retirado de las elecciones primarias. Es lo que Stephanopoulos le recomendó al principio de su carrera por la nominación demócrata en 1992, al primer traspié. George reconocía tener más habilidad para la táctica que para la estrategia; para gestionar una batalla política concreta en el corto plazo que para elaborar con intuición de visionario un plan a largo plazo; para el titular de mañana en los periódicos que para el legado en los libros de historia. Pero el propio Blumenthal se sincera en el libro: «El problema no era Stephanopoulos».

DE POLÍTICOS Y ABOGADOS

En el equipo de asesores de Clinton se desataron las hostilidades entre los políticos y los abogados. «Los políticos tendían a pensar que los abogados carecían de sentido político (en sus propuestas), mientras que los abogados tendían a pensar que los políticos carecían de conocimientos legales».Y tenían razón, tanto los abogados como los políticos.

Dos días después, ABC emitió un programa especial titulado *Crisis en la Casa Blanca*. Lo dirigió Peter Jennings, uno de los mejores presentadores de informativos de televisión de la historia. Murió en 2005 debido a un cáncer de pulmón provocado por sus muchos años como fumador. Jennings invitó al programa a George Stephanopoulos. Con su habitual encanto, capacidad de comunicación y fina ironía, Jennings le dijo que «doy por hecho que el presidente Clinton tiene cosas mucho mejores que hacer en este momento que ver ABC. Pero si nos estuviera viendo, ¿qué le dirías?». George casi se sinceró: «Le diría:"Señor presidente, comparta esa historia con nosotros, y hágalo lo antes que pueda.Ya ha tenido que enfrentarse a problemas difíciles en otras ocasiones. Usted puede resistir esta tormenta si comparte esta historia con todos, y responde a todas las preguntas de la mejor manera posible"».

UNO DE LOS HOMBRES DEL PRESIDENTE

Las palabras de Stephanopoulos suponían un duro golpe para Clinton, porque ante los ojos de los americanos, George seguía siendo uno de los hombres del presidente. Si ni siquiera él le creía, nadie le creería.Varios asesores recomendaron a Clinton que saliera en público a decir la verdad, pero no lo hizo. Se dejó guiar por algo que adoraba: los sondeos.

La mañana del 21 de enero, al ver el titular del *Post*, Dick Morris llamó al presidente. Según testimonio (creíble o no es otra cuestión) del propio Morris, le gritó por el teléfono con palabras algo más que gruesas, teniendo en consideración quién era su interlocutor: «¡Hijo de puta! ¡Acabo de leer lo que has hecho!». Clinton, balbuceante y acongojado, apenas podía articular palabra: «¡Oh, Dios! ¡Esto es horrible! No hice lo que dicen que hice, pero sí hice alguna cosa… Quiero decir… Esa chica… No hice lo que dicen, pero sí hice… algo… E hice suficiente para no saber si podré probar mi inocencia… Desde las elecciones he intentado frenarme, frenar a mi cuerpo… sexualmente, quiero decir… Pero algunas veces no he podido evitarlo, como con esa chica».

Después de insultar al presidente, y de que el presidente se dejara insultar, Morris empezó a utilizar su mente de analista político con el colmillo más retorcido de Washington: «Hay mucha capacidad de perdón en este país», y sugirió hacer una encuesta sobre la predisposición del electorado a perdonar un adulterio reconocido por el adúltero. Clinton estuvo de acuerdo. Estaba dispuesto a probar cualquier flotador que alguien le arrojara, ahora que estaba a punto de ahogarse.

Pasaban algunos minutos de la una de la madrugada cuando Morris llamó de nuevo al presidente. Ya tenía los datos de una encuesta urgente y no parecía que los americanos estuviesen muy dispuestos a aceptar una confesión de este tipo. De manera que Morris recomendó al presidente aguantar: no debía salir en público a hacer una confesión o a dar una explicación. Y también le dijo que sería conveniente atacar a Monica, pero Clinton no creyó oportuno poner en más dificultades a su examante, ante el riesgo de que se volviera contra él y lo contara todo.

Otra versión de este episodio matiza el papel jugado por Dick Morris, que habría recomendado a Clinton que hiciera lo que no hizo Nixon cuando estalló el caso Watergate: reconocer en público aquellas cosas que había hecho mal para, de esa forma, intentar que el comprensivo pueblo americano le absolviera. Quienes cuentan la historia de aquel momento desde este prisma, dicen que Clinton consultó con otros asesores para saber si opinaban lo mismo que Morris. «Pero presidente, ¿has hecho algo malo?», le preguntaron. «No, no he hecho nada malo», respondió. «Entonces no tiene ningún sentido que digas en público que has hecho algo que no has hecho». Y no lo dijo. La realidad es que hizo lo contrario: negar todo aquello que sí había hecho.

Clinton solo podía admitir la verdad si lo hacía con su carta de dimisión en la mano, y ese era un regalo que no iba a hacer a sus enemigos. «Sabía que había cometido un gran error y estaba decidido a no agravarlo permitiendo que (el fiscal Kenneth) Starr me echara del cargo», escribe Clinton en su libro de memorias. Y, sobre todo, era una idea, la de renunciar, que ni siquiera podía plantearse. Bill Clinton no sería el segundo presidente de la historia en dimitir, después de Richard Nixon. Lucharía hasta el final.

Y tenía que empezar de inmediato, porque se acercaba el momento del año en el que los presidentes de los Estados Unidos se convierten en reyes por un día: el discurso sobre el estado de la Unión. Pero antes, para calentar el ambiente a su favor, había concertado tres entrevistas. ¿Debía cancelarlas? Eso sería como asumir la culpa. Y optó por seguir adelante con ellas. La primera, con el respetado periodista de la televisión pública (PBS) Jim Lehrer. Clinton negó las acusaciones: «Nunca he pedido a nadie que diga otra cosa que la verdad. No hay una relación inapropiada. Y he intentado cooperar con la investigación». Lehrer, perro viejo, pidió a Clinton que fuera más explícito y definiera qué entendía él por «relación inapropiada». «Bueno, creo que sabe lo que significa. Significa que no hay relación sexual, una relación sexual inapropiada, o cualquier otro tipo de relación inapropiada», dijo Clinton. Lehrer insistió: «¿No ha tenido usted una relación sexual con esa joven?». Clinton también insistió: «No hay una relación sexual. Eso es». De inmediato se vio la importancia que tenía el hecho de que Clinton no hablara en pasado, sino en presente: no dijo que no hubiera tenido una relación inapropiada, sino que no la tenía. En las siguientes entrevistas, Clinton cambió el tiempo del verbo presente por el pasado. El caso avanzaba.

Esa mañana, Mike McCurry sabía que habían llegado algunas de las peores horas de su vida. Su pelo rubio, peinado con raya a la izquierda y su sonrisa inteligente se habían convertido en familiares para los americanos, porque cada día ofrecía el tradicional *briefing* informativo de la Casa Blanca. Era el portavoz de Bill Clinton. En política hay muchos trabajos difíciles. El de portavoz de un presidente es de los más crueles, porque se espera de ti que te sometas a un fusilamiento de preguntas cada día y que des a todas ellas la respuesta correcta, sin posibilidad de que los mezquinos, sórdidos y miserables periodistas te puedan interpretar de una forma desfavorable para tu jefe, y, por supuesto, siendo siempre amable. Siempre. Es una labor imposible, que pocas veces acaba bien. McCurry se reunió con el presidente en el Despacho Oval y después recorrió los veinte o treinta pasos que le llevaban hasta la sala de prensa decorada con fondos morados y un cuadro ovalado con la imagen de la Casa Blanca. Había muchos periodistas. Parecían miles. El país entero. Detrás de los periodistas y de las cámaras estaban Estados Unidos y el mundo. Clinton seguía la rueda de prensa en directo por televisión desde su oficina, allí al lado.

EL PELOTÓN DE FUSILAMIENTO

Por una vez, McCurry no perdió el tiempo. Era inútil. Lo habitual es que los portavoces se sitúen delante de los periodistas con una lista de asuntos de los que el gobierno quiere hacer propaganda: una obra allí, un proyecto allá, una inauguración no se sabe bien dónde, una partida presupuestaria para ayudar a alguien… Los periodistas se toman ese rato como un impuesto que hay que pagar, a la espera de hacer la primera pregunta sobre temas que, por lo común, nada tienen que ver con lo que acaba de comentar el portavoz. Así son las reglas de este juego.

Pero ese era un día especial.

McCurry se puso delante del micrófono: «Hola, damas y caballeros. Tenemos estas cosas sobre las que podemos hablar (señalando unos cuantos folios que tenía en su mano), pero probablemente no es de lo que ustedes están interesados en comentar, de manera que hablemos de lo que ustedes quieran». Era una forma de descubrir el pecho ante el pelotón de fusilamiento. Si hay que sufrir, que sea cuanto antes para que termine pronto.

Michael McCurry recibió ciento trece preguntas sobre el caso Lewinsky en los treinta y seis minutos que duró la conferencia de prensa. Las contó, una a una, Marvin Kalb, periodista especializado en analizar el trabajo de sus compañeros de profesión y de los medios. Lo relató en su libro *Una historia escandalosa*. Fueron ciento trece disparos en un fusilamiento al que, sin embargo, McCurry sobrevivió. Mejor o peor, pero sobrevivió. De hecho, a pesar de lo ocurrido aquel aciago día y los siguientes, se ha podido ganar la vida holgadamente desde entonces y ha visto crecer sanos y felices a sus tres hijos.

Después de varias decenas de preguntas, una de ellas fue al centro de la cuestión. El periodista quería saber si el presidente de los Estados Unidos consideraría «inapropiado tener relaciones sexuales con esa mujer (Lewinsky)». O, lo que es lo mismo, ¿consideraba Bill Clinton apropiado tener sexo de cualquier tipo con una becaria, y en la propia Casa Blanca? En definitiva, era una forma de establecer el baremo ético personal del presidente de los Estados Unidos. Lo lógico, incluso lo políticamente correcto, hubiera sido una respuesta afirmativa, pero no la hubo. McCurry huyó de esta pregunta como de casi todas. Ya había entregado el texto de la declaración del presidente y «no voy a ir más allá; ustedes pueden permanecer aquí y hacer muchas preguntas una y otra vez sobre este asunto, pero tendrán la misma respuesta». Así fue. Pregunta: «¿Estaría usted aquí hoy si no estuviera absolutamente convencido de que las acusaciones no son ciertas?». Respuesta: «Mis pensamientos personales no importan; estoy aquí para representar el pensamiento, las acciones y las decisiones del presidente; es por lo que me pagan». Pregunta: «Parte de su sueldo es para que los americanos estén correctamente informados de lo que la Casa Blanca trata de decir». Respuesta: «Lo hago lo mejor que puedo hasta el momento». Pregunta: «Por eso le pregunto si está usted intentando dejarnos con la impresión de que el presidente puede tener una relación sexual apropiada con esa mujer» (obsérvese la habilidad del periodista y su capacidad para llegar al detalle: que una relación sexual de un presidente con una becaria pueda llegar a considerarse apropiada). Respuesta: «Por supuesto que no». Pregunta: «Pero el presidente no utiliza la palabra "sexual" en su declaración escrita; solo habla de "relación inapropiada"». Respuesta: «Yo no he redactado el texto».

En una jornada posterior, antes de salir de la sala de ruedas de prensa de la Casa Blanca y, quizá, darse una ducha reparadora, Mike McCurry dejó dos frases para la historia del caso Lewinsky y de los portavoces presidenciales. Una de ellas: «Ya me he referido a lo que dije ayer que, a su vez, era una referencia a lo que dije antes de ayer». Otra: «He dicho justo lo que he dicho, y se lo puedo repetir si no lo ha entendido». Maestría.

Y LAS ESTRELLAS DE LA TELEVISIÓN, EN LA HABANA

A esa hora, los presentadores de las grandes cadenas de televisión de Estados Unidos se encontraban en Cuba, para informar sobre la visita de Juan Pablo II a la isla. Nadie podía prever que la noticia de ese día no iba a ser la histórica presencia de un papa en terreno de Fidel Castro, sino un escándalo sexual en la Casa Blanca. Y eso provocó que Peter Jennings de la ABC, Dan Rather de la CBS y Tom Brokaw de la NBC estuvieran en La Habana... informando de las correrías del presidente de los Estados Unidos con la becaria Monica Lewinsky. Terminados sus programas, todos hicieron las maletas y volvieron precipitadamente a sus cuarteles generales en Nueva York o Washington. Para el lunes 26 de enero de 1998, todos los presentadores titulares estaban ya en sus puestos de mando, y dispuestos a escuchar una de las declaraciones públicas más sonrojantes, por su contenido y por su falsedad, jamás realizada por un presidente de los Estados Unidos.

Bill Clinton eligió la Sala Roosevelt de la Casa Blanca. Traje oscuro, camisa blanca, corbata roja con rombos claros. De fondo, una chimenea, una planta y unos libros de leyes, tapa dura. El presidente sonreía como siempre. Como si Monica no hubiera existido nunca. Como si el Despacho Oval no hubiera asistido a actos inapropiados, como gustaba de llamarlos el presidente en esa jerga jurídico-exculpatoria que necesitaba utilizar. Pero ahora estaba ante el pueblo americano y ante el mundo, en directo por televisión.

También estaba ante su esposa Hillary, que comparecía junto a él. Se situó a la derecha de su marido. Ese día sí cuidó su indumentaria con más esmero. Lucía un peinado algo más trabajado de lo que era común. Estaba mejor maquillada que otras veces. Y eligió un llamativo vestido color pistacho, acompañado de un collar de perlas, que hacía imposible que pasara inadvertida entre los trajes oscuros de los varones que la acompañaban.

MONICA Y LA EDUCACIÓN

El presidente agradeció la presencia de todos. Se mordió el labio inferior, en un gesto muy suyo. Era un acto dedicado a las medidas

del gobierno sobre educación. Ironías de la política: hablar de educación en medio de un escándalo sexual con una becaria. Dio las
gracias a la primera dama por involucrarse en esas tareas, igual que
al vicepresidente Gore y a su esposa. Se mordió otra vez el labio
inferior. A nadie le importaba el labio inferior del presidente, ni
tampoco las políticas educativas. No, al menos, en ese momento.

Clinton habló durante casi siete minutos. Incluso le aplaudieron. Pero el gesto del presidente se endurecía conforme avanzaba
en su discurso, porque llegaba el momento de hablar de Monica
Lewinsky. El momento en el que iba a mentir a todos: a sus votantes, a sus compatriotas, a su familia, a sus amigos y a miles de millones de espectadores alrededor del planeta. Se mordió el labio
inferior una vez más, levantó la cabeza de los papeles, buscó en su
repertorio de gestos el más parecido al de un inocente y lanzó la
frase que había preparado durante horas con sus asesores, letra a
letra: «Quiero decir al pueblo americano; quiero que me escuchen;
voy a decirlo otra vez: (levantando el dedo índice derecho y gol-
peando el atril) no he tenido relaciones sexuales con esa mujer, la
señorita Lewinsky; nunca he pedido a nadie que mienta; ni una
sola vez; nunca. Esas acusaciones son falsas y necesito volver a trabajar por el pueblo americano. Gracias». Aplausos en la sala. Clinton inicia la salida hacia su izquierda, donde le espera Al Gore, que
apenas levanta la mirada del suelo.

La fotografía más publicada de aquella sombría comparecencia
muestra a Bill Clinton junto al micrófono mirando de soslayo, con
la boca entreabierta en plena declamación, con la mano izquierda
aferrada con tensión al atril y el dedo índice de la mano derecha
apuntando al auditorio. A su derecha, Hillary le observa con atención, sin quedar muy claro si confía en él o si le odia. Se ignora si
la Gioconda sonríe en el inmortal cuadro de Leonardo. Se ignora
si aquella gélida mirada de Hillary es una muestra de amor o un
deseo de venganza. Solo veinticuatro horas después, a Clinton le

esperaban los miembros del Congreso, en sesión conjunta de Senado y Cámara de Representantes, para escuchar el discurso anual sobre el estado de la Unión.

Estados Unidos es un país presidencialista, en el que están estrictamente delimitados los poderes ejecutivo y legislativo. El presidente no se somete al control de las cámaras, porque tiene su propia legitimidad política derivada de las urnas y no de una decisión de los parlamentarios, como ocurre con los primeros ministros en la mayor parte de los países europeos. Solo en Francia el presidente de la República tiene un poder con características similares a las del presidente de los Estados Unidos. Pero, por ejemplo, el presidente del Gobierno español lo es por decisión del Congreso de los Diputados, y no directamente de los electores. En sentido estricto, su legitimidad no es directa, sino representativa.

EL DISCURSO DESPUÉS DEL ESCÁNDALO

Establecidas así las relaciones de poder político, el presidente de los Estados Unidos nunca comparece ante el Congreso para someterse a su veredicto, porque su legitimidad no deriva del poder legislativo. Pero sí lo hace una vez al año en el discurso sobre el estado de la Unión.

La Constitución de los Estados Unidos determina en su artículo II sección 3 que el presidente informará al Congreso «de vez en cuando» (*from time to time*). Se pretende que explique su gestión y avance sus planes de futuro. La tradición ha hecho que este informe se realice en algún momento entre finales de enero y principios de febrero. El primer presidente, George Washington, sí pronunció su discurso ante una sesión conjunta de las dos cámaras del Congreso. Pero Thomas Jefferson prefirió enviar la información por escrito, evitando así su presencia ante senadores y miembros de la Cámara de Representantes. De esta forma fue hasta que en 1913 el presidente Woodrow Wilson entendió las ventajas que para su imagen podía tener un discurso ante el Congreso. Desde entonces, solo excepcionalmente algún presidente ha evitado acudir al edificio del Capitolio para pronunciar lo que antaño se conocía como el «mensaje anual del presidente al Congreso», y que en 1934 el presidente Roosevelt rebautizó para la posteridad como «el discurso sobre el estado de la Unión»

Este discurso sobre el estado de la Unión es un acto político para mayor gloria del presidente. Supone, de una manera simbólica, renovar el poder que le fue concedido en las urnas y que le fue confiado un 20 de enero (las tomas de posesión son siempre el 20 de enero) en un acto con mucho ringorrango en las escalinatas posteriores del Congreso. Hay que prepararlo bien. Y si era una semana después del estallido del caso Lewinsky, con más motivo.

El discurso estaba previsto para las nueve de la noche, hora de la costa este de los Estados Unidos. Es así desde que la televisión se convirtió en el electrodoméstico preferido de la humanidad, porque ese es el horario de máxima audiencia para los americanos, y en casi cualquier país normal: las 21.00 horas en el este y las 18.00 horas en el oeste.

La mañana previa, Bill Clinton se encerró con un grupo de ayudantes en la sala de cine de la Casa Blanca. Es el lugar en el que ocasionalmente se reúne la familia presidencial, con o sin invitados, para ver películas. Fue el presidente Roosevelt el que decidió tener un cine en casa. En 1942 transformó un viejo guardarropa del Ala Este del edificio en una sala de proyección. Pero ya se habían organizado sesiones de cine en la Casa Blanca antes de que existiera esta sala. La primera película que se vio en la residencia fue *El nacimiento de una nación*, dirigida por David Grifftith en 1915. El presidente Woodrow Wilson quiso halagar a unos amigos sureños que le habían apoyado proyectando este film racista en el que los activistas del Ku Klux Klan aparecían como un grupo heroico.

Ya en los años cincuenta, el presidente Eisenhower tuvo la oportunidad de disfrutar de varios cientos de películas del oeste, su género preferido. A su sucesor, John F. Kennedy, le instalaron en la sala una silla especial para sofocar sus dolores de espalda. Cuando esos problemas empeoraron retiraron la silla y le pusieron una cama. El presidente Lyndon Johnson no era conocido por su afición a las películas, pero sí había una de apenas diez minutos de duración que vio docenas de veces: un documental narrado por el actor Gregory Peck en el que se ensalzaban las cualidades políticas del propio Johnson. Yo, mí, me, conmigo. Richard Nixon solía ver películas bélicas con su amigo de golf Charles Rebozo. La primera vez que Jimmy Carter se sentó en aquella sala de la Casa Blanca fue para ver *Todos los hombres del presidente*, la historia del caso Watergate que provocó la dimisión de Nixon. Ronald Reagan, que había sido actor, vio pocas películas en la Casa Blanca. Prefería darse sesiones cinematográficas en la residencia de descanso de Camp David. A veces veía las películas que él mismo había protagonizado. De George Bush se dice que era muy aficionado a la serie *Austin Powers*, aunque después del 11-S empezó a ver películas de guerra. Y su antecesor Bill Clinton solía pasar ratos con la familia en la sala de cine para ver *La lista de Schindler* o *American Beauty*.

Pero aquella mañana del discurso sobre el estado de la Unión, Clinton no estaba para películas. Entró en la sala de cine cuyas paredes hoy están decoradas con tonos rojizos, pero en la que entonces predominaban los cortinajes blancos, salpicados con toques anaranjados y marrones y motivos florales. Había espacio para unas cuarenta personas, aunque en ese momento eran muchos menos. Solo los imprescindibles. No más de veinte.

Justo delante de la pantalla se instaló un atril, escoltado a ambos lados por las dos pantallas de cristal transparente del teleprompter, sujetas por delgados trípodes metálicos. El presidente leería su discurso en esas pantallas. Justo delante se había preparado para la ocasión una amplia mesa en la que los redactores de discursos del presidente seguían el ensayo armados con sus ordenadores. Estaba presente Harry Tomason, un productor de cine y televisión nativo de Arkansas (como el presidente) y amigo personal del matrimonio Clinton. Tiempo después, Tomason se vio obligado a declarar ante la justicia por el caso Lewinsky y más tarde produjo un documental sobre los intentos de derribar a Clinton titulado *La caza de un presidente*. Ahora estaba allí para asesorar a su amigo sobre cómo actuar ante el Congreso y ante sus conciudadanos de Estados Unidos. En otra butaca de la sala estaba Michael Sheehan, experto en *coaching* para hablar en público. Y a su lado, Tommy Caplan, escritor de novelas y compañero de universidad de Bill Clinton, que le ayudaba a dar forma a determinadas frases.

El presidente empezó a leer el discurso que tenía preparado y en el que los redactores de la Casa Blanca y otros asesores llevaban trabajando semanas, desde mucho después de que Monica Lewinsky disfrutara de la comodidad del despacho privado de Clinton, pero desde mucho antes de que Monica Lewinsky apareciera en el titular de un periódico de la mañana. Nadie pronunció su nombre en aquella sala, pero estaba en la mente de todos.

A cada paso en la lectura del discurso se hacían propuestas de cambio en determinadas palabras o en algunos párrafos concretos, hasta que, según cuenta Blumenthal, Clinton hizo un aparte con él y dos asesores más: «¿Debo incluir alguna mención a ese asunto en el discurso?», preguntó. La respuesta unánime fue que no. «Es lo mismo que pienso yo», dijo el presidente. «No diré nada», concluyó.

Mientras Clinton ensayaba su discurso en la sala de cine, en su despacho de la Casa Blanca Hillary Clinton hacía una llamada tras otra a miembros del Congreso pertenecientes al Partido Demócrata. Quería asegurarse su fidelidad. Pedía un fuerte aplauso para el presidente aquella noche, y el apoyo en las duras semanas de lucha política y judicial que se avecinaban. *Hillary at her best.*

Un grito en el Congreso

¡Mister Speaker! ¡The President of the United States! Es el grito que se oye en la sala de plenos un instante antes de que aparezca el presidente por la puerta trasera. El encargado de hacer el anuncio es el *sergeant at arms,* el jefe de los ujieres de la Cámara de Representantes, un alto funcionario que tiene responsabilidades administrativas y de protocolo. El *sergeant at arms* en 1998 era Wilson Livingood, un veterano del Servicio Secreto. Otros treinta y cinco hombres le habían precedido en el cargo.

Los aplausos acompañaron la entrada de Bill Clinton. Algunos de sus colaboradores llegaron a pensar en los días previos que Clinton no llegaría a vivir ese momento como presidente. El rumor de que dimitiría se había convertido en la comidilla de Washington durante toda la semana. Pero allí estaba. Había sobrevivido, de momento. Adelante, siempre adelante.

Miembros de la Cámara y del Senado se acercaban al pasillo para estrechar la mano del presidente, que repartía sonrisas equitativamente a un lado y a otro. En la tribuna, una bandera de los Estados Unidos colgada mirando al suelo y, puestos en pie, Al Gore (que, como todo vicepresidente ostenta también el cargo de presidente del Senado) y Newt Gingrich, presidente de la Cámara de Representantes. Clinton se abrió camino hasta el estrado, saludó a Gore y a Gingrich, entregó a cada uno de ellos un sobre con el contenido de su discurso, como dicta la tradición, y se volvió hacia una sala repleta que aplaudía como si fuera el último día antes de que se prohibieran los aplausos. Los congresistas demócratas querían creer a su presidente y este era el mejor momento para demostrarlo. Se lo había pedido Hillary y allí estaban ellos. Clinton parecía emocionado, aunque la mentira y sus posibles consecuencias catastróficas tenían que merodear por su cabeza. De hecho, en esa misma cámara, tiempo después, se debatiría su *impeachment*.

Momentos antes, Hillary Clinton había protagonizado una escena aún más imponente, dadas las circunstancias: la esposa que había sido desafiada en los medios como víctima del adulterio de su marido, entraba en el salón de plenos erguida, pero sin exagerar la postura para no parecer pretendidamente orgullosa. Seguía siendo la primera dama de los Estados Unidos. Solo ella lo era. Majestad, ante todo.

Se oyó un repentino estruendo de gritos de apoyo y aplausos. Las cabezas de todos se volvieron bruscamente hacia el lado izquierdo de la tribuna para saber qué justificaba tanto ruido. Allí arriba, en la galería, había aparecido el otro gran personaje de aquel evento político. Hillary bajó unas escaleras camino de su butaca y saludó a algunos invitados. Vestía un hermoso traje de tonos rosados, muy favorecedor, a juego con un elegante bolsito de mano. Miró a la sala desde su posición elevada y saludó como lo hacen las reinas. Hasta Newt Gingrich la aplaudía. La cortesía es primordial, aunque se pretenda hacer la revolución.

«Huelga decir que estábamos nerviosos acerca del recibimiento que le darían a Bill —contó Hillary después—, pero yo sabía que todo estaría bien en cuanto me sentara en mi puesto de la galería del Congreso. Me saludó una cascada de aplausos compresivos y los ánimos de más de una mujer del público». Solidaridad femenina en circunstancias difíciles. La ovación duró más de un minuto.

En su libro de memorias, Bill Clinton no hace mención a ese momento tan difícil que Hillary pasó en su llegada al Congreso. Sí recuerda que pocas horas antes, aquella misma mañana, su mujer le había defendido en televisión, lo que «me hizo sentir aún más avergonzado (...). Como marido había hecho algo malo por lo que debía disculparme y pedir perdón. Como presidente, estaba envuelto en una lucha política y legal contra fuerzas que habían abusado de la legislación civil y penal y que habían perjudicado gravemente a gente inocente, en su intento de destruir la presidencia y limitar mi capacidad para cumplir con mis funciones. Finalmente, después de años dando palos de ciego, les había dado algo con lo que trabajar. Había perjudicado a la presidencia y al pueblo a causa de mi mala conducta. Eso no era culpa de nadie, solo mía. No quería agravar el error dejando que los reaccionarios prevalecieran». Ni un paso atrás.

Newt Gingrich dio cinco golpes con el mazo que utiliza el presidente de la Cámara para ordenar las sesiones y dijo algo que no sentía: «Miembros del Congreso, tengo el privilegio y el honor de presentarles al presidente de los Estados Unidos». Nueva ovación, todos en pie. Pasaban pocos minutos de las nueve de la noche del martes 27 de enero de 1998. ¿Diría Clinton algo sobre Monica Lewinsky en sede parlamentaria? Las cadenas de televisión que emitían en directo desde el Congreso (la casi totalidad) llevaban horas de programa especial ofreciendo datos sobre el *affaire* Clinton-Lewinsky y especulando sobre ellos. Irónicamente, minutos antes del discurso, la CNN anunciaba para el día siguiente un programa especial. Se trataba de un debate en el que participarían espectadores de televisión, gente corriente, para discutir si los medios se habían vuelto locos: *Media maddness.*

El periodista Jeff Greenfield describía la situación: «Hace poco más de una semana, la Casa Blanca estaba en el séptimo cielo. Llegaba el discurso sobre el estado de la Unión con la mejor situación económica en treinta años, con mejores datos de criminalidad... Todas las cifras van en la dirección correcta, incluidos los sondeos, que están en datos de récord». Todo eso se había dilapidado en unas cuantas sesiones de entretenimiento sexual en el despacho privado de la Casa Blanca, en cuanto salieron a la luz.

Clinton sabía que pocas veces en la historia del país las palabras de un presidente en el discurso sobre el estado de la Unión iban a ser tan seguidas y tan analizadas. Y se mantuvo firme: «El estado de la Unión es fuerte», aseguró ante unos congresistas (sobre todo los demócratas) dispuesto a eliminar hasta las comas del discurso. Clinton utilizó esta misma frase en el discurso sobre el estado de la Unión celebrado un año después. Para entonces ya había sobrevivido. A duras penas.

No iba a pronunciar el nombre de Monica Lewinsky ante el Congreso. Bajo ningún concepto ensuciaría su discurso con aquella historia que amenazaba con destruir su vida y, quizá tan importante o más para un animal político como él, su presidencia. Economía, educación, pensiones... pero Monica, no. Ni una sola referencia, ni siquiera indirecta o subliminal, en más de hora y cuarto de intervención. En su libro de memorias, Clinton recuerda que su objetivo era suplantar esa polémica con una «idea nueva más importante: primero hay que salvar la Seguridad Social». Es indiscutible que salvar la Seguridad Social era un asunto primordial para el pueblo americano, pero ningún debate sesudo es capaz de imponerse a un buen escándalo sexual, en especial si lo protagoniza el presidente.

Clinton sí quiso nombrar a su esposa antes de terminar, pero solo para agradecer su liderazgo en una irrelevante campaña para preservar los tesoros históricos de Estados Unidos, incluida una «deshilachada vieja bandera de barras y estrellas» que inspiró a Francis Scott Key para escribir la letra del himno americano a principios del siglo XIX. Un regalito para Hillary.

«Que Dios os bendiga y que Dios bendiga a los Estados Unidos». Bill Clinton terminó su discurso, cerró la carpeta en la que llevaba los papeles (no necesitó mirarlos, porque para entonces el teleprompter era herramienta indispensable de la política en el país), dibujó en su boca media sonrisa de satisfacción sintiéndose interesante, apretó los labios como siempre hace cuando se siente halagado y admirado, se volvió hacia la tribuna presidencial, estrechó la mano de Newt Gingrich y después la de Al Gore. Entonces giró la cabeza hacia su izquierda y elevó la vista hacia la tribuna de invitados. Allí estaba ella. Hillary. En pie. Como los demás. Aplaudiendo. Como todos. Sonriente. Como todos los demócratas. Todavía creía a su marido. Eso dice. Bill levantó el brazo y la saludó delante del mundo. *Mission accomplished*. Sobreviviremos a esto, Hillary. Sobreviviremos, Bill. Y seguiremos adelante con nuestros planes, Hillary. Nadie nos detendrá, Bill.

Nada de eso salió de sus bocas, aunque es tentador suponer que lo pensaban. Quién sabe…

Bill salió de aquella sala del Capitolio hacia el suntuoso pasillo que conduce a las soberbias escalinatas que dan acceso a la puerta y que, desde el exterior y por el lado este, se ven justo debajo de la impresionante cúpula de 88 metros de altura y 29 de diámetro. Una ley de 1898 estableció que ningún edificio del Distrito de Columbia (el equivalente al municipio de Washington) podía superar la altura de esa cúpula. Los rascacielos más cercanos se tuvieron que construir fuera de los límites de la ciudad debido a esa normativa. En la sala que hay debajo son velados los cuerpos sin vida de aquellos presidentes que mueren en el ejercicio de su cargo. La cúpula está coronada por la Estatua de la Libertad, bajo la cual se veían aquella noche dos luces, una blanca y otra roja. Es el signo que advierte a los vecinos y visitantes de Washington de que las dos cámaras del Congreso están reunidas, en ese caso en sesión conjunta.

Allí, Bill se reunió con Hillary. El ujier vigilaba que cada detalle del protocolo se cumpliera con pulcritud y puntualidad. La limusina presidencial esperaba al pie de las escaleras, separadas por un amplio jardín arbolado de la sede de la Corte Suprema de los Estados Unidos y de la Biblioteca del Congreso.

El matrimonio presidencial pasó junto a las columnas corintias que soportan el frontón de este edificio de estilo neoclásico. Abordaron el coche oficial, que enfiló lentamente y con solemnidad hacia la Avenida de Pennsylvania, en dirección noroeste. Es el mismo recorrido que realizaron, en parte a pie, el ya lejano 20 de enero de 1993, cuando Bill acababa de alcanzar la más alta magistratura sobre la faz de la Tierra, tras la jura de su cargo.

Aquel día, ese camino de unos cinco kilómetros era el sendero de la gloria. Cinco años y ocho días después era como encaminarse hacia el patíbulo. Bill estaba mintiendo y Hillary, como mínimo, lo sospechaba. Probablemente lo sabía. Casi seguro, estaba convencida. Nadie mejor que ella conocía a su marido, aunque tiempo atrás, en el inicio de su mandato, le hubiera dicho a una amiga que tenía la esperanza de que el Despacho Oval refrenara los impulsos de Bill, porque allí estaría encerrado mucho tiempo, rodeado de demasiada gente y extraordinariamente controlado por la prensa. Esperanza vana.

En su recorrido hacia el 1600 de la Avenida de Pennsylvania, la dirección postal de la Casa Blanca, pasaron por delante de la sede del FBI. Los agentes de aquella agencia federal investigaban el caso Lewinsky, igual que años después investigarían el mal uso que Hillary Clinton hizo de un servidor privado de correo electrónico.

LA FRIALDAD

Llovía. Hacía frío en Washington. Mucho. Las gotas de agua empapaban el parabrisas de la limusina. La calefacción del automóvil aliviaba a los pasajeros, pero no impedía que se sintiera la inmensa frialdad entre el presidente de los Estados Unidos y la primera dama. Llegaron a la Casa Blanca. Bill se fue a su habitación. Hillary, a otra. Prueba superada. Pero quedaban muchas más pruebas, y muy difíciles, por delante.

No habían pasado ni treinta y seis horas desde que el presidente de los Estados Unidos mintiera al negar su relación con Monica Lewinsky. Aquella mentira obligaba a toda una administración y a su esposa a seguirle con fe ciega. Lo hicieron. Hillary se empleó a fondo contra los que consideraba (y en parte eran) unos conspiradores.

En los meses siguientes comparecieron ante el fiscal y ante el gran jurado amigos y colaboradores de Bill Clinton. Lo hizo también Monica Lewinsky, bajo la condición de recibir inmunidad y contarlo todo. Linda Tripp, la filtradora, relató con detalle sus filtraciones. Y el 17 de agosto llegó otro gran momento. El momento.

Y LLEGÓ LA CONFESIÓN

Bill Clinton se puso delante de una cámara de televisión en una estancia de la Casa Blanca: la Sala de Mapas, en la planta baja de la zona residencial del recinto. Se la conoce con ese nombre porque fue el lugar en el que el presidente Roosevelt colgaba los mapas que utilizaba para dirigir a sus ejércitos durante la Segunda Guerra Mundial. Con el paso del tiempo, la sala se utilizó para entrevistas o pequeñas reuniones. Tiene una chimenea y está decorada con muebles estilo inglés.

Le colocaron al presidente un doble micrófono de corbata, por si fallara uno de los dos. Vestía traje oscuro, camisa blanca y corbata roja. No estaba bien iluminado. A veces su imagen parecía quemada por el exceso de luz. A la izquierda, un par de macetas que parecían contener plantas de plástico, aunque debían de ser naturales. Es la Casa Blanca y allí se cuidan los detalles. A la derecha se veía parcialmente algo parecido a un mueble de madera. El presidente no había estado más serio en su vida, aunque quizá no fuera el rostro de la seriedad, sino el de la derrota.

Una funcionaria judicial preguntó formalmente a Bill Clinton si juraba decir la verdad, toda la verdad y nada más que la verdad. «Lo juro», respondió con la mano derecha en alto. De inmediato bajó la mano, miró a un lado y respiró de forma muy sonora por la nariz. «Buenas tardes, señor presidente», dijo una voz en off. «Buenas tardes», respondió Clinton. El presidente se sometió entonces a las preguntas del gran jurado durante cuatro horas. Nunca había ocurrido nada parecido en la historia de los Estados Unidos.

La voz que se dirigía al presidente le pidió que se identificara. Era una formalidad extraordinariamente incómoda, dadas las circunstancias. Pero la norma lo exigía. «William Jefferson Clinton». La voz se presentó como miembro del equipo investigador. Clinton entrecruzó sus dedos sobre la mesa. Parpadeaba a un ritmo alto. Tragaba saliva de manera notoria. Cada pocos minutos bebía sorbos de una lata de Canada Dry. Lo hizo con más asiduidad cuando le preguntaron una y otra vez por las escenas de sexo que Monica Lewinsky había relatado en su comparecencia.

Aquella larga declaración ante el gran jurado no se emitió en directo por televisión. Hubo que esperar algo más de un mes hasta que se autorizó su difusión. Todas las cadenas ofrecieron la grabación a la vez. Las cintas de vídeo Betacam (la tecnología de la época) fueron entregadas por funcionarias judiciales en las oficinas de la agencia de noticias Associated Press. Un técnico la introdujo en un magnetoscopio. Llegada la hora pactada, pulsó el botón *play* y el mundo vio a un presidente de los Estados Unidos explicar su compleja vida sexual. Pero la noche de su declaración judicial, Bill Clinton hizo lo que nunca hubiera querido hacer: reconocer la verdad (o casi) ante sus compatriotas.

Apareció por televisión desde el mismo lugar en el que había sido interrogado por el gran jurado. La iluminación estaba más cuidada, y le habían maquillado con esmero. «He respondido preguntas sobre mi vida privada que ningún ciudadano americano querría tener que responder». Con voz queda, reconoció que cuando estalló el escándalo había dado información legalmente ajustada a la realidad, pero no toda la información. «En realidad tuve una relación con la señorita Lewinsky que no fue apropiada. De hecho, fue una relación equivocada. Supuso un error crítico de juicio y un fracaso personal del que soy exclusiva y completamente responsable». Pero lanzó el argumento legal de que «nunca pedí a nadie que mintiera». Había que evitar el cargo de obstrucción a la justicia.

En ningún momento de los cuatro minutos que duró su mensaje pronunció la palabra «sexo». Sí mostró arrepentimiento por no haber sido sincero. «Quería proteger a mi familia de mi propia conducta». Muy poco antes, en la intimidad del hogar, Clinton había reconocido la verdad ante su esposa y ante su hija, en lo que una persona muy cercana a la familia definió como «una escena desgarradora».

LA «VIDA PRIVADA» DE LOS PRESIDENTES

«Ahora, este es un asunto mío, de las dos personas a las que más quiero, mi esposa y mi hija, y de nuestro Dios. Tengo que resolverlo y estoy dispuesto a hacer todo lo necesario para resolverlo. Nada hay más importante para mí. Pero es un asunto privado, de mi familia y de nadie más. Incluso los presidentes tienen vida privada». Vida privada… Ya entonces era difícil concebir que el cargo más público del mundo pudiera reservarse un espacio privado. Es duro, pero es así. «Esto ha ido demasiado lejos, ha costado mucho y ha hecho daño a muchas personas inocentes». En aquel momento, el operador de la cámara que grababa el mensaje ya había pulsado con suavidad el mando del zoom para cerrar el plano sobre el rostro compungido de Bill Clinton.

Días después, el 9 de septiembre de 1998, el registro de la Cámara de Representantes recibió un informe de 445 páginas enviado por la Oficina del Fiscal Independiente Kenneth Starr. Elaborar aquel trabajo lleno de descripciones sexuales explícitas había costado unos 50 millones de dólares. Dinero público. Se iniciaba el procedimiento para la destitución parlamentaria del presidente de los Estados Unidos: el *impeachment*.

Newt Gingrich salivaba. Los jugos gástricos se removían en su interior. Había llegado el momento para el que se había preparado durante meses: quería dar el asalto a la Casa Blanca. Y el plan se había sofisticado con el paso del tiempo. Ya no consistía solo en derribar a Clinton. También a Al Gore. Cuando triunfara el *impeachment*, el vicepresidente sucedería al presidente y Gingrich suponía que Gore haría lo que ya hizo en su día Gerald Ford cuando sustituyó a Richard Nixon: utilizar sus competencias constitucionales para conceder el llamado «perdón presidencial», lo que viene a ser un indulto político con consecuencias judiciales. Y si Gore concedía el perdón a Clinton, Gingrich trataría de que la Cámara también destituyera a Gore. ¿Qué ocurriría entonces? Que Newton Gingrich se convertiría en el presidente de los Estados Unidos, porque el *speaker* de la Cámara de Representantes es la tercera autoridad del país y, por tanto, el segundo en la línea de sucesión a la presidencia. Era un plan descabellado, porque de la mente descabalgada de alguien como Gingrich solo podían surgir ideas descabelladas.

Un mes después, el 8 de octubre, la Cámara de Representantes autorizó una amplia investigación para un juicio político al presidente. El 11 de diciembre, el Comité Judicial de la Cámara aprobó tres artículos de la acusación. El 19 de diciembre, Bill Clinton se convirtió en el segundo presidente de la historia de los Estados Unidos que se sometía a un *impeachment*, desde Andrew Johnson.

El adulterio va por barrios

Para entonces se había producido una sucesión de hechos políticos relevantes. En noviembre, las elecciones de mitad de mandato habían arrojado un resultado no esperado: los republicanos, lejos de ganar escaños por el caso Lewinsky, como auguraban algunos sondeos, perdieron cinco. El presidente de la Cámara Newt Gingrich, uno de los principales defensores del *impeachment* contra Clinton, entendió el mensaje. Era una derrota personal y presentó su dimisión, que se hizo efectiva en los primeros días de enero de 1999. Pero había más.

Gingrich, el campeón de la Revolución Republicana, el hombre intachable que consideraba justo destituir al presidente por ser un adúltero y querer ocultarlo, tenía su propio *affaire*. En los mismos días en los que lideraba las operaciones políticas para acabar con Bill Clinton por su aventura con una becaria de la Casa Blanca, Gingrich mantenía una relación extramatrimonial con una asesora. La teoría de la conspiración de la derecha contra Clinton ganaba puntos. El presidente había sido un torpe y un necio, pero quienes le perseguían lo hacían solo por motivos de interés político partidista, no por patriotismo.

Gingrich buscó a su alrededor a un republicano que le suce-
diera sin detener la operación para acabar con Bill Clinton y encontró a Bob Livinsgton, representante del estado de Luisiana.
Conservador y supuestamente impecable. Estaba a punto de tomar
posesión de su cargo cuando Larry Flint, el editor de la revista erótica *Hustler Magazine*, tuvo la oportuna idea de ofrecer un millón
de dólares a quien le diera datos sobre historias sexuales de políticos republicanos. Era una forma entretenida de vengarse de tanta
hipocresía moralista. El dinero suele ser un buen motivo para revelar secretos, y a Hustler llegaron datos de un *affaire* extramatrimonial inconfesable de Livingston. Alguien ha vivido muy bien
desde entonces gracias al soplo del millón de dólares.

El congresista anunció la retirada de su candidatura a la presidencia de la Cámara, después de que su esposa le organizara una
escena. Y pocos meses más tarde abandonó su escaño y la política.
Ese escaño vacante lo ocupó David Vitter, que en 2007 tuvo que
reconocer que había hecho uso de una agencia de prostitución en
Washington, aunque eso no impidió que su carrera política pros-
perara, llegando a ser senador. Pelillos a la mar.

LAS VOTACIONES DEL *IMPEACHMENT*

La democracia americana, cuyos representantes ejercen su libertad
de voto al margen del partido al que pertenezcan, demostró una
vez más cómo en el Congreso se cruzan las líneas partidistas: varios demócratas votaron a favor de las acusaciones al presidente, y
varios republicanos lo hicieron en contra. Pero el juicio político
seguía su curso.

El 8 de enero de 1999 se inició el juicio en el Senado, dirigido por el presidente de la Corte Suprema William Rehnquist. La
cámara alta tenía una mayoría republicana de 55 senadores frente

a 45 demócratas. Para destituir al presidente se requieren dos tercios de los votos: 67. Es decir, doce demócratas tendrían que unirse a los republicanos, suponiendo que todos los republicanos votaran contra Clinton.

Un equipo de ocho abogados defendía la causa del presidente ante el Comité Judicial del Senado. Trece senadores iban a ser los «hombres justos», antes de que se votara en el pleno de la cámara. En medio de aquel procedimiento, y después de meses de investigaciones judiciales y la publicación de escenas sexuales explícitas, Bill Clinton tenía un inverosímil récord de aprobación popular del 70 por ciento.

Muchos años antes, durante la intensa investigación periodística del caso Watergate por los periodistas de *The Washington Post*, el director del diario Ben Bradley tuvo que reconocer que, pasados muchos meses de publicaciones escandalosas en su primera página y en todos los medios del país, resultaba que la mayoría de los americanos nunca había oído hablar de Watergate. Millones de ciudadanos de los Estados Unidos aún reconocen creer que Elvis está vivo y que Saddam Hussein organizó los atentados del 11-S. Y a millones de americanos no les importaba que el presidente resbalara ante los encantos de una jovencita.

El 8 de febrero, después de días de declaraciones, de defensa, de acusación y de revisión de pruebas, las partes iniciaron la lectura de sus conclusiones. El día 9 se decidió que las deliberaciones fueran a puerta cerrada, y el día 12 se votó. Ninguna de las votaciones alcanzó la mayoría de 67 escaños requerida para destituir al presidente de los Estados Unidos. Bill Clinton había sido absuelto. Seguiría siendo presidente, y terminaría su mandato con el mayor porcentaje de aprobación que ningún otro presidente haya tenido al salir de la Casa Blanca. La operación política y judicial de más alto alcance en décadas había llegado a término sin acabar con un presidente de carácter inabarcable, hombre brillante e imprevisible, lleno de contradicciones y descontroles.

«Necesito ayuda»

Mucho tiempo antes, a mediados de 1993 cuando Clinton llevaba pocas semanas en el poder, el desastroso arranque de su presidencia amenazaba con hacer colapsar su proyecto político. Había que tomar decisiones drásticas. Y las tomó. Bill Clinton descolgó el teléfono en su despacho y pidió a su secretaria que le pusiera con David Gergen. «Señor presidente, le pasó al señor Gergen», le dijo la secretaria al cabo de pocos minutos. «¿David?», preguntó Clinton. «Sí, señor presidente», respondió Gergen sorprendido y hasta desconfiado. Le estaba llamando un presidente demócrata, cuando él era uno de los más reconocidos asesores políticos republicanos.

David Gergen fue un colaborador muy cercano del presidente Richard Nixon, del presidente Gerald Ford y del presidente Ronald Reagan. ¿Por qué le llamaba Clinton? «Tengo un problema. Necesito tu ayuda», se sinceró el presidente. Gergen acudió. «Creí saber quién era Clinton», escribió años después en su libro *Testigo del poder*, en el que relata su experiencia con cuatro presidentes. Pero dieciocho meses después, cuando Gergen abandonó la Casa Blanca, «ya no sabía quién era». Cuenta en su libro que Clinton es «uno de los hombres más inteligentes jamás elegidos para presidir el país, y ha hecho algunas de las más grandes tonterías» que se han hecho en el poder.

Su excolaborador y examigo George Stephanopoulos coincidía en esa misma paradoja: «¿Cómo un presidente tan inteligente, tan compasivo, tan capaz de inspirar a la gente y tan consciente de su lugar en la historia actuaba de forma tan estúpida, tan egoísta y tan autodestructiva?».

Pero esas preguntas tan bien asentadas en hechos ciertos tienen que compartir espacio en las páginas de la historia con la realidad paralela que permitió a Bill Clinton mantener la cabeza sobre las aguas cuando todo se hundía a su alrededor. Porque sus errores de adolescente no le impidieron desplegar su inmensa capacidad política y su inabarcable carisma personal para llevar su mandato presidencial a término, con datos de aprobación popular muy difíciles de igualar por cualquier otro presidente.

Solo él ha podido conseguir eso que el periodista Howard Kurtz, especialista en el análisis de medios de comunicación, ha calificado como la inexplicable «alquimia» por la cual «los ataques de la prensa ayudaron a Clinton». No hay nada que excite más a la tribu periodística que un político en situación de derribo. Es cuando se pone en marcha la máquina de picar carne y es difícil salir de ese aparato con vida (política). Pero la piel de Clinton (de los Clinton) demostró ser muy dura. Resultó que cuantos más detalles escabrosos se publicaban, más gente pensaba que la prensa se estaba excediendo y había invadido la privacidad del presidente. Y, en el colmo de la paradoja, mientras la mayoría de los americanos aseguraba en las encuestas que el presidente mentía sobre su relación con la becaria, esa misma mayoría decía que era un asunto que no le preocupaba.

EL AUTOCONTROL DE LA PRENSA

Una vez más, Bill y Hillary habían salido a flote de una batalla contra la prensa y contra la eterna conspiración de la derecha americana. Habían superado un escándalo tras otro desde sus tiempos de Arkansas. Y allí seguían, en la Casa Blanca. No estaban incólumes. Tenían heridas por todo el cuerpo. Pero estaban. Había sido una lucha durísima, sangrienta. Y por el camino se habían quedado muchos jirones. El legado de Bill como presidente no sería el mismo si Monica nunca hubiera estado en los titulares de los periódicos. La relación de Bill y Hillary no era buena antes de Monica, y nada sería igual después.

Pero tampoco los demás habían salido indemnes. Los medios entraron en trance ante la sucesión de detalles pornográficos procedentes de la residencia presidencial. La prensa había perdido el autocontrol que alguna vez tuvo. La competencia era, y es, tan intensa que nadie ponía el freno que la ética profesional debe suponer. Y, conforme la locura se apoderaba de los medios, la histeria ocupaba más espacio en los despachos de la Casa Blanca. Estados Unidos necesitaba terapia. Aquello no podía haber pasado. Pero aquello había pasado. Bill, Monica, Hillary, Chelsea, Newt, Kenneth, Bettie, Linda, Matt… El mundo nunca podrá olvidaros.

5

LA CAMPAÑA

Hillary en el *Air Force One* antes de tiempo

Hay pocas casualidades en política. Es más difícil que las haya en la alta política. Y casi se puede descartar que un presidente de los Estados Unidos que estaba de retirada y quería preservar su legado histórico, como Obama en el verano de 2016, se vaya a autolesionar cometiendo un error de principiante. Pero cualquier cosa puede pasar.

Todo se suele hacer de forma ordenada. Primero el FBI borra la sombra de delito que amenazaba a Hillary Clinton y apenas dos horas después Barack Obama sube a su exsecretaria de Estado al *Air Force One* en la base de Andrews para llevársela a un mitin en Charlotte, Carolina del Norte. No es nuevo para Hillary volar en el *Air Force One*. Lo hizo durante sus años de primera dama. Pero hacerlo como candidata a la presidencia era un poco extraño y, sin duda, prematuro. Sí suponía un gesto político que establecía las distancias entre quien, como ella, es desde hace décadas un elemento destacado del engranaje político norteamericano, y quien no lo es aunque aspirara a serlo, como Donald Trump.

Llegado aquel caluroso martes 5 de julio de 2016, Hillary Clinton llevaba ya meses viendo de reojo un palmo por encima de su patricia cabeza la espada que Damocles había abandonado allí tiempo atrás, cuando se desveló un hecho que, objetivamente, es gravísimo: que la secretaria de Estado había puesto en riesgo la seguridad del país más poderoso del mundo utilizando una dirección de correo electrónico particular para sus comunicaciones oficiales. En estos tiempos, incluso asaltar el servidor de correo de la Secretaría de Estado está al alcance de, como poco, un puñado de *hackers* autónomos y, más aún, aquellos que están al servicio de Rusia o de China. Si no es imposible traspasar esos muros cibernéticos tan protegidos, más sencillo aún parece que un experto atraviese las «paredes» de un servidor de correo personal ubicado en la propia casa de Hillary Clinton. ¿Puede ser presidenta quien ha puesto en riesgo a su país desde la Secretaría de Estado? Esta pregunta erosionó durante meses las opciones presidenciales de Hillary Clinton, y la campaña se le hizo mucho más dura de transitar debido a las serias dudas sobre su buen juicio y sus verdaderas intenciones. Ni siquiera sus partidarios han llegado a entender por qué hizo tal cosa. O peor… Sí lo entienden. Bob Kerrey incluso da por hecho que conoce el motivo.

LO QUE HILLARY QUERÍA OCULTAR

Kerrey fue premiado como héroe de guerra en Vietnam, al frente de un grupo de los Navy Seal. Fue gobernador del estado de Nebraska en los años ochenta y quiso ser presidente de los Estados Unidos en 1992, pero Bill Clinton le pasó por encima en las primarias del Partido Demócrata. Fue senador hasta el año 2000. Intentó recuperar el puesto en 2012, pero el republicano Deb Fisher le ganó en las urnas. Era demasiado tarde para reconquistar el viejo glamour político perdido. Aun así, Kerrey nunca dejó de ser una voz respetada en su partido. Por eso no fue irrelevante su punto de vista cuando estalló el escándalo de los emails.

Kerrey era, ya por entonces, uno de los apoyos más destacados con el que contaba Hillary Clinton en pleno proceso de primarias demócratas. Pero el exgobernador no iba a evitar la crítica: en su opinión, Hillary había utilizado un servidor de correo personal para no tener que hacer públicos esos emails si alguien los pedía. La explicación es simple y políticamente devastadora: «No tengo dudas de que ese servidor (de correo particular) se utilizó para que la secretaria de Estado no tuviera que someterse a la Ley de Libertad de Información». Esa ley garantiza el derecho a acceder a datos de la Administración. Pero para disponer de ellos, los datos tienen que estar, precisamente, en poder de la Administración y no escondidos en un servidor privado, oculto en la casa del funcionario público.

Las evidencias hacen innecesaria cualquier opinión suplementaria. Hillary Clinton tuvo que devolver al Departamento de Estado 30.000 emails alojados en su servidor personal. De ellos, 110 ya tenían información clasificada cuando fueron enviados o recibidos. Pero otros 2.000 correos incluían alguna información considerada como confidencial después de ser enviados. La situación era aún más comprometida ante la evidencia de que el FBI se vio obligado a recuperar varios miles de emails que Hillary Clinton se había negado a entregar porque los consideraba personales. Cuando la policía los revisó pudo encontrar tres correos clasificados como secretos o confidenciales.

¡ENCARCELEN A HILLARY!

Tiempo después, a los 30.000 correos ya entregados se unieron otros 15.000. Su investigación amenazaba con alargarse hasta, co-

mo poco, el mes de noviembre. Casualidad: justo el mes de las
elecciones. El escándalo de los emails podía perseguir sin piedad a
Hillary Clinton hasta más allá del proceso electoral. Quizá, incluso,
cuando ya fuera presidenta, si ganaba el 8 de noviembre. «Hillary
es incapaz de decir la verdad», insistían de nuevo desde las filas republicanas. «¡Encarcelen a Hillary!», gritaban a coro los asistentes
a los mítines de Donald Trump. «Si fuera presidente te metería en
prisión», amenazó el candidato republicano a su rival demócrata
en uno de los debates del mes de octubre. Jamás se había oído algo así: un aspirante prometiendo la cárcel al otro... Ante tal amenaza, Hillary estaba en una tesitura apasionante: o presidenta o pre-
sidiaria.

Tampoco un candidato se había negado a confirmar si aceptaría el resultado de las elecciones. De hecho, a ningún moderador
se le había ocurrido nunca que esa fuera una pregunta pertinente,
porque jamás un político americano había puesto en duda el sistema. Pero Trump lo puso en duda y respondió que ya vería si
aceptaba el resultado, porque quería mantener el suspense. Y un día
después, en un mitin, dijo que aceptaría «el resultado siempre que
gane yo».

Tampoco hay precedentes históricos de que un candidato haya insinuado después de un debate que su rival se había drogado,
pidiendo además que ambos fueran sometidos a un control anti-
drogas. Todo muy Trump.

Pero dos horas antes del paseo aéreo de Barack y Hillary a
bordo del *Air Force One*, el FBI anunciaba que no tenía «evidencia
directa de que el dominio de correo electrónico personal de la secretaria Clinton, en sus diversas configuraciones desde el año 2009,
haya sido *hackeado* con éxito». No había «evidencia directa». ¿Tran-
quilizador? El informe concluía: «Nuestra opinión es que no sería
apropiado presentar cargos en este caso».

El FBI despejaba el balón bien lejos de su portería, y Hillary Clinton veía aparentemente despejado su horizonte político a menos de un mes para la convención del Partido Demócrata... y a dos horas de compartir su primer mitin conjunto con el presidente de los Estados Unidos. «Estoy aquí porque creo en Hillary», dijo Obama en su discurso, con las mangas de la camisa a la altura del codo y su nivel de aprobación popular en el 51 por ciento, bastante por encima del que, en aquel momento, disfrutaba Clinton. Ella no entusiasmaba y llegó a las elecciones de noviembre sin entusiasmar. El Obama presidente durante ocho años ya no entusiasmaba como el Obama virginal de 2008, pero seguía siendo Barack Obama.

¿UNA PRESIDENTA «EXTREMADAMENTE NEGLIGENTE»?

Hillary Clinton nunca ha dejado de generar sospechas. Su comportamiento, sus palabras, su actitud y sus movimientos políticos han hecho de ella la quintaesencia del *establishment* político-económico de Washington. Por eso, las palabras del director del FBI, James B. Comey, no iban a resultar gratuitas, ni a pasar inadvertidas en medio de la campaña presidencial. No pediría la imputación judicial de Hillary Clinton, pero la exsecretaria de Estado había sido «extremadamente negligente» por utilizar un servidor de correo personal. ¿Se puede ser presidenta de los Estados Unidos si se ha tenido un comportamiento extremadamente negligente con información sensible para la seguridad de la nación? ¿Puede ser comandante en jefe de las Fuerzas Armadas de los Estados Unidos de América una persona que maneja con indolencia datos clasificados o secretos?

Solo tres días antes de la decisión anunciada por Comey, Hillary Clinton había prestado declaración ante agentes del FBI durante tres horas y media. Pero ocurrió algo al menos tan interesante como eso; aquello que marca la gran distancia entre los Clinton y el resto de los políticos; el hecho diferencial que convierte a este matrimonio en un bastión poderoso y granítico en el uso superlativo de las artes (confesables e inconfesables) de la política: la escena del avión.

Hi, Loretta! How you doing! Con toda naturalidad, Bill Clinton subió las escalerillas de un avión ajeno. Era el de la fiscal General de Estados Unidos, Loretta Lynch. Bill entró en la cabina del aparato como Pedro solía hacerlo por su casa, cuando este dicho aún era pertinente. El expresidente había estacionado su propio avión de campaña a pocos metros, en el aeropuerto de Phoenix, en el estado de Arizona. Dice Lynch que fue una coincidencia, y que ella no había invitado a subir a Clinton. Pero Bill nunca ha necesitado invitación para hacer lo que le place. La versión oficial es que hablaron de nada. Que si los hijos, que si los nietos, que si el opresivo calor de Arizona en el principio del verano, que si tal, que si cual… Por supuesto, no hablaron de que el Departamento de Justicia hubiera encargado al FBI un informe sobre los emails de Hillary, ni de que ese informe estuviera a punto de hacerse público, ni de que el informe fuera a resultar exculpatorio para la aspirante presidencial. Era una casualidad. Visita de cortesía. Bill es muy simpático.

LO QUE CUESTA UN VUELO DEL *AIR FORCE ONE*

¿Y qué fue del *Air Force One*? ¿Es de ley utilizar el avión presidencial para que una candidata haga campaña electoral? ¿Eso quién lo paga?

La imagen de Barack Obama y Hillary entrando por la puerta azul y blanca del *Air Force One* vale mucho dinero. Dinero del contribuyente americano. La teoría dictamina que el beneficiario abone el coste. En tal caso, la factura debió de ser enviada (por medio de un email oficial, sin servidores privados) desde los responsables de Administración de la Casa Blanca, hasta sus homónimos del Comité Nacional Demócrata, o bien a la campaña de Hillary Clinton. Y no es una factura barata.

Se estima que un vuelo medio del *Air Force One* supone unos 220.000 dólares. En esa cantidad están incluidos el combustible y el mantenimiento. Pero nada se dice de los costes añadidos e inevitables. Y la lista es larga. El presidente se tiene que trasladar a la base de Andrews en el *Marine One*, el helicóptero presidencial. Nadie dice cuánto cuesta eso. Todos los vehículos de la caravana presidencial deben ser aerotransportados en aviones militares hasta el lugar de destino. Tampoco se dice cuánto cuesta eso. Súmese el desplazamiento del equipo de seguridad del Servicio Secreto. La cantidad se dispara. Pero tan importante como eso es el gesto político: ¿cuánto vale en términos de propaganda electoral la foto de la candidata con el presidente a bordo del avión más famoso del mundo?

¿SALVADA POR LA CAMPANA?

A esas alturas de la campaña, muy cerca ya de la convención, Hillary creía haberse salvado por la campana. El FBI y el Departamento de Justicia iban a aparcar la parte judicial del caso de los emails y eso relajaría la presión política. Pero aquel escándalo supuestamente muerto estaba muy vivo, porque Hillary Clinton no había conseguido dar una versión verosímil.

Siete años antes, en junio de 2009, la exsecretaria de Estado Madeleine Albright invitó a cenar a su casa de Washington a dos de sus sucesores en el cargo: Colin Powell y Hillary Clinton. Según la versión de Clinton, en aquella cena Powell le recomendó utilizar una cuenta de email particular, además de la que tenía en el Departamento de Estado. Es lo que Hillary declaró ante el FBI. Cuando esta declaración se filtró a la prensa, Powell entró en cólera, aunque se contuvo en las declaraciones ante los medios: «Hillary Clinton ya utilizaba su email particular un año antes de que yo le enviara un informe (sobre el sistema de comunicaciones del Departamento de Estado)». Las palabras de Powell ponían de nuevo en cuestión la honestidad de Hillary Clinton, mientras el escándalo resucitaba en medio de la campaña. A pesar del encontronazo, Colin Powell apoyó la candidatura de Clinton.

El servidor de correo estaba en el sótano, lugar relativamente seguro si se tiene en consideración que se trata de la casa de un expresidente de los Estados Unidos y de la secretaria de Estado. Cuando fue elegida para el cargo, Hillary Clinton debió advertir a las autoridades de la existencia de ese servidor de correo, pero no lo hizo. Clinton se empeñó en seguir utilizando su teléfono BlackBerry, a pesar de las advertencias de los responsables de seguridad. Pero el problema llegó cuatro años después.

En mayo de 2013, Marcel Lazar Lehel se aburría mucho en un pueblo de Rumanía llamado Sambateni. Marcel era taxista, pero estaba en paro, y ocupaba sus largas horas de inactividad laboral buceando por Internet. Según su propio testimonio, aprendió a moverse por servidores ajenos y de acceso prohibido, de celebridades, políticos e instituciones. Y se vanagloriaba de sus éxitos bajo el apodo de Guccifer. Llegó a entrar en cuentas de la familia Bush, de Colin Powell y de algunos congresistas americanos. También *hackeó* la cuenta de correo de Sidney Blumenthal, escritor, periodista, exasesor de Bill Clinton y amigo íntimo del matrimonio. Entre los emails que encontró había varios de Hillary dirigidos a Blumenthal. Y entre esos correos de Hillary había algunos sobre un asunto especialmente delicado: el ataque contra el consulado de Estados Unidos en la ciudad de Benghasi.

El 11 de septiembre de 2012, un grupo de terroristas islamistas trató de asaltar la sede diplomática. Mataron al embajador y a otro diplomático. Después, a poca distancia de ese lugar, asesinaron a otros dos ciudadanos americanos. Hillary Clinton fue acusada de no haber atendido la petición de que se elevara el nivel de seguridad en las sedes diplomáticas en Libia. En junio de 2016, después de dos años de investigaciones y de un gasto de 7 millones de dólares, una comisión del Congreso hizo públicas sus conclusiones en un informe de 800 páginas y 75.000 documentos. ¿Qué ocurrió en Benghasi?

Los terroristas quemaron el edificio con varias personas dentro, entre ellas el embajador Chris Stevens, que, de alguna manera no conocida, logró salir del lugar. Acabó en un hospital, donde los médicos certificaron su muerte por inhalación de humo. En ese momento, con el ataque todavía en marcha, en Washington se desarrollaba una reunión del gabinete de crisis. Según el informe de la comisión, el presidente Obama y el secretario de Defensa Leon Panetta dieron orden de enviar efectivos militares a Benghasi. El objetivo parecía ser salvar a los agentes de la CIA y a otros ciudadanos americanos que estaban en un lugar cercano al consulado, y que también sufrían el ataque. Nunca llegaron, porque nunca despegaron de la base militar de Rota, en España. Al parecer no se enviaron a Rota órdenes claras y concluyentes de cuál era el objetivo de la operación: si ir a Benghasi o ir a Trípoli. En la base, un equipo de seguridad antiterrorista estuvo tres horas sentado a bordo de un avión. Esperando y esperando. Se pusieron y se quitaron el uniforme cuatro veces, según les iban dando órdenes contradictorias.

Si estas circunstancias no eran suficientemente embarazosas, el informe señalaba la humillación final. Los ciudadanos americanos que se refugiaban en un edificio cercano al consulado fueron finalmente rescatados. Pero no por el ejército de Estados Unidos. Tampoco por las fuerzas libias apoyadas por Washington. El rescate lo realizaron milicianos leales al anterior líder Muamar El Gadafi, el gran enemigo de Estados Unidos, y al que Estados Unidos había ayudado a derribar del poder unos meses antes. Gadafi fue linchado hasta la muerte por una turba en octubre de 2011. Esos milicianos pro Gadafi condujeron a los americanos sanos y salvos hasta el aeropuerto de Benghasi.

La comisión se desarrolló en un intenso ambiente partidista: los republicanos, contra el gobierno; los demócratas, tratando de salvar al gobierno y evitar que las conclusiones destrozaran las esperanzas presidenciales de Hillary Clinton en plena campaña electoral. Hillary fue «absuelta». No se establecieron responsabilidades por su actuación o por su falta de actuación. Pero de esa comisión sí salió algo inesperado: fue en el transcurso de la investigación cuando se supo que Hillary Clinton había utilizado un servidor privado de correo.

En octubre de 2015, una sala del Capitolio se llenó para asistir al testimonio de Hillary. La sesión duró once largas horas. Una hora tras otra. Una pregunta tras otra. Una respuesta tras otra. Clinton eligió un traje de chaqueta oscuro. No es día de colores vivos, cuando se va a hablar del asesinato de cuatro compatriotas. A un lado de la sala, un estrado corrido que ocupaba toda la pared en forma semicircular, elevado un metro sobre el suelo. Allí se sentarían los legisladores miembros de la comisión, como sobrevolando el lugar. Enfrente, y a la altura del suelo, una mesa con una silla para el ponente. Siempre es así en Estados Unidos: los miembros del

Congreso dominan el campo de juego. Examinan al compareciente desde arriba, para reflejar de una manera icónica que aquel es su territorio y no el del gobierno. Justo lo contrario que en el Parlamento español, donde los comparecientes ocupan el lugar de predominio, mientras diputados o senadores se sientan en la platea, como si estuvieran en el cine, mirando hacia arriba. Apenas se habló de los emails en aquella sesión. Ese escándalo serviría a los republicanos para dar otras batallas políticas.

EL PAPEL DE HUMA

«La secretaria de Estado utilizó un servidor privado solo para proteger sus correos personales». Para cuando Huma Abedin hizo esa declaración, el tal Guccifer, el *hacker* rumano había sido extraditado a Estados Unidos, y estaba en prisión a la espera de juicio.

Huma Abedin fue interrogada durante cinco horas. Negó cualquier cosa que pudiera poner en riesgo la difícil posición de su jefa. Fue fiel con ella, como siempre. Asesora, confidente y número dos de la campaña de Hillary Clinton. La persona de la que más se fía la candidata. Quizá la única. Se entienden bien, aunque son de generaciones distintas. Hillary es casi treinta años mayor que Huma. Se conocieron en la Casa Blanca en 1996. Abedin apenas tenía diecinueve años cuando consiguió una beca en la residencia del presidente Bill Clinton.

Becaria, Casa Blanca, Bill Clinton, 1996… En efecto, Huma Abedin entró como becaria al servicio del presidente casi a la vez que lo hizo la becaria más famosa del mundo, Monica Lewinsky. Como resulta evidente, siguieron caminos muy distintos.

Huma Abedin nació en el estado de Michigan en 1976. Su familia es de origen indio y pakistaní. Es musulmana. Habla árabe de forma fluida. Cuando obtuvo la beca fue asignada a la Oficina de la Primera Dama. Desde entonces nunca han dejado de trabajar juntas.

En 2010, el ya expresidente Bill Clinton participó en la ceremonia de su boda, en lo que suponía una premonición para los problemas matrimoniales que luego tendría. Huma Abedin se casó con Anthony Weiner, un joven, atractivo y prometedor congresista por el noveno distrito de Nueva York. Ya entonces formaba parte de una lista no muy larga de candidatos a ocupar altas magistraturas políticas por el Partido Demócrata al pasar de los años. Pero Weiner (he aquí la premonición) decidió cometer un suicidio político.

No había pasado todavía un año desde que Bill Clinton asistiera a su boda, cuando Weiner se vio envuelto en un escándalo sexual. Envió una fotografía explícita de sí mismo a la cuenta de Twitter de una mujer. Su esposa Huma ya trabajaba a las órdenes de Hillary Clinton en el Departamento de Estado. Anthony, como Bill unos años antes, empezó por negarlo todo, pero pasados unos días tuvo que admitir que llevaba varios años intercambiando mensajes con hasta seis mujeres. Dimitió de su cargo en el Congreso. Pero no aprendió lo suficiente.

Dos años después, en el verano de 2013, Anthony Weiner trataba de volver a la política lanzándose a la carrera por la alcaldía de Nueva York. Pero envió fotos explícitas a una joven llamada Sydney Leathers. Ambos habían establecido contacto, curiosamente, cuando ella le reprochó a través de Twitter sus aventuras extramatrimoniales.

La pareja Abedin-Weiner sobrevivió, al menos formalmente, a estos episodios. Son padres de un hijo que nació entre medias de esos dos escándalos. Cuando la campaña presidencial tomaba velocidad, la prensa más conservadora trató de encontrar buenos argumentos contra el matrimonio, para que Trump tuviera gasolina que quemar.

El tabloide *The New York Post* publicó que Huma Abedin escribió artículos para una revista saudí dirigida por su madre. Y se entrecomillaban algunos pasajes claramente contrarios al feminismo occidental. Se aseguraba también que esa revista culpó a Estados Unidos de los atentados del 11-S. En aquel momento, Huma era becaria en la Casa Blanca. A finales de agosto de 2016, el *Post* también publicó que Weiner volvía a utilizar las redes sociales para establecer contactos sexuales con mujeres distintas de la suya, mientras Huma estaba en medio de las acusaciones contra Hillary por las donaciones a la Fundación Clinton.

Trump aprovechó para mezclarlo todo. «Huma Abedin está casada con Anthony Weiner. Ella sabe todo lo que hace Hillary Clinton y está casada con un tipo incapaz de controlarse, un pervertido». Trump no utilizaba esta frase solo para decir lo que textualmente se puede leer. Donde dice que Huma Abedin casada con un pervertido, cambien el nombre de Huma por el de Hillary. Ese era el mensaje subliminal que en otras ocasiones ya había lanzado sin perder el tiempo en ocultarlo. Los efectos políticos de las pasiones corporales de Bill Clinton nunca han abandonado a la pareja. El recuerdo de Monica nunca desaparece.

El 29 de agosto de 2016, a dos meses y diez días de las elecciones, Huma Abedin, número dos de la campaña de Hillary Clinton, anunció públicamente que «después de una larga y dolorosa reflexión y trabajo en nuestro matrimonio, he tomado la decisión de separarme de mi esposo. Anthony y yo seguiremos dedicados a hacer lo que es mejor para nuestro hijo, que es la luz de nuestra vida. Durante este tiempo difícil pido respeto a nuestra privacidad». Más madera, esto es la guerra.

Pero si los responsables de la campaña llegaron a pensar entonces que aquella crisis había terminado con la separación de Huma y Anthony, no tardarían mucho tiempo en arrepentirse de tanto optimismo infundado. De forma abrupta, a menos de dos semanas de las elecciones, la carga explosiva que seguía latente en los emails de Hillary Clinton volvió a estallar.

LOS EMAILS, ANTHONY Y EL ACOSO A UNA NIÑA DE QUINCE AÑOS

«No sé cómo es posible que esos emails de Hillary hayan llegado al ordenador de Anthony». Huma ponía cara de haber visto fantasmas cuando el FBI reabrió el caso de los correos electrónicos, porque había «comunicaciones que parecen ser pertinentes de ser investigadas». Los caminos del Señor son inescrutables, como los del Buró Federal de Información: esos correos habían aparecido en el ordenador de Anthony Weiner, marido separado de Huma Abedin, asesora de Hillary Clinton y número dos de la campaña hacia la presidencia. Y los habían encontrado en el marco de las investigaciones que el FBI seguía contra Weiner por uno de sus escarceos sexuales. En este caso, especialmente punible, si se demostraba: mensajes de texto de contenido inapropiado a una muchacha de quince años del estado de Carolina del Norte. Quince años. Otro escándalo sexual se cruzaba en el camino de Hillary Clinton. Y esta vez por marido interpuesto: no el suyo, sino el de Huma.

El FBI consideró necesario comunicar el hallazgo de esos correos: «Si no lo hubiéramos comunicado nosotros de forma oficial, igualmente se hubieran filtrado a la prensa y se nos hubiera acusado de ocultar información esencial». Pero el FBI no especificaba la naturaleza de los emails, ni su relevancia penal, ni cuántos eran (aunque se hablaba de que pudieran ser miles), ni cuál era el motivo por el cual se accedió a esos correos firmados por Clinton cuando lo que estaba bajo investigación era el posible acoso sexual de un adulto a una adolescente. Podría haber menos motivos aún si, como informó la cadena NBC, se trataba de correos de Huma Abedin enviados a Hillary Clinton desde el ordenador de Weiner. Ni siquiera estaba claro si eran copias de correos que ya habían sido revisados en la investigación anterior y que, sin saberse el motivo, habían terminado en el disco duro del ordenador del exmarido de Huma.

Pero el director de la Oficina, James Comey, el mismo que precipitadamente había cerrado el caso de los emails en verano favoreciendo a la candidata demócrata, lo reabría igual de precipitadamente en octubre, cuando faltaban once días para la fecha de las elecciones, y cuando varios millones de americanos estaban votando ya en los 38 estados en los que se puede ejercer el derecho antes de la fecha fijada en noviembre, lo que llaman el *early voting*. La buena noticia para Hillary era que, en efecto, muchos americanos ya habían votado y no podían cambiar su voto aunque esta novedad sobre los emails les hiciera desearlo. La mala noticia era que aún faltaban por votar muchos millones de personas más.

Esta vez, quien veía el cielo abierto era Donald Trump: «Esto es peor que el Watergate», bramó en un mitin de campaña, desesperado ante los sondeos que le dibujaban como el perfecto perdedor. «Esto no es Watergate», dejó claro quien podía hacerlo con conocimiento de causa: Carl Bernstein, compañero de Bob Woodward en la investigación periodística del escándalo que acabó con la presidencia de Richard Nixon en los años setenta.

Pero el daño para la campaña ya estaba hecho. «La corrupción de Hillary Clinton es de una magnitud como nunca antes habíamos visto. Ahora no debemos dejarla llevar su plan criminal a la Casa Blanca», descerrajó Trump en las horas posteriores. Antes de la reapertura del caso de los emails, el candidato republicano era un cadáver político. Parecía tener cero opciones de ganar. Incluso algunos estados republicanos de toda la vida parecían balancearse hacia la canasta de votos electorales de Hillary. Los asistentes a los mítines de Trump recuperaron su viejo grito de guerra: «¡Enciérrala! ¡Enciérrala!», y el candidato redivivo empezaba, por fin, a conceder a los investigadores del sistema judicial americano el beneficio de la duda: «Quizá, finalmente, se haga justicia».

Hillary, aplastada por la noticia, pidió que, al menos, el FBI se diera prisa en aclarar la verdadera importancia de esos emails. Necesitaba que aquella marea pasara cuanto antes. No en días, sino en minutos. Su jefe de campaña, John Podesta, contraatacó poniendo el foco en la presión que los republicanos habían ejercido sobre el responsable del FBI desde que decidió cerrar el caso tres meses antes: «Es un intento desesperado de hacer daño a la campaña presidencial de Hillary Clinton». Sí, podía ser eso. Y sí, le hacía mucho daño: tres días después de que se reabriera el caso, los sondeos ya reflejaban que la distancia entre Clinton y Trump se había reducido de casi seis puntos a poco más de tres, en la media de las encuestas que realiza el portal de Internet *RealClearPolitics.com*. El diario *The Washington Post* reducía esa distancia a un solo punto en voto popular, y advertía de que el estado de Florida (potencialmente determinante para otorgar la presidencia) podía caer en manos de Trump si la situación no cambiaba en los últimos diez días de la campaña electoral. Aunque no en todos los estados en disputa los emails estaban provocando el mismo daño.

Pero otros tres riesgos añadidos empezaban a preocupar en el cuartel general de Hillary Clinton. Primero: que incluso ganando las elecciones, el escándalo beneficiara a los candidatos republicanos al Congreso que también luchaban por un escaño en noviembre, facilitando su victoria y dificultando así la eventual presidencia de Hillary. Segundo: que una victoria de Hillary se convirtiera en una presidencia (al menos en su inicio) condicionada por una investigación judicial contra la presidenta del país. Y tercero, y aún más importante: algunos sondeos lanzaban el aviso de que Donald Trump pudiera ser presidente debido a que el caso de los emails amenazaba con desviar votos demócratas hacia un tercer candidato.

EL PELIGRO DEL TERCER CANDIDATO

Gary Johnson había sido gobernador de Nuevo México quince años atrás y ahora se había lanzado de forma quijotesca a por la presidencia, a lomos del Partido Libertario. Tenía cero opciones de alcanzar su objetivo, pero las circunstancias sí le podían situar ante la posibilidad de condicionar el resultado. No sería el primer tercer candidato que pasaba a la historia por destrozar las expectativas a otros candidatos que sí podían ganar.

Quizá Bill Clinton nunca hubiera sido presidente frente a George W. H. Bush en 1992 de no haber sido por los millones de votos que consiguió el tercer candidato (votantes de derechas que dieron el poder a un candidato más progresista), elególatra conservador Ross Perot. Y Al Gore nunca hubiera perdido frente a George Bush en las elecciones del año 2000 si elególatra ecologista Ralph Nader no le hubiera arrebatado cientos de miles de votos de izquierdas (que entregaron el poder a la derecha), especialmente en el decisivo estado de Florida. Esta vez, en 2016, el tozudo Partido Verde (tozudo, por presentarse una elección tras otra sin opción alguna de ganar, pero con opción evidente de dañar al Partido Demócrata y, por tanto, beneficiar al Republicano) presentaba a Jill Stein, una doctora por la Universidad de Harvard que, a pocos días de las elecciones, arrebataba un exiguo pero quizá decisivo 2 por ciento de los votos a Hillary Clinton. Para nada.

Y Gary Johnson alcanzaba un 5 por ciento. Clinton tenía perdidos un total de 7 puntos porcentuales que ponían en riesgo su victoria y ayudaban a Trump a dividir la base electoral de su contrincante. Alerta roja para los demócratas. Alerta roja para el mundo.

El pánico se adueñó entonces del equipo de campaña de Hillary. Durante meses habían diseñado un cuento de hadas para los días previos a las elecciones. Tiempo atrás, ante la aparente evidencia de que Trump era un candidato inelegible, la estrategia era atacar con dureza cuando fuera necesario hasta debilitar las fuerzas del republicano y llegar a dos semanas de la cita con las urnas con una ventaja en los sondeos de una magnitud suficiente como para darse un lujo poco habitual en política: dedicar esos quince días finales a hacer una campaña en positivo, sin apenas atacar a Trump, sino centrándose en hablar de las políticas a aplicar en la presidencia virtualmente ganada y dejar al magnate cocerse lentamente en su propia salsa de insultos y bravatas. El director del FBI, James Comey, destrozó el plan con un certero e inesperado movimiento.

Durante meses, Hillary Clinton se había empeñado en una utopía que pocas veces consiente la realidad preelectoral: en vez de ofrecer tensión y enfrentamientos con el rival, pretendía lanzar una campaña que permitiera al país sentir que tenía algo positivo por lo que votar; no quería que los americanos fueran a las urnas solo para evitar la victoria de Trump. Pero los meses de duelo a muerte con su rival habían dejado el campo de juego inservible para las buenas intenciones. De repente, Clinton se vio a sí misma bramando en los mítines de final de campaña por impedir que el botón nuclear estuviera en manos de «ese hombre que no entiende por qué conviene evitar el uso de armas atómicas». Parecía un mensaje propio de los años cincuenta o sesenta, en plena Guerra Fría. Que a dos días de las elecciones el FBI volviera a decir que no tenía nada contra Clinton en el caso de los emails ya solo servía para alimentar melancolías políticas y odios hacia el responsable de la decisión, que parecía tomada para lavar su imagen. El mal ya estaba hecho: Hillary quería que sus últimos mítines de campaña fueran una sucesión de mensajes optimistas y esperanzadores. Pero aquel *wishful thinking* había quedado enterrado bajo una montaña de estúpidos emails.

Importantes dirigentes demócratas llegaban a decir, medio en serio, que si Trump ganaba (y ya no era imposible que eso ocurriera), el problema no iba a ser que erigiera un muro en la frontera con México, sino que Canadá levantara uno para evitar la huida en avalancha de millones de estadounidenses.

Huma Abedin, que nunca se separaba de Hillary, desapareció por unos días de la circulación. Temía que su imagen junto a la candidata tuviera efectos tóxicos. Pero, además, podía imaginar que su propia carrera política estuviera llegando a su final. Después del escándalo de los emails, si Clinton ganaba, ¿iba a nombrar a Huma para algún cargo relevante en la Casa Blanca? ¿Correría el riesgo de meter en su equipo una bomba de relojería, aunque solo fuese por el estúpido de su exmarido, Anthony Weiner?

Incluso aunque ganara el 8 de noviembre, el daño a la imagen de Hillary Clinton ya era un hecho. Y empezar así un mandato presidencial era lo menos deseable. Pero peor era perder. De manera que, sigamos adelante, decidieron en la campaña demócrata. A por todas.

Había estallado la segunda *October surprise* de la campaña. La primera, surgida unos días antes, parecía que iba a ser la única y definitiva. Había sido un torpedo lanzado con destreza de relojero a la línea de flotación de la campaña de Donald Trump. Una grabación mostraba a Trump siendo Trump de la manera más *trumpiana*. Y ocurrió en un momento muy delicado: en medio del periodo de tres debates que se celebran en cada proceso electoral.

Pudo ser el FBI, la CIA, la NSA o simplemente un inocente do-
cumentalista que se puso a buscar grabaciones de Trump en la vi-
deoteca y encontró una joya. Pero la grabación existía y empezó a
circular justo a tiempo.

El debate, con ocho años de retraso

Tres semanas antes de la repentina resurrección de los emails había
llegado el momento que Bill estaba esperando desde hacía mucho
tiempo. De hecho, había llegado con ocho años de retraso. Hillary
debería haber pisado el escenario de un debate presidencial en
2008 y no en 2016. Los dioses no habían sido justos con su esposa (ni con él, especialmente con él). Pero nunca se rindió. Nunca
se rindieron. Siempre luchó. Siempre lucharon. El *pack* seguía in-
tacto, a pesar de todo. Y, finalmente, lo había conseguido. Lo habían
conseguido.

El expresidente y aspirante a esposo de presidenta hizo de maestro de ceremonias. Al pie del escenario del debate esperó con gen-
tileza la llegada de Melania Trump, aspirante a primera dama. Él, traje azul, camisa blanca tirando a beige, corbata tonos pastel, pelo
plateado por los años y los disgustos. Ella, hermoso vestido negro
ajustado con enorme fidelidad a su anatomía de gimnasio, con cremallera a la espalda, hombros al viento y una esculpida melena rubia.
La familia Clinton, Chelsea incluida, se sentó en los asientos de la
izquierda, mirando hacia el escenario. La de Trump, a la derecha.

Delante, un plató de televisión enmoquetado en azul, con
pantallas azules mostrando pasajes constitucionales, y fondo azul
con el lema «La Unión y la Constitución para siempre» sobre una
bandera americana y el águila del escudo nacional. Todo muy
azul, color representativo del Partido Demócrata. En Estados
Unidos nadie pone pegas. Se considera que un detalle como ese

no mueve un solo voto. En España estaríamos discutiendo sobre ese asunto durante días.

A la izquierda, el atril de Donald Trump. A la derecha, con menos altura, el de Hillary Clinton. Delante de los atriles, una mesa semicircular para el moderador, Lester Holt, presentador del informativo de la noche de la cadena NBC. Holt apareció sobre el escenario minutos antes de que se iniciara el debate. Saludó a los presentes en la sala, en especial a la esposa de Trump y al marido de Hillary, y comentó que se esperaba una audiencia de unos cien millones de espectadores. Pero se consoló recordando que allí, en la sala, solo estaban unos cuantos. No hay nada peor para un presentador de televisión que obsesionarse con los miles, cientos de miles o millones de personas que le pueden estar viendo. Y, de hecho, si los tuviera delante, a la vista, tendría muchas más dificultades para articular palabra. Siempre es mejor hablar a la cámara, o al operador de la cámara, como si fuera el único interlocutor. La tensión, el miedo escénico, es más soportable de esa manera.

Lester Holt es un periodista con muchos años de recorrido. Su salto a la Champions de la televisión americana se produjo por un hecho inesperado. Su antecesor como presentador de las noticias de la noche de la NBC, Brian Williams, fabuló a principios de 2015 sobre el riesgo que supuestamente había corrido tiempo atrás durante una cobertura informativa en Irak. Dijo que el helicóptero en el que iba había sido atacado. Aquel episodio bélico nunca se produjo. El helicóptero atacado fue otro. Cuando se descubrió la «exageración», Williams fue suspendido por la NBC durante seis meses. Le sustituyó provisionalmente Lester Holt. Pero al cabo de los seis meses, la NBC decidió mantener a Holt en el puesto. Veinte meses después estaba moderando el primer debate presidencial. Y con polémica.

Días antes del debate, un diario publicó la noticia de que Holt figuraba registrado como votante republicano (en Estados Unidos es necesario registrarse para tener derecho a votar). Y ese dato se conocía después de que Donald Trump hubiera descalificado al presentador de la NBC acusándole de ser demócrata. Quizá Trump se guio por la tradición americana de considerar que todos los periodistas son *liberals* (progresistas). Y, de hecho, alguna vez se han hecho investigaciones sobre en qué partidos están registrados como votantes periodistas de las redacciones más importantes, y cuesta encontrar a algún republicano. Pero Lester Holt, sí.

Es una situación muy habitual esta de que aquellos que tienen una ideología muy determinada acusen a los demás de tener la contraria solo porque no muestren la suficiente pasión por la otra. Y también es muy habitual que quienes son incapaces de tener una visión honesta y crítica de las cosas acusen a los demás de no ser ni honestos ni críticos, solo por no entregarse al *hooliganismo* político que nos rodea. Días antes del debate, Donald Trump había acusado a Holt de ser seguidor de los demócratas.

Haciendo abstracción de estas y otras polémicas de medio pelo, Lester Holt acudió a la cita con una carpeta llena de preguntas para los dos candidatos, pero dejando claro que aquel momento político-televisivo era de los dos aspirantes a la presidencia, y no del moderador. «Como pueden imaginar, este no es un trabajo fácil, de manera que les pido su ayuda: eviten los aplausos, los abucheos o cualquier tipo de reacción, para que mi labor sea más sencilla», dijo Holt. Pero, en cualquiera caso, reconoció su felicidad por haber sido el elegido para moderar aquel debate.

Después, tomó asiento y esperó la llegada de los dos aspirantes. Un técnico de sonido se acercó a su mesa y le explicó dónde estaba el volumen del auricular en el que recibía los mensajes del realizador. Holt agradeció las instrucciones y abrió su carpeta sobre la mesa. Sacó una libreta tamaño folio, con hojas amarillas con rayas y la colocó cerca de su mano derecha, para tomar notas si lo necesitaba. Bebió agua y dejó el vaso en una mesita baja situada a su izquierda, a resguardo de las cámaras. Hizo algunas pruebas de sonido con su micrófono y se preparó para el principal reto profesional de su vida.

HOW ARE YOU, DONALD?

Ya con las cadenas conectadas en directo, Holt explicó las condiciones para el desarrollo del debate y los candidatos entraron en la sala. Hillary lo hizo con algunos pasos de adelanto sobre su rival. La candidata demócrata eligió un traje de pantalón y chaqueta de un rojo intenso (color de los republicanos), que contrastaba de forma eficiente con el fondo azul del decorado. Optó por un calzado casi liso, a pesar de la considerable diferencia de estatura con su rival. Prefería estar cómoda que elevarse unos centímetros más sobre el suelo. No parecía importarle ese aspecto que tanto preocupa a los candidatos varones cuando no alcanzan la altura de sus contrincantes, como si ese fuera un factor electoral a tener en cuenta.

El candidato republicano eligió un traje muy oscuro, una camisa muy blanca y una corbata muy azul (el color identificativo de los demócratas), con un tejido brillante. En el ojal, un pin con la banderita de los Estados Unidos, costumbre que no se ha perdido entre los políticos del país desde que se instituyó como mensaje patriótico después del 11-S. Trump se acercó parsimonioso, ceremonial, giró la cabeza para sonreír al público y se dirigió al encuentro de Hillary. Alargó el brazo para estrechar su mano con aparente afectividad. Clinton, bien preparada y más experimentada en el conocimiento de las claves político-televisivas, elevó la voz de forma deliberada por encima del ruido ambiente provocado por los aplausos y los gritos, y lanzó un audible *how are you, Donald*? (¿cómo estás, Donald?). La cara de Hillary no era suficientemente grande para acoger el tamaño de su sonrisa prefabricada. Incluso aparecía con aspecto saludable, aunque habían pasado pocos días desde que se desmayó en la conmemoración del 11-S.

Trump respondió a Hillary, pero apenas se escuchó un murmullo indescifrable. Estrecharon sus manos. Donald palmeó suavemente la espalda de Hillary con la izquierda. Miraron juntos al público asistente y a las cámaras. Pero ella demostró mucha más familiaridad con el envoltorio propio de un debate electoral. Mientras él se mantenía estático y aparentaba nerviosismo, ella saludaba con la mano izquierda y apuntaba con el índice a alguien (probablemente a nadie), como si quisiera enviarle mágicamente un beso a través del dedo. Pero no. Lo único que quería era el gesto, la foto que siempre buscan los políticos americanos: la imagen del candidato apuntando hacia el futuro, como si fuera ese lugar que solo le pertenece a él. A ella, en este caso.

Hillary seguía manejando la escena. Fue Clinton la que dio el paso de acercarse a Lester Holt para estrechar su mano. Trump siguió el mandato. Y finalmente fue Clinton quien tomó el camino del atril, como ordenando que aquello tenía que empezar ya. Había llegado la hora de torpedear las opciones presidenciales de aquel magnate fanfarrón, que pretendía arrebatar a los Clinton lo que consideraban suyo, y solo suyo.

Lester Holt empezó por disculparse por lo que él ya suponía que iba a ocurrir: que no daría tiempo para ocuparse de todos los asuntos de campaña en los noventa minutos que tenían por delante. «Pero habrá dos debates más», recordó el moderador.

Hillary Clinton ganó posiciones. Parecía cómoda, mostraba soltura, reflejaba resolución en sus afirmaciones, estaba serena y firme, gesticulaba con maestría (ni mucho ni poco, lo justo), y llamaba Donald a Trump, algo que algunos que conocen bien al magnate habían dicho días atrás que le molestaba mucho; contaban que está acostumbrado a que en sus empresas le llamen siempre mister Trump.

Y Donald Trump hablaba en un tono que, siendo él, resultaba poco reconocible. Trataba de aparentar que era un candidato normal, pero no había sido la normalidad lo que le había llevado hasta allí. La tensión de la escena se notaba en su *performance*. De hecho, repitió cientos de veces durante el debate el gesto de tomar aire de forma muy sonora a través de la nariz, lo que se convirtió en motivo de chanza en las redes sociales y en los programas de entretenimiento en televisión. Trump no estaba cómodo. Hillary, sí. Al menos aparentaba estarlo, y eso era suficiente. Hillary consiguió lo que se pretende en un debate: parecer presidencial, que los televidentes se la imaginaran en el Despacho Oval y se sintieran cómodos con esa idea. Uno a cero. Y el debate había terminado sin que Trump hiciera lo que algunos esperaban que hiciera y otros temían que hiciera: mentar a Monica.

Un día antes del debate, el famoso periodista de Fox News Bill O'Reilly preguntó a Trump en una entrevista si iba a lanzar ataques de tipo personal a su contrincante. «No tengo ni idea», respondió Trump. «Si ella me trata con respeto, yo la trataré con respeto». O'Reilly subió un escalón en el interrogatorio y preguntó directamente a Trump si utilizaría el historial extramatrimonial de Bill Clinton. «Creo que no». Y no lo hizo. No, en aquel primer debate que había perdido según todos los analistas, salvo los del equipo más cercano a Trump. Y cuando se extiende la idea de que un candidato determinado ha perdido el debate, da igual cuál sea la realidad. Los debates se ganan o se pierden en el posdebate, en la capacidad del equipo de campaña para decantar su criterio en los medios, en las tertulias periodísticas… Es ahí, más que en el propio debate, donde se impone el titular que queda para la posteridad. Y para la posteridad quedó que Hillary había ganado con comodidad a Donald. Punto. ¿Por qué?

En los días previos, Hillary Clinton se había preparado muy bien y Donald Trump, no. No, al menos, lo suficiente. Su diferente forma de encarar el debate era el ejemplo perfecto de la gran distancia que había entre los dos: ella, entrenada y concienzuda hasta el mínimo detalle; él, confiado en su capacidad dialéctica instantánea, en la improvisación llamativa que tanto apoyo le había generado.

A Trump no le gusta perder el tiempo preparando debates, ni ninguna otra cosa. No lo había hecho durante las elecciones primarias republicanas y el resultado estaba a la vista: era el candidato. No tenía motivo para cambiar de estrategia. No iba a leerse cientos de páginas de un dosier sobre el historial de Hillary. Trump no es un fino estilista, sino un duro fajador. El fajador se limita a lanzar golpes fuertes en la confianza de que alguno irá bien dirigido, aunque solo sea por la ley de probabilidades, y provocará la caída del rival por KO. Apenas dedicó algún tiempo a ensayar con sus asesores, que le recomendaban no entrar en pequeñas batallas con Hillary, sino insistir mucho en las ideas que le llevaron a ganar las primarias: mensajes simples, comprensibles por cualquiera, fueran ciertos del todo o solo a medias o abiertas falsedades, y expuestos con ese lenguaje llano y brutal tan de su gusto y del gusto de muchos que le escuchan.

Clinton se encerró durante días para dedicarse en exclusiva al debate. Conformó un equipo de especialistas que ya habían trabajado años antes en debates con otros candidatos, como Barack Obama. Estudió, estudió y estudió informes muy detallados sobre las propuestas de Trump, el estilo de Trump, las debilidades de Trump, las fortalezas de Trump… Absorbió todo, como buena estudiante que siempre fue. Articuló su discurso con ensayos en los que tenía que ser capaz de compilar sus respuestas en no más de dos minutos, con frases certeras y claras.

Trump estudió menos, ensayó poco, pero sí dedicó tiempo a ver vídeos de otros debates de Hillary para familiarizarse con el estilo de su oponente y encontrar puntos débiles por los que atacar. También revisó algunos de sus propios debates, para recordar sus mejores y sus peores momentos. Pero lo suyo seguía siendo la extrema confianza en su capacidad para improvisar y sorprender. Ese era el secreto de su éxito y debía seguir siéndolo.

Hillary tenía que evitar esa imagen antipática que a veces es incapaz de frenar. Debía parecer inteligente, resuelta y preparada, pero era necesario que se cuidara de aparecer como la insoportable y repelente mejor estudiante de la clase, que cree saberlo todo. Encontrar el punto intermedio no es fácil, y menos cuando estás jugándote la vida bajo una intensa presión, en directo ante cien millones de personas. Y también era una prueba para su carácter: ¿cómo respondería si su rival buscaba el ataque por la vía de los asuntos personales?

Y esta era la ocasión de Donald Trump para mejorar su imagen de tipo bravucón y perdonavidas, con tendencia a soltar una falsedad en cada frase que pronuncia.

Clinton optó por «enfrentarse» a Phillipe Reines, un consultor político neoyorkino que fue su asesor en la Secretaría de Estado. Con anterioridad había participado en la fallida campaña presidencial de Al Gore, en 2000, y actuó como portavoz de Hillary durante sus años cuando era senadora. En algún medio se ha calificado a Reines como el demócrata con un carácter más parecido al de Trump. De ahí el «enfrentamiento»: Hillary decidió que fuera Reines su rival en los ensayos para el debate. Reines haría de

Trump. Trump prefirió que nadie hiciera de Hillary en sus pocos ensayos. Hillary reunió en torno a sí a amigos y colaboradores como Ron Klain (demócrata de largo recorrido y experto en debates previos de Obama), John Podesta (colaborador de los Clinton durante años) o Jennifer Palmieri (jefa de Comunicación de la campaña de Hillary y colaboradora de los Clinton desde la presidencia de Bill). Trump contó con el apoyo del exalcalde de Nueva York Rudolph Giuliani, del gobernador de Pennsylvania Chris Christie, o del exjefe de Fox News Roger Ailes (destituido de la cadena por varios casos de supuesto acoso sexual).

Hillary ganó el debate según los medios tradicionales. Se publicaron sondeos hechos a la carrera, tan fiables como echar un vistazo a Twitter y considerar que las muchas insensateces que se escriben ahí representan a todo el electorado. Pero el *establishment* político-periodístico había elegido a un ganador oficial. Y la ganadora oficial fue Hillary Clinton. Faltaban dos debates más. El segundo estaba fijado en San Luis, Misuri, el domingo 9 de octubre.

«SOY UNA ESTRELLA; HAGO LO QUE QUIERO CON LAS MUJERES»

El viernes día 7 llegó la esperada *October surprise*. No se trata de un evento (una sorpresa que hace temblar cada campaña electoral a pocos días de las elecciones de noviembre) que se tenga que producir necesariamente cada mes de octubre preelectoral, pero sí es cierto que la sorpresa acude a su cita casi siempre. Dice William Safire en su sensacional *Diccionario político* que la sorpresa de octubre es un elemento disruptivo que aparece casi en el último minuto previo a una elección. Es una noticia imprevista, o una maniobra diplomática, o la revelación de algo que no estaba en el menú de campaña.

Que la *October suprise* consiga cambiar el resultado de las elecciones es más que dudoso. Podría decirse que hasta ahora no ha sido tan fácil demostrar que un candidato que estaba llamado a ganar haya perdido por una sorpresa de octubre. De hecho, lo que sí tenemos son varios ejemplos en sentido contrario: ganar las elecciones a pesar de la sorpresa de octubre. Pero la *October surprise* sí cambia el discurrir de la campaña. Incluso puede condicionarla de forma definitiva, porque en ocasiones elimina los asuntos sobre los que se debatía hasta entonces y los sustituye por otros, para comodidad de un candidato e incomodidad del otro.

A dos días del segundo debate Clinton-Trump, el diario *The Washington Post* colgó en su página web un vídeo grabado en el 2005, once años antes. Trump llega hasta los estudios en los que se realiza una serie de televisión llamada *Días de nuestras vidas*. Lo hace a bordo de un autobús, mientras charla con el presentador Billy Bush. Ambos tienen un micrófono de los llamados «de corbata», aunque ninguno de los dos lo tiene colocado en la corbata. Bush ni siquiera la tiene. Lleva el micro en la camisa. Trump sí tiene corbata, pero el micro se lo han colocado en la solapa izquierda de su chaqueta.

Es fácil olvidarse de que tienes un micrófono puesto cuando no lo tienes que agarrar con la mano. Pocos minutos después de que te lo han colocado ya no recuerdas que lo llevas. Y es natural tener conversaciones distendidas cuando sabes que aún no estás al aire. El consejo a seguir es hablar lo menos posible cuando estás delante de un micrófono, aunque creas que está cerrado. Porque siempre puede haber alguien escuchando y, aún más importante, grabando.

La conversación privada, pero con micrófonos, que mantenían Trump y Billy Bush en el autobús no era parte del programa que se iba a emitir. Pero lo que decían quedaba grabado en la cinta de audio y vídeo. Es muy habitual que sea así.

Trump se desmelena: «Cuando eres una estrella puedes hacerles (a las mujeres) lo que quieras (…). Las puedes coger por el c… hacer lo que quieras». Billy Bush le sigue la corriente y le alaba el gusto: «Tu chica está buenísima; esa, la de morado». Trump, con su inelegancia habitual, le dice que tiene que usar unos caramelos para el aliento cuando la besa. Y luego se explaya sin medida: «Siento una atracción automática hacia la belleza. Es como un imán. Las beso. Ni siquiera espero». Era Donald en su modalidad más Trump, como cuando en un mitin soltó otra de sus bravatas: «Podría plantarme en la Quinta Avenida de Nueva York y disparar a alguien y no perdería votos».

De hecho no había perdido expectativa de voto en los sondeos ni siquiera cuando mostró su admiración por la capacidad que había demostrado el líder de Corea del Norte, Kim Jong-un para imponerse a sus rivales: «¿Cuántos jóvenes (tenía como veintiséis años cuando murió su padre) se imponen a unos generales duros y de repente entra, toma el poder y es el jefe?», dijo con admiración. Kim Jong-un se mostró tiempo después embelesado con Trump al decir de él que es un «político sabio y profético, con visión de futuro», y capaz de conseguir la unión de las dos Coreas. De Hillary Clinton decía que estaba sorda. Tampoco sufrió Trump quebranto en los sondeos cuando expresó su admiración por la capacidad de Saddam Hussein para «matar a terroristas». Ni vio decaer sus opciones cuando elogió a Vladimir Putin al decir que «ha sido un líder, mucho mejor líder que nuestro presidente (Barack Obama)» y que tendría una «magnífica relación» con él si llegaba a ganar las elecciones. Putin devolvió el cumplido asegurando que Trump «por lo visto ha elegido su manera de llegar a los corazones de los electores (…) Claro que se comporta de forma extravagante, como todos vemos, pero creo que todo esto no carece de sentido, porque, en mi opinión representa los intereses de esa importante parte de la sociedad en Estados Unidos, que está cansada de las élites que llevan decenas de años en el poder. Trump simplemente representa los intereses de esas gentes sencillas» a las que «no les gusta la transferencia hereditaria del poder», en referencia a que

Hillary sucedería a su marido si ganaba en noviembre. Y Putin lo decía a finales de octubre.

Ni intercambiar halagos con Putin, ni merodear por las aguas cenagosas de Saddam o Kim Jong-un dejaron tocado a Trump. Cuando un líder populista toma carrerilla resulta indiferente lo que diga. Sus hinchas tienden a perdonarlo todo, porque es más intenso el odio al enemigo que el afán de analizar con detalle los devaneos absurdos en los que pueda incurrir su candidato. Cuestión de prioridades.

Pero esta vez, hablar de mujeres en el tono en el que lo había hecho Trump en aquella grabación le había llevado al límite a él y una parte de los que ya tenían casi cubierta su capacidad para soportar despropósitos sin sonrojarse. Sí, podía perderlos. La charla testosterónica se interrumpió cuando llegaron a su destino. Donald Trump y Billy Bush bajaron del autobús. Allí les esperaba la actriz Arianne Zucker, que nunca pensó en ser tan famosa en 2016 por algo ocurrido en 2005, cuando solo hizo un papel secundario, consistente en caminar cual damisela del brazo de aquellos dos varones aficionados a las charlas «de vestuario», como las calificó Trump de forma autoexculpatoria. «Bill Clinton me ha dicho cosas mucho peores en el campo de golf». Nadie lo duda.

Cosas que pasan: Billy Bush es miembro de la familia de los presidentes Bush. Fue despedido de la NBC pocos días después del escándalo. Se convirtió en la primera víctima del estúpido intercambio de frases machistas.

VERGONZOSO Y NAUSEABUNDO

La grabación puso la campaña del revés. Varios de los pocos dirigentes republicanos que aún le apoyaban dejaron de hacerlo. Entre ellos, el admirado senador por el estado de Arizona John McCain, que se jugaba el puesto el mismo día que Trump se jugaba la presidencia. Pero también huyó Paul Ryan, presidente de la Cámara de Representantes. De boca de los republicanos salieron expresiones de pavor sobre lo dicho por Trump para definir el estado de ánimo de quienes las pronunciaban: nauseabundo, ofensivo, inapropiado, indignante, humillante, degradante, vergonzoso, oprobioso, imposible de justificar…

Trump se convirtió en el pin-pan-pum de las asociaciones feministas. Varias mujeres optaron por salir a los medios a contar cómo Trump había intentado tocarlas, besarlas o incluso violarlas años atrás (en ocasiones, décadas atrás). Ironías de la vida y de la política, es el mismo merecido calvario que había sufrido Bill Clinton cuando otras mujeres le habían acusado de comportarse con ellas de manera mucho peor que inapropiada.

Hillary se mostró públicamente más indignada por las palabras de Trump sobre las mujeres que por los hechos de su marido con una larga colección de amantes. Hillary nunca dijo que su marido estuviera inhabilitado para ser presidente por haberse acostado con toda aquella dama que se lo permitió, o haberlo intentado con otras muchas que no se lo permitieron. Y, de hecho, Hillary no se divorció ni se separó de su marido. No, formalmente. El poder une.

Donald Trump, arrastrado por el tsunami, se revolvió como era de esperar que lo hiciera. En el siguiente debate organizó un *show* de los que son su especialidad. Horas antes consiguió reunir detrás de la misma mesa, a su lado y delante de la prensa a cuatro de las mujeres que años atrás habían denunciado a Bill Clinton: Juanita Broaddrick, Paula Jones, Kathleen Willey y Kathy Shelton. Golpe de efecto, que le debió costar un dineral, y a ellas les supuso un inesperado ingreso suplementario, cuando sus casos de acoso por parte de Clinton ya habían sido ampliamente exprimidos económica, mediática y políticamente dos décadas atrás. Espectáculo patético, pero efectista. Todo lo que es patético, efectista o ambas cosas tiene éxito televisivo. La gente lo ve con embelesamiento. Y si se mezcla la política, con mayor motivo.

Pero Trump dio un paso más. Invitó a esas cuatro mujeres al debate televisado. Incluso intentó que se cruzaran con Bill Clinton ante la mirada de los americanos. No lo consiguió, pero su presencia en las gradas mientras se enfrentaba a Hillary y mientras Bill miraba desde otra tribuna es uno de esas carísimas deudas pendientes que deja la política, y que se terminan por cobrar con intereses de usura. Aunque cualquier cosa es soportable si el premio es alcanzar de nuevo la Casa Blanca. Y el tándem Hillary-Bill suponía que aquel mal trago pasaría en cuestión de horas; que las cuatro mujeres que irrumpieron en sus vidas en otros tiempos, y que habían vuelto a pasearse ante sus caras como fantasmas que levitan, dejarían de estar en las primeras páginas de los periódicos en cuestión de horas; y que, sin embargo, el efecto de las bravuconadas machistas de Trump seguiría vivo durante mucho más tiempo: el necesario para hundir sus expectativas de voto. Aun así, nadie les iba a evitar el mal trago en el debate presidencial de 2016.

DEL INSULTO AL PODER

La descalificación política ha dado paso en los últimos años al insulto como arma de convicción de masas. Los líderes populistas, a izquierda y derecha, han utilizado la injuria y el agravio de forma masiva en mítines, debates y parlamentos. Llamar traidor o asesino al rival político (reconvertido en enemigo a eliminar) es parte destacada del discurso de aquellos que ofrecen soluciones instantáneas, expeditivas y fulminantes a problemas profundos, peliagudos y, a veces, irresolubles. Es la política del *trending topic*, más preocupada por el efecto inmediato de la frase trompetera que de arreglar la cosa pública, que es asunto más difícil.

Donald Trump es uno de esos virtuosos del insulto y desplegó unos cuantos en aquel debate en el que los dos candidatos entraron sin hacer siquiera el amago de estrecharse las manos. Y al que Trump había llegado después de acusar a uno de los dos moderadores, Anderson Cooper de la CNN, de ser demócrata. Esta es otra clave de los populistas: acusar a los medios y a los periodistas de ser los responsables de los problemas provocados por su propia incapacidad. Un clavo ardiendo a mano siempre resulta útil.

Durante los noventa minutos que duró el intercambio de golpes, los insultos recorrieron el escenario de un lado para el otro. «Esta mujer tiene mucho odio en su corazón», fue lo más lírico que dijo Trump. *Nasty woman* (mujer asquerosa o repugnante), le dijo. «Utiliza cualquier excusa para no hablar de cómo ha estallado su campaña», respondió Hillary en su intervención más moderada.

Se habló muy poco de las políticas para el país y mucho de los escándalos que acosaban a ambos. Y, sobre todo, de la grabación de Trump hablando de las mujeres. «Son solo palabras, son solo palabras», se justificó Trump. Y salió herido del debate, pero salió. Sus constantes vitales le mantenían en pie. Se había apoyado en un bastón que le daba seguridad: el historial de Bill Clinton. «Si se fijan en él (Bill Clinton estaba a pocos metros de Trump con gesto grave e inamovible), es un caso mucho peor. Lo mío fueron palabras, lo suyo fueron acciones. No ha habido nadie en la historia de la política de esta nación que haya abusado tanto de las mujeres. Lo pueden ustedes decir como quieran, pero Bill Clinton fue un abusador de mujeres (…). Le sometieron a *impeachment*, perdió su licencia para ejercer la abogacía y tuvo que pagar 850.000 dólares a Paula Jones, que hoy está aquí», disparó Trump.

Hillary podía decir muchas cosas sobre esto, pero entre sus opciones no estaba la de negarlo todo, porque todo era verdad.

De manera que optó por sobrevolar la compleja situación que tenía delante, perimetrando el asunto: «Mucho de lo que acaba de decir (Trump) no es cierto —obsérvese que no dijo que todo fuera mentira— (…). Como dice mi amiga Michelle Obama, cuando ellos caigan tan bajo, tú mantente arriba». El resto se resumió en un lanzamiento de puñal, devuelto con el lanzamiento de un machete, y así durante hora y media. Lo vieron ochenta y cuatro millones de americanos. En el primer debate se estrecharon las manos antes de empezar y al terminar. En el segundo, solo al terminar y con enorme desgana. En el tercero, ni antes ni después.

Las andanzas de Bill habían vuelto al escenario tantos años después. No podía ser una sorpresa. Nadie capaz de entender que la eme con la a es ma iba a imaginar que ese aspecto del pasado quedaría sellado bajo siete llaves. El equipo de campaña de la candidata demócrata tenía la maquinaria engrasada al efecto desde hacía más de un año. Que se hablara de la obra y milagros de Bill no era una opción, era una obviedad. La duda no estaba por tanto en si ocurriría, sino en cómo y con qué virulencia. Pero ¿por qué no había ocurrido lo mismo en la campaña del año 2000, cuando Hillary Clinton optaba a un puesto en el Senado por el estado de Nueva York?

En aquel momento, el caso Lewinsky aún estaba fresco en la memoria de la gente y era motivo de chanza en medio mundo. Algunos analistas americanos han concluido que Hillary tuvo entonces una campaña sin interferencias extramaritales de su marido porque el *impeachment* contra Bill había terminado en fracaso poco más de un año y medio atrás, y los republicanos preferían no remover el lodo que ellos mismos habían provocado, por si el fango pudiera ponerles perdidos de nuevo. El ya expresidente no solo había salido con vida del escándalo, sino que dejó la Casa Blanca con un nivel de aprobación muy elevado, y Hillary era vista con simpatía por los americanos por la forma en la que había actuado durante ese tiempo borrascoso.

En 2016 la memoria del episodio seguía presente, pero no tanto la de los contradictorios efectos políticos que tuvo. Y Trump pensaba, quizá con buen criterio de campaña, que sería efectivo su estilo de defenderse atacando, porque ese «y tú más» se fundamentaba en hechos incuestionables. Y, tan importante como eso, devolvía a quienes tenían la edad suficiente el recuerdo de una presidencia, la de Bill Clinton, marcada por una guerra política casi cruenta y permanente entre la Casa Blanca y el Congreso. Una guerra que muchos americanos se podrían plantear no repetir, ahora con Hillary en el papel protagonista. De hecho, la posibilidad de que se repitiera pudo ser uno de los motivos por los que Barack Obama ganó las elecciones primarias contra Hillary Clinton en 2008. El problema de ocho años atrás era un incordio en 2016. Pero el pasado no era algo que solo perjudicara a la candidata demócrata.

En esos días volvió a los medios una vieja historia de 1989. Trisha Meili, que tenía entonces veintiocho años, había salido a correr por el Central Park de Manhattan, y acabó en el hospital en estado de coma, al borde de la muerte. La habían golpeado hasta la extenuación después de violarla. Algún prodigio permitió a Meili sobrevivir a una muerte cierta. Cuatro jóvenes de raza negra y un hispano fueron condenados. Donald Trump, sediento de protagonismo como siempre a lo largo de su existencia, compró una página entera de publicidad en todos los periódicos de Nueva York exigiendo a las autoridades del estado la restitución de la pena de muerte, para ejecutar a esos chicos. Años después, esos chicos fueron declarados inocentes cuando el verdadero culpable asumió la responsabilidad del delito. Pero Trump nunca aceptó que aquella confesión fuera cierta y siguió acusando a los jóvenes exculpados porque quería aparecer como el gran defensor de las mujeres (y, de paso, atacar a unos muchachos que no eran de raza blanca).

Cuando se conoció la grabación de Trump hablando de mujeres, algunos recordaron la historia de Trisha Meili y los llamados «cinco de Central Park» para dañar aún más al candidato republicano. También se esperaba con interés la anunciada comparecencia pública de una mujer sin nombre conocido que aseguraba haber sido violada varias veces por Trump dos décadas atrás, cuando era una niña de trece años. Iba a ofrecer una rueda de prensa a cara descubierta seis días antes de las elecciones. Pero el acto fue cancelado bajo la excusa de que la mujer había recibido amenazas.

Para entonces, los emails de Hillary encontrados en el ordenador del irresponsable Anthony Weiner andaban revoloteando ya por las oficinas del FBI y habían saltado a los medios en el peor momento posible. La *October surprise* (sorpresa de octubre) iba a ser doble y en dos direcciones. Pero las dos tenían alguna relación más o menos cercana con escándalos sexuales: los emails encontrados en el ordenador del acosador de adolescentes Weiner, y las frases de orangután machista de Trump. Malditas nuevas tecnologías.

LAS REVELACIONES DE WIKILEAKS

Porque los emails de su servidor particular desviados al ordenador del marido de su principal asesora no eran los únicos correos que amenazaban con hacer descarrilar la campaña de Hillary Clinton. El portal WikiLeaks llevaba días publicando emails de contenido poco favorecedor para algunos de los responsables de la campaña demócrata, entre los que estaban el número uno del equipo de Clinton, John Podesta, y la número dos, Huma Abedin.

El líder de WikiLeaks, Julian Assange, llevaba por entonces cuatro años refugiado en la embajada de Ecuador en Londres, porque las autoridades judiciales de Suecia habían pedido su extradición. Le acusaban de violación y acoso sexual a dos mujeres en suelo sueco. Assange aseguraba que se trataba de una conspiración de la CIA para que el Reino Unido le entregara a Suecia y que Suecia, a su vez, le entregara a Estados Unidos para condenarle a muerte por revelar secretos que pudieron poner en riesgo la seguridad del país.

El día de junio de 2012 en que el fundador de WikiLeaks se encerró en la embajada de Ecuador confiaba en que un movimiento ciudadano mundial presionaría a las autoridades suecas y británicas para que se rindieran y renunciaran a su procesamiento judicial. Pero llegados al final de la campaña de las elecciones americanas, Assange seguía enclaustrado entre las paredes de la no muy amplia legación diplomática ecuatoriana por cuarto año consecutivo. Se contentaba con recibir filtraciones sobre Hillary Clinton y publicarlas, hasta que el gobierno de Ecuador, previsiblemente para no irritar más a Washington, optó por cortarle el acceso a Internet durante unos días. Pero ¿de dónde le llegaban las filtraciones que publicaba?

Definitivamente, a Hillary le hubiera resultado de gran ayuda que no se inventara Internet. Alguien, décadas atrás, puso mucho empeño y constancia en relacionar a los seres humanos mediante una red de comunicación tan novedosa. Y esa red se expandió. Y lo hizo gracias, entre otros motivos, a una decisión política adoptada por la administración de Bill Clinton en los primeros años noventa. Había que promover las que bautizaron como «autopistas de la información», y el encargado de dar el impulso fue el vicepresidente Al Gore, que, como todo vicepresidente de Estados Unidos, por definición no tiene nada que hacer.

En términos objetivos, nadie sabe muy bien para qué sirven los vicepresidentes de Estados Unidos. Su dura realidad es que la única utilidad que tienen es estar disponibles, tenerlos a mano, por si el presidente muere (ha ocurrido con varios) o dimite (ha ocurrido solo con uno: Nixon) durante su mandato.

Mientras eso no ocurre, los presidentes tratan de dar a sus vicepresidentes algo en lo que ocupar su tiempo, para que se entretengan, no molesten demasiado y no le quiten protagonismo. Clinton dio a Gore las autopistas de la información porque el simple concepto le debía de parecer una cosa curiosa y (visto en aquel momento) quizá inservible.

Pero, como bien dicen, cuando alguien inventa algo, en Estados Unidos se promueve, se incentiva, se ayuda al inventor, se le financia y se le aplaude, incluso cuando fracasa; en China copian el invento; y en Europa le ponen coto con regulaciones administrativas e impuestos. Y por eso el granero mundial del desarrollo tecnológico es Estados Unidos, mientras los demás (salvo los chinos, que se limitan a copiar) pagamos los royalties. Pero a Hillary aquel invento promovido por el vicepresidente de su marido se le fue de las manos.

La fiesta había empezado justo antes de la Convención Nacional Demócrata, y se había preparado a su medida. Su rival, Bernie Sanders, ya estaba entregado con las muchas armas y bagajes que había acumulado en su casi exitosa carrera de las primarias. El escándalo de los emails no estaba enterrado, pero sí recluido en un perímetro político teóricamente controlable por la sabiduría de sus estrategas de campaña y, sobre todo, por la inconmensurable capacidad política de Bill Clinton para enredar, maniobrar, ocultar y redirigir las crisis. Había mucho dinero disponible para los poco más de tres meses que quedaban hasta las elecciones del 8 de noviembre. Había elegido al senador Tim Kaine, un hispanófilo capaz de asegurar el voto de los hispanos y de ganar Virginia, su Estado, uno de los llamados *swing states*, de los que no está claro si «bailarán» con un candidato o con su contrario. Pero entró en juego WikiLeaks.

A pocas horas del inicio de la Convención Demócrata, la web de filtraciones colgó miles de emails de altos cargos del partido, en los que intercambiaban ideas sobre cuál sería la mejor fórmula para destrozar la campaña de Bernie Sanders en las primarias y favorecer a Hillary. Debbie Wasserman Schultz, presidenta del Comité Nacional Demócrata (DNC, en sus siglas en inglés), dimitió de inmediato. Si ser vicepresidente de Estados Unidos es una larga siesta que dura cuatro u ocho años (dependiendo del éxito del presidente), ser presidente del Comité Nacional de cualquiera de los dos partidos es casi como ocuparse de la logística, como el utilero en un equipo de fútbol. De hecho, muchos americanos supieron aquel día de la presencia en la Tierra de Debbie Wasserman Schultz. Ella era la responsable de lo que ya era conocido desde hacía tiempo: que la estructura del partido trataba de aupar a Hillary Clinton y derribar a Bernie Sanders. Pero ¿cómo llegaron aquellos emails a WikiLeaks?

La larga mano del Kremlin

La web de Assange funciona con las exclusivas informativas como la mayoría de los medios de comunicación. En buena medida, el mitificado periodismo de investigación es, en realidad, periodismo de filtración. Los grandes escándalos en países democráticos se hacen públicos porque a alguien le interesa que se conozcan y pone los datos en manos de algún periodista. Y ahí sí, una vez con los datos en la mano, el periodista profundiza en ellos mediante una investigación más o menos intensa. Pero sin filtración no suele haber investigación. ¿A quién le interesaba filtrar los emails del DNC? A Hillary, no. Y ya era un poco tarde para que le pudiera interesar a Sanders, porque sus opciones habían quedado por el camino hacía tiempo. Quizá tres o cuatro meses atrás aún le podrían haber abierto las puertas de la nominación. Pero llegados a la convención de finales de julio, todo el pescado que se había puesto a la venta ya estaba vendido de antemano. ¿Y qué tal a Vladimir?

El nombre de Putin siempre está a mano para darle lustre a cualquier buena teoría conspirativa. Un hombre que fue del KGB y que gobierna con puño de hierro, retocado con una pizca de barniz democrático-formal, es siempre un buen candidato para quedarse con el papel de malo de la película. Pero tan intensa fue la sospecha de veracidad que se dio a la especie, que Barack Obama llegó a convocar una reunión de expertos en seguridad de su administración para tratar el asunto. Si Rusia había *hackeado* los ordenadores del DNC es que algo se estaba haciendo muy mal. Las autopistas de la información promovidas por Clinton-Gore en los noventa eran un coladero para cualquier experto informático con malas intenciones. Y no hay servicio de inteligencia en el mundo que frecuente las buenas intenciones hacia sus enemigos.

¿Qué interés podía tener Putin en reventar la Convención Demócrata? Rebobinemos. Día 4 de diciembre de 2011. Los rusos estaban convocados a participar en las elecciones a la Duma, el parlamento del país. La Unión Europea y Estados Unidos fueron muy críticos con aquel proceso electoral. Se acusó a Putin de fraude, y el descontento en una parte de la sociedad rusa empezó a hacerse patente en las calles unos días después. Primero, con pequeñas manifestaciones. Más tarde, el 10 de diciembre, con la demostración de fuerza más importante de la oposición desde hacía veinte años. Las protestas se repitieron el día de Nochebuena, con muchos grados bajo cero en las calles de Moscú. Los manifestantes exigían la repetición de las elecciones y la libertad para los que consideraban como presos políticos. En el Kremlin temieron que aquel movimiento terminara por resultar tan exitoso como la llamada Revolución Naranja, que había puesto en jaque al gobierno de Ucrania unos años antes.

Putin estaba furioso. Unos jovenzuelos cuestionaban su poder. Y la culpa tenía nombre: Hillary Clinton («una mujer con pelotas», en terminología de algún diplomático ruso citado por la prensa americana). La entonces secretaria de Estado había cuestionado en esos días el resultado de las elecciones legislativas rusas. Desde Lituania, Hillary dijo que «el pueblo ruso merece que se escuche su voz y se cuenten sus votos, y eso significa que merece elecciones justas, libres y transparentes, y líderes que asuman sus responsabilidades». Ahí queda eso.

Putin acusó a la secretaria Clinton de dar dinero y respaldo político a los manifestantes, a los que a su vez denunció por recibir «apoyo del Departamento de Estado de Estados Unidos» para menoscabar su liderazgo. «Tenemos que protegernos de estas interferencias en nuestros asuntos internos», proclamó el presidente de la Federación Rusa. Putin llegó a protestar en persona ante Barack Obama por la actitud de Hillary Clinton, considerada especialmente dura hacia Rusia, incluso entre algunos de sus colegas de la Administración en Washington. Luego Putin se anexionó Crimea en 2013 («Putin actúa igual que Hitler en los años treinta», dijo Hillary), invadió el este de Ucrania en 2014, y se lanzó a la guerra de Siria en 2015. Todo ello, contra el criterio de Estados Unidos y de sus aliados.

Y en julio de 2016, Vladimir Putin observaba desde su despacho junto a la Plaza Roja de Moscú cómo su enemiga Hillary se acercaba al Despacho Oval de la Casa Blanca. Pudiendo perjudicar a Hillary y beneficiar a su alma gemela Donald, ¿por qué no hacerlo? Alguien en el servicio heredero de la KGB se debió de ganar un buen sobresueldo en aquel verano cuando acudió a ver a su excolega, el espía-presidente, y le puso sobre la mesa un montón de folios que conformaban el «Dosier DNC», el informe anti Hillary. En Rusia, la venganza siempre se sirve en plato frío, por obvias razones de temperatura ambiente.

En realidad, nadie sabe si es cierta esta tesis de la pista conspirativa rusa. Divertida sí es, y sirve para escribir novelas con efluvios de la Guerra Fría. Pero tampoco Putin podía demostrar que las manifestaciones de 2011 las organizaba Hillary desde Washington. La verdad es asunto muy menor en la política internacional, donde el interés particular es la única guía para actuar. Y a Hillary Clinton le interesaba dar pábulo a la pista rusa. Nada mejor para alimentar el patriotismo americano que reflotar los viejos aromas soviéticos. Muchos en Rusia y en Estados Unidos evocan con cariño los buenos viejos tiempos del pulso USA-URSS, cuando miles de misiles nucleares amenazaban nuestras cabezas, pero la estrategia de la mutua disuasión nos hacía sobrevivir día a día, y el mundo era más fácil de entender (los otros eran siempre los malos y nosotros, siempre los buenos) que en estos tiempos de yihadismo incontrolado. Esta línea de opinión tiene defensores muy firmes en ambos lados del mundo.

Pero hay un motivo más prosaico para entender por qué la campaña de Hillary Clinton creyó encontrar una buena noticia dentro de la mala noticia que incendió el inicio de la convención: había miles de americanos en estados clave para las elecciones de noviembre cuyo origen está en los países limítrofes con Rusia. Y cada voto cuenta, como pudo comprobar Al Gore en las elecciones del año 2000.

La relación de los responsables americanos con Vladimir Putin nunca ha sido sencilla. George Bush quiso hacerse el interesante al asegurar que él sí había conseguido «entender el alma» del presidente ruso. Hillary, por entonces senadora por el estado de Nueva

York, se puso burlona y dijo que «por definición, un agente del KGB (Putin lo fue) no tiene alma». Una broma poco diplomática para quien unos meses después sería elegida por el nuevo presidente Obama como responsable de la diplomacia americana.

Dos años después, en 2010, Hillary y Vladimir tuvieron la ocasión de intimar en una visita que la secretaria de Estado hizo a Moscú. Putin sacó su pulsión más aduladora y la llevó a visitar una de sus residencias en las afueras de la capital rusa, en la que, según cuentan, tiene una sala repleta de cabezas de animales cazados por el líder. Tanta galantería mal entendida solo era el preámbulo de una breve comparecencia posterior ante los medios, en la que Putin descargó su irá contra Estados Unidos por sus decisiones sobre asuntos comerciales.

Pasados los años y llegados al verano de 2016, ¿estaba Putin en condiciones de evitar la victoria de Hillary Clinton? ¿Lo pretendía? De momento, le bastaba con haber ayudado a que Hillary llegara a la Convención Demócrata con un sondeo según el cual el 68 por ciento de los americanos desconfiaba de ella. Lo que Putin quería con la supuesta filtración de los emails del DNC era demostrar su poderío ante quien parecía estar cerca de ser la presidenta de Estados Unidos: «Ojo, Hillary, que aquí estoy yo. Te espero. Sinceramente tuyo, Vladimir». Bienvenida a la Champions League. Y tú, Donald, también...

Se especuló con que cualquier día iban a publicarse correos electrónicos *hackeados* a los republicanos. Pero WikiLeaks ha demostrado en sus años de existencia que tiene un hilo de información muy fluido con Moscú para publicar documentos robados a Estados Unidos, porque no acaba de publicar nada relevante que pueda molestar a Rusia. Y allí, en Rusia, consiguió acogimiento el otro gran filtrador de los secretos americanos, Eduard Snowden.

A pocos días de las elecciones de noviembre los emails publicados por WikiLeaks ya habían pasado al fondo de armario de los asuntos polémicos de campaña, sin efecto real alguno. Y eran los emails de Hillary Clinton investigados por el FBI los que de verdad amenazaban a la candidata y los que podían reflotar las aspiraciones de Donald Trump. A esas alturas de la campaña ya no eran solo candidatos rivales, ni siquiera enemigos. Ahora se odiaban y buscaban la victoria por eliminación del adversario.

La noche del 8 de noviembre, los dos grandes protagonistas de esta increíble historia recordarían el episodio de los emails, porque el FBI había reabierto el caso unos días antes de las elecciones, había destrozado el intento de Hillary Clinton de acabar la campaña en positivo, había hundido sus expectativas, y cuando a cuarenta y ocho horas de las elecciones el Buró volvió a cerrar el caso, ya resultaba indiferente. El filo de la navaja había llegado tan adentro, que retirarlo ahora dañaba más que sanaba. En esa noche de gloria para Trump, los emails de Hillary eran solo una especie de *flash* que apenas se interponía levemente entre los datos del recuento, la angustia de quien lo iba perdiendo, y el entusiasmo (y se supone que el sentido de la responsabilidad) de quien lo iba ganando. Y no hubo que esperar para saber quién lo iba ganando.

Desde el principio, Donald Trump sumaba más votos que Hillary Clinton en los estados clave, los llamados *swing states*, esos que pueden bailar con republicanos o con demócratas, dependiendo de cuál de los dos candidatos esté dispuesto a ser más generoso con ellos; de cuál de ellos supiera captar mejor los deseos más íntimos de sus votantes. En algunos, el resultado era muy evidente, y no parecía haber marcha atrás. No la hubo, de hecho. Trump ganaba con holgura. En otros se imponía la prudencia, traducida en esa expresión tan propia de la política electoral americana, *too close to call*: demasiado igualado para anunciar la victoria de cualquiera de los dos contendientes. Varios estados se mantuvieron en esa situación durante largas horas de la madrugada, pero siempre con ventaja de Trump. Según avanzaba el recuento, no aparecía un solo indicio de que Clinton estuviera cerca de dar vuelta al resultado. Y no apareció. Donald Trump, empresario, lenguaraz, mujeriego, brillante operador de mercadotecnia, había derrotado a todos los políticos que se le pusieron enfrente durante un año y medio. No quedó uno solo en pie. Ni siquiera Hillary. Ni siquiera Bill. El imperio Clinton se había derrumbado. El imperio Trump, compuesto hasta entonces por hoteles, casinos, campos de golf, acciones en la bolsa y edificios de apartamentos, había tomado también la Casa Blanca. *Trump White House. Trump Oval Office. Trump Empire.*

6

¿POR QUÉ?

LOS VOTANTES DE DONALD TRUMP

«No sé mucho de Trump, pero sé demasiado de los Clinton. Este país tiene que volver a alinearse con Dios».

JAMES BRADY, setenta y cuatro años, de Tennesee

«Voté a Trump solo para decir: aquí estoy y debo ser tenida en cuenta».

DIANE MAUS, sesenta y uno, de Suffern, Nueva York

«Voté por Trump porque la prensa apoyaba descaradamente a Hillary».

LORI MYERS, cincuenta y uno, de Houston

«Soy una mujer estadounidense de raza blanca y trabajadora, y he encontrado la arrogancia de Hillary Clinton desde sus días en la Casa Blanca tan desagradable que cualquier cosa y cualquier persona, incluyendo a Donald Trump, tiene más atractivo».

LESLEY NEWMAN, cincuenta y tres, de Scottsdale, Arizona

«Trump es un *outsider*. Dice la verdad sobre la corrección política. Tiene unos hijos estupendos que le apoyan, y eso significa mucho para mí. Y, sobre todo, Trump no es un Clinton. Con mi voto he querido enviar un mensaje a Washington».

RHONNIE ENTERLINE, veintiocho, de Sacramento, California

«No soy un fan de Trump, pero le voté porque Hillary Clinton hubiera sido un peligro para la Constitución, y creo que el país no hubiera sobrevivido a su presidencia».

JAY MAYNARD, cincuenta y seis, de Fairmont, Minnesota

«No sé si Trump lo conseguirá. Pero he votado por él porque muchos políticos nos han dicho que el progreso y la globalización iban a suponer una mejora para todos, y eso no ha sido así».

ANDREAS NINIOS, cuarenta, de Washington DC

«He votado por Trump porque romperá el *statu quo* por el cual el gobierno cada vez tiene más, mientras el resto de Estados Unidos cada vez tiene menos. Y, además, pondrá en evidencia el cinismo de los medios de comunicación, una industria que prospera apelando a los peores instintos humanos».

MAX MORDELL, treinta, de Spring Valley, Nueva York

«Soy musulmana e inmigrante legal procedente de Turquía. Tengo la ciudadanía americana. He votado por Donald Trump, y lo digo con orgullo».

YASAR BRESNAHAN, sesenta, de Canton, Georgia

«Voté por Trump porque voté por la gente, porque Trump era la elección evidente de la mayoría silenciosa».

KIRSTEN JOHNSON, treinta y uno, de Minneapolis, Minnesota

«He votado por Trump porque deportará a más inmigrantes ilegales que Clinton. Soy un inmigrante legal que ha esperado trece años para que me aprobaran mi permiso de trabajo, he superado dos controles sanitarios y un examen de inglés antes de conseguir la autorización para entrar en Estados Unidos. Y ver cómo muchos inmigrantes ilegales se aprovechan del sistema de bienestar me hace hervir la sangre».

NICK FLORES, treinta y nueve, Sacramento, California

«Trump dice lo mismo que pensamos las personas corrientes, pero que nos sentimos culpables de decir por culpa de la corrección política. Mi deseo de que ganara era mayor cada vez que veía lo que se decía en los medios, y veía a las celebridades apoyar a Clinton».

NICOLE CITRO, cuarenta y siete, de Burlington, Vermont

«Soy blanca, soy mujer, soy partidaria del aborto libre, he recibido buena educación y he votado por Donald Trump. El gobierno se debe gestionar igual que una empresa. Tan simple como eso. Su forma degradante de hablar sobre las mujeres me molesta, y su opinión sobre el calentamiento global es distinta de la mía. No estoy al cien por cien de acuerdo con Trump, pero estoy convencida de que podrá liderar la nación. Soy parte de la mayoría silenciosa».

ERIN KEEFE, veintidós, de Manchester, New Hampshire

«Toda mi familia (cinco musulmanes inmigrantes procedentes de Turquía) hemos votado por Trump en Florida por el trato del Partido Demócrata hacia los musulmanes».

DENIZ DOLUN, veintidós, de Boca Ratón, Florida

«Siento una enorme fatiga de los Clinton. Yo hubiera votado por Bernie Sanders, aunque no coincido con él en casi nada. Pero parece honesto, defiende sus principios y no pretende enriquecerse».

HOWARD GASKILL, setenta y siete, de Georgetown, Delaware

«Me preocupan los inmigrantes indocumentados y la tendencia del

Partido Demócrata a dar y dar a todo el mundo. La clase media está en pésimas condiciones. No he tenido una subida de sueldo en diez años».

DEBRA KNOX, sesenta y uno, de Shallotte, Carolina del Norte

«Debemos revertir la tendencia hacia el socialismo, y ¿quién mejor para hacer ese cambio que un capitalista?».

GEORGE ERDNER, sesenta y cinco, de Duluth, Georgia

«Estados Unidos debe tener un presidente que sepa delegar y entender los asuntos complejos, la negociación y el liderazgo. Por eso voté a Donald Trump».

HELENE BERKOWITZ, que vive en Israel

«No creo que Trump sea racista, ni misógino, ni homófobo. Creo que se centrará en mejorar la economía para los ciudadanos y para las empresas».

JIM BARNACLE, sesenta y seis, de Harrisburg, Pennsylvania

«Voté por Trump porque la parte de América que cultiva vuestra comida, produce vuestra energía y pelea en vuestras guerras cree que el país necesita corregir su curso».

DANIEL TRAYNOR, cuarenta y seis, Devils Lake, Dakota del Norte

«No podía dejar pasar el escándalo de los emails, ni lo que ocurrió en Benghasi con Hillary Clinton. Mi hijo está en el ejército. No podía votar por ella. Creo que Trump es sincero cuando dice que ama al país y cuando muestra su deseo de que mejore. Quiero darle una oportunidad».

LAURA JOHNSON, cuarenta y nueve, de California

«Soy lesbiana y voté por Trump porque me opongo al movimiento de la corrección política, que se ha convertido en una ideología fascista de silencio e ignorancia. Después de meses de idas y venidas, decidí escucharle directamente y no hacerlo a través de las declaraciones que filtraban los medios de comunicación».

SAMANTHA STYLER, veintiuno, de Gilbert, Arizona

«Estoy de acuerdo con las ideas de Trump sobre los acuerdos de comercio, con la posibilidad de que él elija a los magistrados de la Corte Suprema, y su apoyo a las ciudades del interior del país. Y los documentos de WikiLeaks proporcionan las razones más importantes para la derrota de Hillary Clinton».

MARC GRATKOWSKI, cuarenta y seis, de Scranton, Pennsylvania

«Voté contra Hillary Clinton y a favor de Donald Trump porque ella puso en riesgo la seguridad nacional poniendo información en una cuenta personal de correo electrónico».

MARILYN WEYDERT, setenta y cuatro, de Kenosha, Wisconsin

«Creo que Trump es inteligente y tiene la oportunidad de hacer cosas buenas para Estados Unidos. Él es más un hombre que hace cosas que un político».

RON SEXTON, sesenta y uno, de Tustin, California

«El Partido Demócrata y los principales medios de comunicación habían escogido a su candidata y nos estaban manipulando. Me alegro de que no se salieran con la suya».

HOSANNA CROWELL, cuarenta y cinco, de Boston, Massachussets

«Voté por Trump porque me va a devolver mi país y va a proteger a los americanos. Soy mujer y no me han molestado las cosas que dijo de las mujeres. Yo misma a veces digo cosas peores».

DONNA HASTLY, cincuenta y dos, de Birmingham, Alabama

«He votado porque quiero que Trump baje los impuestos».

HENRY CRAIG, cuarenta y ocho, de Peoria, Illinois

«He votado a Donald Trump porque no me fío de Hillary. Antes de las elecciones no me atrevía a decirlo, pero ahora he podido salir del armario».

LINDA NORMAN, sesenta y cuatro, de Cedar Rapids, Iowa

LOS SESENTA Y TRES MILLONES DE DONALD TRUMP

Y así, Donald, conseguiste el voto de más de sesenta y tres millones de ciudadanos de los Estados Unidos de América. Uno tras otro. Uno junto a otro. Fueron sesenta y tres millones de voces escritas en una papeleta, o señaladas a través de alguno de los sistemas informáticos utilizados para votar, y que fueron recogidas por los medios de comunicación americanos después de tu victoria, como las que acabamos de leer. Voces que ya se consideraban a sí mismas inaudibles, porque creían que su gobierno había optado por ignorarlas. Voces de los pueblos y de las ciudades, Donald. Voces de ancianos y de jóvenes. Y voces de un cruce de razas y creencias que optaron por el voto visceral; por votar a voz en grito, a la espera de que, esta vez sí, el *establishment* y la élite pusieran el oído. Y lo pusieron. A la fuerza. Y resultó atronador. Estrepitoso. ¿Verdad, Donald?

Tú, Donald, y esos desconocidos ciudadanos llamados Linda Norman, Henry Craig, Donna Hastly, Hossana Crowell, Ron Sexton, Marilyn Weydert, Marc Gratkowski, Samantha Styler, y todos los demás, hasta sesenta y tres millones, derrotasteis a Hillary y a Obama, al Partido Demócrata y al Republicano, a la prensa y a los gobiernos europeos, a los sondeos y a la ideología (la dictadura, como os gusta llamarlo) de lo políticamente correcto, a las élites y a los que van de listos. No quedó piedra sobre piedra. No dejasteis en pie uno solo de los mitos electorales que se fueron apilando sobre la mesa de historiadores, sociólogos y analistas políticos a lo largo de los doscientos cuarenta años de democracia ininterrumpida en Estados Unidos. Todo es nuevo desde el 8 de noviembre de 2016. Las claves han cambiado. Los que os sentíais derrotados de por vida, ganasteis. Los que se consideraban dueños vitalicios de la victoria, perdieron. Nada fue como parecía. Lo conseguiste, Donald.

Las mujeres, aparentemente humilladas por tus cretinas palabras hacia el género femenino, apenas modificaron su voto. Solo perdiste un 2 por ciento de mujeres frente a lo que había conseguido el anterior candidato republicano, Mitt Romney. Y tu rival, Hillary, la defensora de los valores feministas, que aspiraba a romper el «techo de cristal» para ser la primera presidenta de la historia, tuvo incluso un 1 por ciento menos de votos de mujeres que Barack Obama. ¡Qué éxito más increíble, Donald! ¡Decir lo que dijiste de las mujeres y, sin embargo, conseguir su voto para ser presidente!

Sin embargo, a ti, Hillary, las mujeres te abandonaron. Es cierto que las mujeres negras, no. Ellas te siguieron con fidelidad y te votaron casi en el 95 por ciento de los casos. Incluso las hispanas te creyeron, Hillary. Ellas te votaron casi en un 70 por ciento. Pero no eran suficientes. Porque las de tu raza, las mujeres blancas, se fueron con él: votaron por Donald Trump en un 53 por ciento. Sí, votaron por aquel que dijo que «cuando eres una estrella, las mujeres te dejan hacerles lo que quieras (...). Las puedes coger por el... y hacer lo que quieras». Sí, Hillary, votaron por aquel que te insultó en los debates, diciendo que eras *nasty* (asquerosa, repugnante, desagradable). Sí, Hillary, en total votó por Donald el 42 por ciento de las mujeres. Ellas te abandonaron.

Y te abandonaron los hombres. ¿Qué les habrás hecho a los hombres, Hillary? Apenas conseguiste el 41 por ciento del voto masculino, mientras que él, Donald, el macho alfa, se llevaba el 53 por ciento de la testosterona electoral disponible. Quién podía pensarlo...

Y también te abandonaron los jóvenes, Hillary. Sí, es cierto que te votaron más a ti que a Donald. Pero habían votado mucho más a Barack de lo que te votaron a ti. Perdiste cuatro puntos de votantes menores de veintinueve años. ¿Por qué, chicos? ¿Por qué lo hicisteis?

¿Por qué huisteis de Hillary? ¿Por qué, sobre todo, en Florida y en Pennsylvania, donde más os necesitaba? Allí no podía ganar sin vosotros, frente a una mayoría de personas de más de sesenta y cinco años que entregó a Trump la victoria y los votos electorales en disputa.

Y también te abandonaron las clases medias, Hillary. A Barack le había votado hace cuatro años el 60 por ciento de los que ganan menos de 50.000 dólares al año. ¿Por qué a ti solo te votó el 52 por ciento? ¿Y por qué el 41 por ciento de los americanos que gana menos de 30.000 dólares al año entregó su voto a un multimillonario fanfarrón? ¿Por qué? Ellos conforman la clase media trabajadora de Estados Unidos. Ellos son de los vuestros. Tú los conoces muy bien. Bill los conoce muy bien, porque vivió entre ellos, nació con ellos y creció en sus barrios. Y fueron ellos quienes le dieron la presidencia en 1992 y a ti la posibilidad de ser la primera dama y luego senadora. Y ahora, Hillary, resulta que un hombre de negocios y muy rico se erige en representante de la clase trabajadora. Los tiempos están cambiando.

LOS HISPANOS QUE ABANDONARON A HILLARY

Y los hispanos… ¿Por qué tampoco te quisieron los hispanos, con lo bien que los trataste durante la campaña? Y después de situar como tu candidato presidencial a un congresista que habla español… Sí, Hillary, también ellos te abandonaron. Perdiste un 6 por ciento de los votos hispanos que habían apoyado a Barack cuatro años atrás (71 por ciento frente a 65 por ciento). Y, lo peor: Donald se llevó un 2 por ciento de esos votos perdidos.

Es curioso, Donald. Nadie pensó que eso pudiera ocurrir: el 29 por ciento de los hispanos que disponen de derecho a voto lo depositó a tu favor. A favor del hombre que acusó a los mexicanos de ser vendedores de drogas y hasta de violadores. Te dieron su voto a ti, que prometiste expulsar a once millones de inmigrantes ilegales, y que aseguraste que levantarías un muro de costa a costa en la frontera con México. Sí, un 29 por ciento de hispanos votó a tu favor, Donald, y en contra de ti, Hillary. Y los hispanos resultaban ser determinantes (una quinta parte de la población) en no menos de cuatro estados en los que se podían decidir las elecciones, incluido Florida.

Y no hay complejos al explicarlo, Hillary. Luis Quiñones es un estrecho colaborador de Donald. Lo ha sido durante la campaña y en el equipo de transición poselectoral. Es nieto de un español de León, miembro destacado de la comunidad hispana en Estados Unidos. Consultado para este libro, Quiñones nos explica sin recato que «Trump habló con franqueza a los hispanos, y dijo lo que muchos piensan. Porque están preocupados por lo que llaman "la invasión del país". Los nuevos ilegales no tienen cultura, ni educación, ni preparación, ni valores morales. Tienen muy malas costumbres que avergüenzan y dejan en mal lugar a los que hemos trabajado tanto tiempo para ser aceptados. Alcaldes y líderes comunitarios tienen que implorar a los recién llegados que no orinen en la calle, en los autos o en las paredes de negocios. Muchas de esas personas cometen violaciones o matan a alguien durante una pelea. Las cárceles de los condados y las ciudades han visto un crecimiento de prisioneros latinos de más del 600 por ciento. El crimen más extendido es el de abusos sexuales a menores, seguido de las peleas, y de manejar (conducir coches) repetidamente bajo los efectos de alcohol o las drogas. También hay muchos delitos de posesión de drogas».

Quiñones es muy firme en sus postulados, Hillary. Y, a la vista del resultado de las elecciones, debemos suponer que hay muchos hispanos y muchas mujeres que opinan lo mismo. Él te lo explica: «Los latinos, y también las mujeres, vieron las palabras de Trump como un ataque, no contra ellos en general, sino solo contra los indeseables de nuestra sociedad. Hay un problema que reflejan los sondeos, y es la práctica de algunas mujeres hispanas que entran ilegalmente en Estados Unidos y deciden tener muchos hijos de varios hombres para así vivir de la ayuda del gobierno. Los informes médicos indican que las recién llegadas tienen de cinco a siete hijos de cuatro o cinco hombres distintos, una práctica que reflejan los estudios de la OEA y Naciones Unidas, indicando que las mujeres más pobres y sin educación escolar tienen de siete a nueve hijos de cuatro o más hombres. La diferencia es que en nuestro país ellas reciben cuidado médico, dinero cada mes, estampillas (ayudas públicas) para comida, vivienda y, en ciertos casos, un automóvil para que se movilicen y consigan trabajo. Esas personas no han contribuido con sus impuestos». Eso piensan, Hillary.

Pero dicen más cosas, Hillary. No lo vas a creer, pero lo que cuenta Luis Quiñones tiene su efecto en la gente que vota. También, en esos millones de hispanos que se suponía que te harían presidenta: «Conozco a veintidós hispanos que perdieron su empleo, en los que llevaban quince o más años, porque inmigrantes ilegales recién llegados se ofrecieron a trabajar por menos de la mitad del sueldo que recibían los que llevaban más tiempo y tenían más experiencia. La conducta de los ilegales también enoja a muchos hispanos. Los reportes de latinos afectados por el trabajo barato es preocupante, y hay muchos que perdieron sus casas o sus autos y terminaron en la ruina porque no pudieron conseguir empleo, salvo que aceptaran menos de la mitad de lo que ganaban antes».

Si eso es así, tal y como lo explica Luis Quiñones, quizá, Hillary, faltaron mensajes hacia esas personas durante tu campaña. Pero no solo hacia los hispanos de larga trayectoria en Estados Unidos, que ya se sienten americanos como los blancos, igual que el propio Quiñones. Tampoco los negros, Hillary. Ellos, tampoco. Y todavía recordamos cuando, allá por los noventa, en Estados Unidos decían que Bill, tu marido, era el primer presidente negro, por lo bien que trató a los afroamericanos… No es que Donald hiciera un gran negocio electoral con los votantes de raza negra, aunque sí consiguió más que Romney: pasó del 6 al 8 por ciento de voto negro. Pero ¿por qué tú, Hillary, perdiste cinco puntos con respecto a lo alcanzado por Barack en 2012 (93 por ciento frente a 88 por ciento)? ¿Por qué los negros no se entusiasmaron contigo? ¿Por qué no se movilizaron para frenar a un candidato que tenía asesores abiertamente racistas, y apoyado en público por el Ku Klux Klan? Y ellos, los negros, saben que cada voto cuenta. Tú también lo sabes ahora.

¿Cómo lo conseguiste, Donald? ¿Cómo lograste que apenas votara por Hillary el 34 por ciento de los americanos que viven en pueblos pequeños y zonas rurales, cuando a ti te votó el 62 por ciento?

Y, qué humillación para Hillary… El 9 por ciento de los votantes que se declaran demócratas también te dieron su voto, Donald. Y tú, Hillary, solo robaste a Trump el 7 por ciento de los votos de partidarios republicanos. No son cifras tan elevadas, pero parecen un pellizco innecesario, añadido a una tortura insufrible de datos. ¡Qué cosas! Un 10 por ciento de electores autodeclarados «progresistas» votaron por Donald. Un 41 por ciento de autodeclarados «moderados» también votaron por Donald, aunque cueste incluir las palabras «moderado» y «Trump» en una misma frase. Y, sí, Hillary, el dato definitivo: una mayoría de americanos considerados «independientes» se fueron con Donald: 48 por ciento frente a 42 por ciento. En qué estarían pensando…

¿Y en qué pensarían los protestantes (58 por ciento frente a 39 por ciento) y los católicos (52 por ciento frente a 45 por ciento) para votar mayoritariamente por Trump? Claro que si los dividimos por razas, el resultado es aún peor: el ¡81 por ciento! de los cristianos americanos blancos te ignoró en las urnas, Hillary. Solo te quedaron los judíos, siempre fieles a los demócratas (71 por ciento por Hillary y 24 por ciento por Trump).

También te despreciaron los casados (53 por ciento frente a 43 por ciento), los militares (61 por ciento frente a 34 por ciento), y los que perdieron su empleo debido a los acuerdos de comercio (65 por ciento frente a 31 por ciento). Incluso más americanos creyeron que tú, Donald, serías mejor comandante en jefe que tú, Hillary.

Sí, Hillary, es cierto que las personas con mejor nivel educativo te siguieron hasta el final, pero no tantos como esperabas. ¿Por qué crees que el 45 por ciento de los graduados universitarios pudo votar por alguien como Trump? ¿Y por qué hicieron lo mismo más del 50 por ciento de los que no tienen educación universitaria? ¿Por qué le votaron a él y no a ti? Pero, y sorprendente Donald, resulta que casi la mitad de los graduados universitarios blancos votaron por ti, y también lo hicieron el ¡67 por ciento! de los blancos sin título académico superior. ¿En qué están pensando, Hillary? ¿Qué esperaban esas personas de clase media y baja de Donald que tú, progresista de casi toda la vida, no pudieras darles? Ya lo advirtió Rush Limbaugh, uno de los comentaristas más cercanos a la extrema derecha republicana: estabais provocando a la gente con vuestro desdén hacia los votantes poco informados. Ellos también existen. Y se vengaron el 8 de noviembre en las urnas.

¿Y los blancos, Hillary? ¿Por qué los blancos? Pues sí, también huyeron de ti los blancos. Donald se llevó el 62 por ciento de sus votos. Un desastre, Hillary.

Maricruz Magowan, hispana de origen boliviano y ciudadana americana desde hace tres décadas, es una entusiasta activista en favor de Donald Trump, y no tiene dudas en su explicación: «Millones de americanos se vieron poco a poco relegados a un segundo plano porque el concepto de diversidad se definió de forma errónea: ser de raza blanca se convirtió en un problema, y fueron tildados inmediatamente de racistas, ignorantes, miopes de mente… Un porcentaje alto de ese grupo social está compuesto por personas de clase trabajadora, evangelistas y veteranos. Muchos de ellos no habían votado en las últimas tres o cuatro elecciones presidenciales, porque no vieron una razón para hacerlo. Ahora han visto en Trump a un hombre que no solo se acordó de su existencia, sino que los valoró y les dijo que les devolvería otra vez el país que ellos conocieron. Un país que será grande de nuevo».

LOS BLANCOS Y EL RACISMO

Charles Nichols, de cuarenta y un años, funcionario, votó por Obama en 2008 y, por supuesto, no se considera racista. En 2016 votó por Donald Trump, «cansado de que se acuse de racismo a cualquiera que sea blanco» y «confiado en que el nuevo presidente pueda crear puestos de trabajo y dar la batalla al terrorismo». Nichols está feliz porque «por fin, con esta victoria, se termina con esa desagradable sensación de sentir miedo de hablar, con el riesgo de que cualquier cosa que digas sobre asuntos raciales se malinterprete porque eres blanco. Ser blanco no puede convertirse en algo malo».

Megan Johnson, treinta y cinco, administrativa de una empresa del sector de la distribución alimentaria, se considera parte de una porción de la sociedad americana, que niega ser del llamado «nacionalismo blanco», pero que sí cree que con la victoria de Trump es más cómodo tener piel blanca en Estados Unidos. «Estoy harta de lo políticamente correcto, de que me acusen de beneficiarme por ser blanca. Trump ha roto esa muralla y ahora me siento libre de hablar».

Chris Connor, cuarenta, pequeño empresario, optó por montar su propia empresa después de fracasar en su intento de conseguir un puesto en la Administración Federal. «Sobrepasé con creces las condiciones exigidas, pero ocupó el puesto alguien que pertenecía a una minoría: un afroamericano. La Ley de la Discriminación Positiva (*affirmative action*, en inglés) solo es positiva si no eres blanco. Por eso voté a Trump».

Y gracias a ese voto, Hillary, Donald ha podido colocar como jefe de su estrategia política a un tipo tan desenvuelto como Stephen K. Bannon. Le acusan de ser un racista, pero él y los suyos se hacen llamar «plataforma de la derecha alternativa» (*alt-right*). Ahí queda eso. Ya sabes, Hillary, que a los extremistas, sean del lado que sean, les encanta calificarse como alternativos. Ya no se es un fascista, sino de la derecha alternativa. Ya no se es comunista, sino de la izquierda alternativa. Los que odian lo políticamente correcto también saben encontrar eufemismos políticamente correctos para definirse.

Y no es un idiota. No lo es, Hillary. Este tal Bannon consiguió su graduación en la escuela de negocios de Harvard, y trabajó en un puesto importante en Goldman Sachs, además de producir películas. Luego trabajó en una web llamada *Breitbart News*, y en un programa de radio. Y llenó ambos, la web y el programa, de voces que, por ejemplo, advertían al mundo de la inminente invasión islámica que «de hecho, ya casi se está produciendo en Europa», según su testimonio. Es el «fascismo islámico», como lo ha calificado. También hay voces que criticaban a las feministas, a los homosexuales y a los negros que defendían apasionadamente sus derechos. ¿Parece un mensaje imposible de compartir? Parece que no, Hillary. ¿Verdad que muchos lo compartieron, Donald? Muchos lo comparten, de hecho. Y no solo en Estados Unidos.

Porque las cosas son más complejas de lo que parecen. O quizá no. Quizá sean más simples. Porque Bannon eligió en su día como asistente personal a una mujer de raza negra, y no a un hombre de raza blanca. Porque, aun habiendo sido acusado de antisemita, quienes le conocen aseguran que hay judíos en su familia.

Ya nada es tan burdo ni vulgar (ni tan directamente criminal) como el Ku Klux Klan quemando cruces en medio de un campo de Georgia antes de salir de caza a matar a un negro, como en aquellos tiempos del siglo XX. Ahora las cosas se han sofisticado, Hillary. Donald ha elegido a Bannon por eso, por su sofisticación. Por tener en la cabeza un método bien estructurado para conformar un estilo populista, en el que el extremismo no lo es todo, sino apenas una parte. Porque los extremistas, por sí solos, no ganan elecciones. Hace falta recoger el voto de muchas personas que tienen determinadas ideas simples pero muy firmes en su cabeza, a la espera de que un líder sea capaz de sacarlas de ahí y convertirlas en votos. Tan sencillo como eso. Y tan difícil. Tú has sido ese líder, Donald.

LA VICTORIA DE LOS OLVIDADOS

No, Hillary, Bannon no es tonto. Y quien le ha nombrado, tu examigo Donald, tampoco lo es. Cuando la revista *The Hollywood Reporter* le entrevistó, Bannon se definió con pocas ambigüedades: «No soy un nacionalista blanco. Soy nacionalista. Nacionalista económico», y dibujó su plan para conformar una coalición de votantes en torno a Trump, que incluyera no solo a los blancos, sino también a un sector de negros e hispanos, atraídos por el mensaje populista. «Estas elecciones las han ganado los hombres y mujeres olvidados de este país (…). Los medios y las élites no entendieron el profundo deseo de esa gente por retomar el control de sus propias vidas. Esta victoria es su victoria». Eso dice Bannon, Hillary. Eso dice.

Es lo mismo que piensan otros ideólogos menores de ese mismo espacio sociopolítico, Hillary. Como Richard Spencer, un joven de Montana, que pasa por ser uno de los líderes del *alt-right*, y que alguna vez se atrevió a proponer, en contra de todas las normas de corrección política y hasta legales, un método «pacífico de limpieza étnica» cuando se trata de la inmigración. Porque «la victoria de Trump ha sido una revuelta de americanos blancos de todas las clases sociales contra la corrección política». Eso dice Spencer, Hillary. Eso dice, Donald.

Y entonces, Spencer reunió a los suyos en Washington. Querían salir del armario; dejar de ser un grupo casi clandestino para convertirse en un *lobby* público. Eran más de doscientos, jóvenes en su mayoría, que consideran a Estados Unidos un país propiedad de los blancos. Tanta pasión desplegó Spencer en su discurso (incluso utilizando expresiones en alemán) que cuando terminó, algunos brazos se levantaron con la mano estirada para componer el saludo nazi, mientras en la sala se gritaba: «*Hail the people! Heil victory!*».

Y esos mensajes, apenas controlados, se traducen en un descontrol de otros que no quieren controlarse tanto. Como los que piden, escucha bien Hillary, que «el odio de los blancos hacia sí mismos es una enfermedad y hay que declararse abiertamente partidarios de los blancos y contrarios a la diversidad y a las fronteras abiertas. Tiene que terminar el genocidio blanco». O los que, parafraseando el lema de Trump *make America great again* (hagamos a América grande otra vez) dicen ahora *make America white again* (hagamos a América blanca otra vez). No tienen medida, Hillary. No la tienen. Pero han ganado.

Si las cosas son así, Hillary; si hay tantos americanos enfadados, hastiados, irritados; si ellos piensan que la culpa es de los que son como tú, de aquellos a los que tú representas; si los blancos se sienten acosados por la corrección política; si los hispanos con larga trayectoria en Estados Unidos se creen tan inseguros como los blancos frente a la inmigración latina; si los negros no están suficientemente comprometidos como para defender sus derechos con un voto masivo; si las mujeres no eligen a una mujer cuando tienen la oportunidad de hacerlo, y sí a un hombre con actitudes machistas; si los jóvenes no se entusiasman y se niegan a votar por el menor de los males; si los trabajadores de clase media y baja no se creen defendidos por ti, sino por él; si el campo te odia y las ciudades no se movilizan lo suficiente como para contraponer sus votos a ese odio… quizá, Hillary, es que no podías ganar. No podía ser.

¿Era Hillary una buena candidata?

Quizá, es posible, quién sabe, acaso, Hillary, no fueras tan buena candidata como la élite sugería. Como los analistas más distinguidos decían. Como el Partido Demócrata aseguraba. Como los medios de comunicación tradicionales de Nueva York y Washington daban por hecho. Como tú misma pensabas.

Y perdiste. ¡Qué duro, Hillary! Aquella noche del 8 al 9 de noviembre, todos esperábamos que, en la derrota, salieras a dar la cara en un arrebato de dignidad y orgullo democráticos, como siempre hicieron los perdedores: reconocer públicamente la victoria de tu contrincante y ponerte a su servicio, si el país lo requiere. Altura de miras, grandeza histórica. Pero no, Hillary. Los tuyos se quedaron huérfanos de ti. Vieron salir a aquel estrado preparado para la presidenta electa a su jefe de campaña, el enjuto John Podesta. Su sonrisa era la de quien acaba de recibir un puñetazo inesperado en la boca del estómago, y que más que sonreír solo es capaz de mostrar una mueca, mientras espera que transcurra cuanto antes un largo minuto para recuperar el resuello y llenar sus pulmones de oxígeno.

¿Dónde estabas, Hillary? Te imaginábamos llorando sin consuelo en tu habitación. Gritando a las paredes tu desgracia. Quizá estabas sola, o quizá te acompañaba Bill, que sabe mucho de momentos trágicos. Como tú. Quizá estaba también Chelsea, abrazándote con fuerza para detener tus pasiones autodestructivas en un momento como ese, de gran desaliento y profunda depresión. Quién no se ha querido golpear la cabeza contra la pared alguna vez en la vida… Quién no lo ha hecho alguna vez en la vida… Cuando las expectativas a las que uno mismo se obliga son demasiado altas, la caída se produce desde muy arriba y abajo no hay con qué amortiguar el golpe.

Algunos creen que no saliste a hablar aquella noche porque no querías llorar en público. Nunca has querido que te vean así. Bastante derrotada estabas ya como para, además, dejar una imagen patética en la memoria histórica del mundo. Ese regalo no se lo harías a tus enemigos. Y son tantos…

Lo tenías todo preparado en el Jacob K. Javits Convention Center de Manhattan, frente al río Hudson, y muy cerca del Lincoln Tunnel, el túnel que cientos de miles de personas utilizan cada día para ir de Nueva Jersey a Nueva York y viceversa. Allí se iba a producir tu ascensión a los cielos del poder mundial. Pero apareció Podesta, consumido, y animó a tu gente a irse a casa a dormir un poco, porque esa noche no habría nada que celebrar. Un chasco.

LA NOCHE DE TRUMP

Tú, Donald, parecías tranquilo cuando apareciste en el escenario con toda la familia y con tu llamativa corbata roja republicana, siempre más larga de lo que las normas de la elegancia recomiendan. Más que ganar la presidencia pareciera que acababas de cerrar un contrato para construir otro rascacielos con tu nombre en la entrada principal. Teníais todos un aspecto estupendo, aunque ya era tarde: casi las tres de la madrugada. El joven Barron Trump, tu hijo pequeño de solo diez años, parecía algo despistado a tu lado, con aquella corbata blanca de primera comunión. Tenía sueño. Normal.

No te fiabas del resultado, o quizá esperabas que Hillary se hubiera rendido de una forma un poco más explícita y pública que con una simple llamada telefónica privada. Aunque fue amable contigo, eso se lo tienes que reconocer. Hillary sabe hacer esas cosas cuando no le queda otro remedio que hacerlas.

Eso sí, Donald, no tenías muy trabajado tu discurso. Reconócelo. Quizá porque a ti te pasaba lo mismo que a los demás, que dabas por hecha tu derrota y, siendo como eres hombre ocupado, no tenías que perder el tiempo ni hacérselo perder a nadie preparando un detallado discurso de presidente electo para la historia.

«Ha llegado el momento de que América cierre las heridas de la división. Tenemos que unirnos», dijiste. ¡Cuánta razón tenías! Después de romper al país en dos mitades durante una campaña electoral cargada de los peores instintos, uno de los dos responsables de la fractura, tú mismo, pedía a todos que ayudaran a recomponer el jarrón y dejarlo como nuevo, cuando había quedado hecho añicos. Ahora no iba a ser fácil recoger la pasta de dientes derramada y devolverla al interior del tubo. Y era culpa tuya, Donald, aunque no solo tuya. Pero también tuya.

Y en tus palabras quisiste dejar claro eso que ya había dicho tu amigo Bannon, que «lo nuestro no ha sido una campaña sino un enorme e increíble movimiento, en el que participan millones de hombres y mujeres que trabajan duro, que aman a su país y que quieren el mejor futuro para sí mismos y para sus familias». ¿Quién podría no estar de acuerdo con desear lo mejor para la familia? «Un movimiento —dijiste— formado por estadounidenses de todas las razas, religiones, antecedentes y creencias, que quieren y esperan que nuestro gobierno sirva a la gente». Sí, la gente. ¡Cuántos portavoces y representantes le ha salido a la gente en medio mundo últimamente! Por lo que parece, los que votaban antes de que ellos llegaran no eran gente.

Te comprometiste a renovar el sueño americano, a reconstruir el país (que, por lo que aseguras, debía de estar destruido), y dijiste que pondrías en práctica como presidente las mismas tácticas y estrategias que seguiste como hombre de negocios al frente de tus empresas. «Tenemos un potencial tremendo», lanzaste en esa costumbre tan habitual de los recién llegados de creer que nada había o nada se hizo bien antes de ellos. Adanismo es el nombre de la especie. Cuarenta y cuatro presidentes anteriores durante doscientos cuarenta años quedaron en paradero desconocido con solo pasar a la siguiente página del discurso.

Y entonces llegó tu mejor momento, Donald. Ese en el que descubrías ante el mundo el secreto de tu victoria, el punto fundamental que, en su ceguera, habían sido incapaces de ver los analistas, los periodistas, los políticos, los *lobbystas*, los diplomáticos, los sociólogos y las élites económicas: «Los hombres y mujeres olvidados de nuestro país, nunca más quedarán en el olvido». Fue ahí, en ese momento de la madrugada, cuando muchos se dieron cuenta de su error. Habían olvidado a los olvidados. Y esta vez los olvidados había decidido dejar de serlo.

EL TRUMP KEYNESIANO

Entonces fue cuando te pusiste keynesiano (a los empresarios de la construcción les encanta Keynes: que las administraciones públicas les den el dinero de los contribuyentes y ya construirán ellos) y prometiste a tus compatriotas darles trabajo con la recuperación de las ciudades del interior del país, con la reconstrucción de autopistas, puentes, túneles, aeropuertos, escuelas y hospitales. «Vamos a reconstruir nuestras infraestructuras, y pondremos a millones de personas a trabajar».

Prometiste doblar el crecimiento económico, porque «ningún sueño ni ningún desafío es demasiado grande; nada que deseemos para el futuro está más allá de nuestras posibilidades. América ya no se conformará con nada que esté por debajo de lo mejor».

Y antes de despedirte lo dejaste claro, Donald: «Aunque la campaña ha terminado, nuestro trabajo en este movimiento acaba de empezar». Y a ello te pusiste, mientras Hillary, no muy lejos de allí, seguía oculta en su habitación.

Sí, Hillary, aquella noche te echamos de menos. Solo cuatro años antes, en 2012, Mitt Romney asumió la derrota frente a Obama con altura de miras y responsabilidad hacia su país, y apareció ante sus seguidores sereno, sonriente y sabiendo del papel constitucional no escrito que tienen los perdedores. Porque solo hay presidente si alguien pierde las elecciones. Y habías perdido tú. Es la democracia.

Y reconocerás que Donald fue gentil, por una vez. Mientras te
mantenías enclaustrada, él, en su primer discurso como presidente
electo, habló bien de ti y de tu familia, de tu intensa campaña (Trump
la calificó como «dura», un eufemismo poco habitual en alguien que
presume de llamar a las cosas por su nombre). Y cuando pasaron
unos días te salvó de nuevas humillaciones. Al menos pudiste relajar
las tensiones provocadas por tu inesperada derrota gracias a que Donald dijo en *The New York Times* que no te llevaría ante los tribunales de justicia. ¡Qué descanso! El presidente electo se puso presidencial y magnánimo. Sí, es verdad que había sido el primer candidato
de la historia que había amenazado a su rival durante la campaña
con meterla en la cárcel. Y es igual de cierto que los seguidores de
Donald se rompían la voz gritando en los mítines que te encerraran.
Se quedaba corto Donald cuando decía que la campaña había sido
dura. Pero te absolvió. Y no es esa una competencia presidencial,
porque reside en los tribunales. Aunque el presidente manda mucho.
Lo sabes por Bill. Ya no lo sabrás por ti misma.

Pero aquella madrugada del 9 de noviembre te echamos en
falta, Hillary. Solo a la mañana siguiente, y después de varios retra-
sos sobre la hora que había anunciado tu equipo de colaboradores,
por fin te hiciste presente ante nosotros. Te aplaudieron. Durante
largo rato. Habían perdido, pero no habían dejado de quererte.
Reconociste la victoria de Donald, al que deseaste «éxito como
presidente de todos los americanos». Y reconociste también la tris-
teza de todos, y la tuya. En la derrota te negaste a abandonar eso
que quizá te hizo mucho daño electoral: la corrección política.

Fue el motivo por el que quisiste enumerar a «las personas de
todas las razas, religiones, hombres y mujeres, inmigrantes, LGBT
(lesbianas, gays, bisexuales y personas transgénero) y personas con
discapacidad». Firme hasta el final. El principio del respeto por todos no cambia. Y era la forma de reivindicar que ellos, todos esos
sectores sociales, estaban de tu parte, aunque no fuera en número

suficiente. Tu discurso duró diez minutos más que el de Donald. Explicar las derrotas puede ser, a veces, más complicado que celebrar las victorias.

Y, SIN EMBARGO, HILLARY GANÓ

Y sin embargo, ganaste. Sí, Hillary, ganaste. El voto popular fue tuyo. La simple suma de votos, en un duelo electoral entre dos (con algunos candidatos menores), fue a caer de tu parte. Para nada. Era inútil. Pero la victoria en el voto popular no te la podrá quitar nadie, nunca más.

A Gore le pasó lo mismo, ¿recuerdas? Sí, en el año 2000. También Al perdió la maldita Florida. Incluso por menos diferencia de votos que tú. Dicen que apenas 537 votos mal contados. Sí, muy mal contados, porque estuvieron dando vueltas a aquellas famosas papeletas mariposa durante treinta y seis días eternos. ¡Qué injusto fue aquello, verdad! Nunca quedó del todo claro ese recuento, ni parcial ni total sino todo lo contrario, con tribunales locales y estatales metiendo sus sucias manos en las urnas de la democracia, hasta que el caso terminó en la Corte Suprema, una institución con más carga política que el propio Congreso de los Estados Unidos.

Sí. Al no perdió, en realidad, por los votos de Florida. Perdió en la Corte Suprema por cinco votos a cuatro. No se ha visto nada igual: ¡un presidente elegido por los jueces! Al Gore no fue presidente, y sí lo fue George W. Bush. Por eso Al, el vicepresidente de Bill, se ha pasado el resto de su vida presentando sus conferencias sobre el calentamiento global con el chiste fácil de que «soy el exfuturo presidente de los Estados Unidos». Exfuturo presidente. Ingenioso, Al.

Tú también, Hillary, eres la exfutura presidenta. Lo fuiste dos veces: en 2008 y en 2016. ¡Maldito Barack! ¿Por qué no esperaste tu turno? Hillary podría haber sido presidenta en 2008, como estaba escrito, y tú hubieras ganado de calle en 2016. Habríamos tenido, como siempre quieren los líderes y los ciudadanos europeos, dos presidentes demócratas seguidos. Y, además, ya hubiéramos tenido una mujer presidenta y un presidente negro. ¡Qué más se podía pedir! ¡Qué mayor corrección política! ¡Qué mayor justicia para las mujeres y para las minorías raciales! Todo, muy progresista. Todo muy nuestro, Barack. Tenías tiempo, Barack. Eras joven. ¿Para qué las prisas?

Pero sí, Hillary, ganaste el voto popular, igual que Al, que consiguió 543.895 votos más que George. Tu amigo George. Sí, el de la familia Bush. Gran familia, ¿verdad? ¡Cómo os queréis ahora los Bush y los Clinton! Los Bush ni siquiera votaron a Trump, y lo dijeron en público. Siempre se lo agradecerás. Solo fue un gesto, pero es importante, aunque en 2000, ese extraño sistema del Colegio Electoral hiciera a George presidente, cuando tuvo 50.456.002 votos, mientras que Al consiguió 50.999.897. ¿A quién se le ocurrió eso tan raro del Colegio Electoral? ¿Quién pensó que sería buena idea ignorar el número total de votos y elegir al presidente en función de un endiablado sistema por el cual quien gana un voto más en un estado se lleva el ciento por ciento de la representación de ese estado?

El voto popular *versus* el Colegio Electoral

Sí, Hillary, ya sabemos que en toda la historia electoral americana, solo cinco veces en 58 elecciones a los largo de 240 años de democracia ha ocurrido que el voto popular haya sido contrario al resultado final de la elección. Pero cinco empiezan a ser multitud, ¿verdad? Especialmente, si dos de esos casos se han producido desde el año 2000 hasta hoy, y siempre han perdido los mismos.

Ya sabes, Hillary, mejor que cualquiera de nosotros, que a lo largo de dos siglos se han presentado en el Congreso más de setecientas peticiones de revisión del sistema electoral para la presidencia de los Estados Unidos. Y ni una sola de ellas ha prosperado. Ni siquiera te hicieron caso a ti, cuando ya advertiste del anacronismo del método porque Al salió derrotado a pesar de ganar. ¿Quién te iba a decir que dieciséis años después te pasaría lo mismo a ti? Incluso peor, porque tú conseguiste una diferencia bastante mayor con respecto a Donald en el voto popular.

Y, qué curioso, a Donald tampoco le gustaba el sistema del Colegio Electoral. Lo pudiste leer en sus tuits. Escribió uno con motivo de las elecciones de 2012 diciendo que «el Colegio Electoral es un desastre para la democracia». Y cuatro años después, cuando te ganó gracias al Colegio Electoral, dijo que «es genial, porque permite la participación de todos los estados en el juego, incluidos los más pequeños».

Pero todo tiene un porqué, Hillary. No hay efecto sin motivo. Los padres fundadores de la nación no creyeron que fuera buena cosa que el presidente saliera elegido de forma directa por el voto popular. Había, pensaban, que ponerle una pausa al método; una segunda lectura por parte de un grupo de personas, llamadas electores, que «estuvieran más capacitadas para analizar las cualidades y actuar bajo unas condiciones favorables de deliberación, con el fin de llegar a una decisión juiciosa» sobre si el presidente debía ser aquel que había sido más votado por la gente. Otra vez la gente. Así lo explicaba Alexander Hamilton, uno de los redactores de la Constitución. Sí, esa que empieza con las tres palabras más bellas jamás utilizadas para poner en marcha el motor de la democracia: «Nosotros, el pueblo». *We the people*.

Pero una parte de ese pueblo no aceptó tu victoria, Donald. Algunos se manifestaron en las calles porque no les gustó el resultado de las urnas. Protestaban contra aquellos conciudadanos que habían votado lo contrario… O protestaban contra los conciudadanos que habían votado lo contrario, cuando esos que ahora protestaban pudieron votar y no lo hicieron, y de repente se quejaban del resultado… O protestaban contra los conciudadanos que habían votado lo contrario, cuando pudieron votar por Hillary y prefirieron hacerlo por el Partido Verde, cuya única opción real era la de dividir el voto de los progresistas y entregar el poder a Trump… En el pecado llevan ahora la penitencia: el partido ecologista ayudó a que ganara quien quiere acabar con todas las medidas para frenar el calentamiento global. ¡Qué cosas!

Porque sí, Hillary, es cierto que si los votos de los Verdes hubieran sido para ti, quizá hubieras ganado algunos estados que perdiste, como Michigan o Wisconsin. Y sí, es lo que le pasó en 2000 a Gore: si quienes votaron a los Verdes en Florida hubieran votado por Al, George W. Bush nunca hubiera sido presidente, y quizá no hubiera habido guerra en Irak, y quién sabe qué cosas más hubieran dejado de pasar. Quién puede saberlo…

Y resulta, Donald, que otros varios millones de tus conciudadanos llegaron a firmar una petición en *Change.org* para que los componentes del Colegio Electoral rompieran su fidelidad de voto hacia el vencedor y se lo entregaran a Hillary, haciendo caso así de lo dictaminado por el voto popular. Pero esas cosas no pasan en los países normales, si es que queda de eso. Y Hillary nunca hubiera aceptado la presidencia en tales términos. ¿Verdad, Hillary? Dignidad, ante todo. Sentido de Estado. Responsabilidad histórica. Pero, ¿y si fuera cierto que te habían robado la presidencia?

Pues resulta, Donald, que la líder del Partido Verde, Jill Stein (sí, la que dividió el voto de centro izquierda y facilitó tu victoria), se puso después a recaudar fondos para exigir un recuento de los votos en Michigan, Wisconsin y Pennsylvania, porque consideraba que algún malvado *hacker* ruso había manipulado los resultados. Y, quién sabe, quizá fuera cierto.

Y LOS CLINTON SE UNIERON A LA TEORÍA CONSPIRATIVA

Pero, cierto o no, la puesta en marcha de esa exigencia de recuento movilizó otra vez a tus enemigos, Donald. Se volvieron a poner en pie veinte días después de tu victoria. La presión fue, de nuevo, insoportable. Los medios, los malditos medios, concedieron tiempo y espacio a esas ¿patrañas? sobre los *hackers* rusos. Y hasta doblegaron la aparente (solo aparente) inicial resistencia de los Clinton, que, con mucha dificultad, habían admitido (y, con aún más dificultad, asumido) su derrota. De repente, un tal Marc Eric Elias, otro de esos abogados progresistas a los que tanto detestas y que resultaba ser el consejero general de la difunta campaña presidencial de Hillary, publicó un texto en una web, de esas posmodernas, llamada *medium.com*. Y cuando leíste aquello te zambulliste en un intenso episodio de ira incontenible.

Elias aseguraba que «la campaña de Clinton había recibido cientos de mensajes, emails y llamadas pidiéndonos encarecidamente que hagamos algo, cualquier cosa, para investigar la acusación de que el resultado de las elecciones fue hackeado y alterado para perjudicar a la secretaria Clinton. La preocupación es mayor, en particular, con respecto a Michigan, Wisconsin y Pennsylvania, tres estados que juntos fueron decisivos en la elección presidencial, y donde la diferencia para la victoria de Donald Trump fue, en total, de 107.000 votos». Para añadir algo de precisión, Trump ganó oficialmente en Wisconsin con una ventaja de 22.748 votos sobre Clinton; en Michigan, por 10.704; y en Pennsylvania, por 44.292. Pero, en total, los americanos concedieron a Hillary Clinton 65.788.567 votos, y a Trump 62.955.343. La diferencia a favor de Hillary en el voto popular fue de 2,8 millones. Nunca un presidente había perdido por una distancia como esa. Nunca el perdedor (la perdedora) había conseguido tantos votos.

Elias recordaba, también, el alto grado de interferencia exterior que se había producido durante la campaña, con el *hackeo* de emails de miembros del Comité Nacional Demócrata, y la cantidad de noticias falsas que el gobierno de Rusia había hecho circular en los días previos a la votación.

Y entonces es cuando Elias nos desveló un secreto hasta entonces muy bien guardado. Al contrario de lo que se suponía, «desde el día siguiente a las elecciones hemos tenido abogados y especialistas en análisis de datos revisando los resultados para detectar anomalías que pudieran sugerir un posible *hackeo*». Sí, Donald: los Clinton no se habían rendido en la noche electoral. Esta vez tampoco. Y entonces llegaste a la irritante sensación de que Hillary estaba siendo injusta y hasta vil contigo. Volvía la *nasty woman* a la que insultaste en aquel debate.

Elias reconocía en su escrito que buena parte de esas reuniones de trabajo a la búsqueda de evidencias de fraude «se han realizado en privado, hasta que desafortunadamente se filtró al menos una de ellas». Y entonces, Donald, creíste que estaban conspirando contra ti en las sombras, porque la reunión que se filtró fue una en la que estaba nada menos que el jefe de la campaña de Hillary, John Podesta, con varios expertos informáticos como Alex Halderman, especialista en sistemas electorales. Aunque el propio Halderman, a pesar de estar convencido de que quizá sí hubo irregularidades, también aseguró en público que eso no cambiaría el resultado final. No cambiaría tu victoria.

Pero algún motivo tenía Hillary para no rendirse, porque como señala Elias, «Clinton lidera el voto popular por más de dos millones», (finalmente fueron en torno a tres millones), y eso sin que aún hubiera terminado el recuento completo. Para algunos, para muchos, resultaba imposible de creer que una diferencia de esa envergadura diera como resultado final la elección del perdedor. Ni siquiera el infernal sistema del Colegio Electoral podía llegar a tener una consecuencia como esa.

Los Clinton eligieron que Elias fuese el portavoz de aquella tímida ofensiva por su condición de abogado y por ser un elemento de segundo o tercer nivel político en su campaña, además de poco mediático. De esa manera, si llegaba el día en el que hubiera que dar marcha atrás en las insinuaciones-acusaciones sería más fácil hacerlo, que si se mojaba el jefe de campaña Podesta o, aún peor, la propia Hillary. Y, además, los Clinton se ponían al rebufo de la líder del Partido Verde, Jill Stein, dejando que la iniciativa fuera suya, para mancharse lo menos posible ante una posible, y muy previsible, derrota final en el recuento o en los tribunales. Si hay riesgo de hacer el ridículo, que sea lo menos posible.

Pero, sí Donald, te lo tomaste como el reinicio de la guerra. Habían vuelto las hostilidades. Con lo amable que habías sido cuando hablaste bien de Hillary en la noche electoral. Y lo aún más amable que fuiste días después cuando renunciaste a una de tus promesas electorales más altisonantes: la de nombrar un fiscal especial que investigara si Hillary Clinton debía ir a prisión por el escándalo de sus emails, o por cualquier otra cosa, o por todas esas cosas a la vez. Y ahora, los malditos Clinton te devolvían así el favor: dando crédito a las teorías de la conspiración sobre un *hackeo* ruso de los resultados electorales… De repente, eso de lo que tanto te beneficiaste durante la campaña electoral, los rumores, las medias verdades y las obvias falsedades, se volvía en tu contra, porque sí: resultaban creíbles.

Y TRUMP CUESTIONÓ LA LIMPIEZA DE LAS ELECCIONES

Y entonces, en aquel domingo 27 de noviembre en el que hacía pocas horas que habías celebrado en público la muerte del «brutal dictador» Fidel Castro, los dedos se te escaparon de las manos para tuitear aquello que nunca debe tuitear todo un presidente electo.

Porque un presidente electo ya no es solo un ser humano, es una institución, y las instituciones no pueden hablar con el hígado. Tú lo hiciste. Empezaste por una burla despreciativa hacia los «derrotados y desmoralizados demócratas» que se unían a la petición de recuento de los Verdes. Después añadías que los demócratas, cuando todavía creían que iban a ganar, te habían exigido a ti que aceptaras el recuento de la noche electoral sin rechistar. Tenías razón. Y al tercer tuit te lanzaste directamente a la yugular de Hillary, recordando cómo te llamó aquella noche del 8 de noviembre para reconocer tu victoria, y cómo lo dijo después en público; cómo había hablado de «elecciones libres y limpias»; y cómo antes te había criticado cuando en plena campaña te negabas a confirmar que fueras a aceptar el resultado si no ganabas.

Y, entonces sí, los dedos escribieron solos: «Además de ganar por una enorme distancia en el Colegio Electoral, gané el voto popular si se deducen los millones de personas que votaron ilegalmente». Caíste en tu propia trampa, Trump: ¿cómo se puede defender la limpieza de tu victoria si en la frase siguiente aseguras que «millones de personas» votaron de forma ilegal?

Rompiste el molde. La acusación era gravísima, especialmente si la realiza el presidente electo, y sin aportar una sola prueba. Y, como consecuencia, conseguías dar verosimilitud a la teoría de que, en efecto, se había podido producir un fraude electoral. Más aún: si el presidente electo considera que se ha producido un fraude electoral masivo, razón de más para realizar una investigación igual de masiva, recontando otra vez todos los votos. Es mejor que nadie se quede con la duda.

Pero la duda seguía viva en aquellos días de noviembre de 2016, incluso después de que el gobierno de los Estados Unidos hubiera hecho pública una nota informativa en *The New York Times* asegurando que «los resultados electorales reflejan el deseo del pueblo americano», y que «el gobierno federal no ha observado un incremento en el nivel de actividad cibernética maliciosa» para afectar al proceso electoral. «Seguimos confiando en la integridad general de la infraestructura electoral, una confianza que se confirmó el día de las elecciones. Como resultado, creemos que nuestras elecciones fueron libres y justas desde una perspectiva cibernética». Dicho por la administración Obama. Pero aquella nota apenas tuvo eco. Y, desde luego, no frenó las dudas ni las insinuaciones ni las acusaciones directas. La verdad no siempre resulta más atractiva que las teorías conspirativas. Y, Donald, entraste en pánico tuitero.

Aún más, en diciembre la CIA entregó un informe al Senado en el que confirmaba cómo Rusia había tratado de interferir en la campaña y en el resultado de las elecciones. Sus hackers se habían colado en los sistemas informáticos de partidos e instituciones. Y quién sabe si también pudieron modificar los datos del recuento en los Estados clave. La CIA no lo descartaba.

Pero, a pesar del ruido ambiente, ya en aquellos días de noviembre de 2016 parecía muy improbable, incluso imposible, que un recuento en Michigan, Wisconsin y Pennsylvania pudiera alejarte del poder. Sí, había dudas razonables sobre irregularidades en el voto en esos estados, especialmente en lo que se refería al voto no presencial. La sospecha de que un ciberataque desde el exterior (todos apuntaban a Rusia) hubiera cambiado el resultado real de las elecciones tenía fundamento, pero carecía de pruebas relevantes. La duda solo se resolvería con un recuento completo, y ni siquiera eso era seguro que sacara de dudas al país. La propia campaña de Clinton reconocía esa realidad, aunque hubiera hecho un guiño solidario hacia sus deprimidos seguidores. Todos sabían que las elecciones estaban perdidas salvo un milagro que, por su propia naturaleza, es muy improbable. Ni siquiera los más afines, como algunos representantes del Partido Demócrata en las entidades públicas encargadas del control electoral, consideraban que fuera realista aspirar a un cambio en el resultado. Tendrían que revisarse los votos de esos tres estados, y para ser presidenta Hillary tenía que ganar ese recuento en los tres. Solo con dos no era suficiente.

En su desesperación, los más arrojados demócratas pensaron entonces en un plan C: convencer a los electores del Colegio Electoral para que votaran en contra de su mandato de elegir a Donald Trump. El 13 de diciembre se hacía pública la lista completa de los 538 electores, y el 19 de diciembre —un mes y un día antes de la toma de posesión del presidente— se efectuaba la votación. Lo normal es que nadie preste atención a este trámite. Pero en estas elecciones nada se ha ajustado a la normalidad, tal y como la conocíamos. Por eso, algunos electores demócratas trataban de influir en sus colegas republicanos para que asumieran su derrota en el voto popular y trasladaran ese resultado al del Colegio Electoral. Pero ese camino también estaba salpicado de trabas. La principal, que los electores republicanos querían un presidente republicano, como parece de rigor. Pero además, en veintinueve Estados y en el Distrito de Columbia hay leyes que obligan a los electores a votar lo que les han ordenado los ciudadanos en las urnas, aunque la sanción para quien no lo haga es poco disuasoria por escasa. Y, en medio de todo esto, apareció la CIA, que se fue al Senado a decir que Rusia te había ayudado a ganar las elecciones con sus campañas de engaños y sus intentos (quién sabe si su éxito) de *hackear* el sistema de votaciones en los estados clave de Wisconsin, Michigan y Pennsylvania. No consiguieron su objetivo, pero sí dañaron tu imagen. A las teorías conspirativas que tú alentaste, ellos respondieron con otras teorías conspirativas para dañarte. Maldito Obama. Malditos Clinton. Maldita CIA. Maldito John McCain, que dice ser republicano, pero que siempre se alía con los demócratas. Malditos todos.

Pero nadie iba a arrebatarte, Donald, lo que te habían entregado la noche del 8 de noviembre. Habías conseguido lo que nunca imaginaste que conseguirías, porque pasaron cosas que ahora son más fáciles de entender y analizar que antes de la votación. Como explica tu asesor Luis Quiñones, ganaste las elecciones porque «el 78 por ciento de los ciudadanos están preocupados por el estado económico, social, de seguridad y moral de su país. Porque los votantes olvidados que normalmente no participan en votaciones decidieron cumplir con su deber de ciudadanos y votar contra el *establishment* corrupto e inefectivo. Porque la deuda del país se había disparado y hay que devolverla. Porque no ha habido un plan para frenar el terrorismo y resolver los conflictos en los países árabes. Porque los votantes están enojados con la corrupción y el sistema que ha permitido a los políticos que actúen con impunidad. Porque la actitud de Obama de dedicarse a hacer viajes de vacaciones y jugar golf le ha costado más de 5.000 millones de dólares a los contribuyentes. Porque el desempleo real está en más del 14 por ciento, y los porcentajes que da el gobierno y que son publicados por la prensa son falsos. Porque solo consideran oficialmente como paradas a las personas que se han apuntado a las listas del desempleo por primera vez durante un mes concreto. Muchas de las personas que no encuentran trabajo dejan de ser contadas en el informe, igual que aquellas que dejan de recibir ayuda. Y esas ayudas a los parados están limitadas normalmente a solo seis meses».

LA ERA DE LAS MENTIRAS

Son razones contundentes, Donald. Y Luis Quiñones tiene más: «Creo que la razón número uno es que Obama se alejó de los valores morales y espirituales del país. Los votantes no están de acuerdo con las prioridades socialistas y los cambios en la defensa nacional. En nuestras visitas a las áreas rurales los comentarios siempre eran parecidos. Nos decían que el país está en la ruta equivocada, porque el 2 por ciento de la población está dominando al otro 98 por ciento. Porque los cambios van contra la moral de los cristianos y de otras religiones. Porque la economía está estancada y no hemos tenido más de un 2 por ciento de crecimiento. Y, por encima de todo, porque siempre hay que poner en primer lugar el patriotismo, el amor al país y los valores».

Ya sé, Hillary, que los datos que aporta Quiñones y que son parte del argumentario de Trump pueden ser cuestionados y hasta desmentidos por otros datos oficiales que, a su vez, serán desmentidos también. Pero vivimos en eso que Ralph Keyes ha definido con tino como la era de la «posverdad». ¿A quién le importa la verdad en estos tiempos de Internet? La verdad es como la objetividad de los medios y de los periodistas. Muchos espectadores, oyentes o lectores de medios solo consideran que algo que les cuentan es un dato objetivo si coincide con su punto de vista. Si no les gusta el dato, si no confirma sus creencias previas, si desmonta su chiringuito ideológico, aunque sea cierto lo considerarán falso, y a quien lo cuenta le acusarán de manipulador. Hubo un tiempo en que se elegían las opiniones. Ahora se eligen los hechos.

Lo que ocurrió, Donald, lo sabes tú mejor que nadie, es que los medios te hicieron, te hicimos, una campaña a coste cero. Como consecuencia, tú fuiste presidente y algunos ganaron mucho dinero gracias a eso.

¿Sabes dónde está Macedonia? Seguro que sí. Es un pequeño país de los Balcanes, al que casi nadie presta demasiada atención. Pero hay tipos listos allí. Te gustaría conocerlos, porque quizá te reconocieras a ti mismo décadas atrás.

Resulta que unos macedonios de edad adolescente vieron que la campaña electoral americana y, en especial tú, podíais ser un buen motivo de negocio. Porque la estupidez humana es como los desplomes de la bolsa, que si se saben aprovechar también generan recursos económicos. Pero hay que ser espabilado y esos chicos de Macedonia lo son. Viven en el más allá, en una ciudad llamada Veles, una vieja villa del antiguo Imperio Bizantino, de poco más de 40.000 habitantes, a las orillas de un riachuelo llamado Vardar. La realidad es que no hay mucho que hacer en Veles. Y quizá por eso, para romper el aburrimiento, estos chicos avizoraron un buen negocio y empezaron a crear páginas web, hasta cerca de ciento cincuenta funcionando a la vez y en coordinación. Sí, Donald: unos muchachos de Macedonia crearon blogs en Internet, escritos en inglés (bendita educación bilingüe) dedicados a las elecciones americanas. Y, para ajustar más la medida de precisión: dedicados a satisfacer las ansias de tu gente.

¿Para qué? Para difundir noticias tan llamativas como falsas. ¿Por qué? Para ganar dinero. Los efectos políticos no son de su incumbencia.

Se pusieron a fabricar titulares impactantes sin un solo dato cierto, y utilizaron estrategias inteligentes para posicionar sus webs en Google y utilizar el efecto multiplicador de las redes sociales Twitter y Facebook. La estupidez humana y el odio político hacia Hillary, hacia los demócratas, hacia las élites y, en general, hacia el *establishment* hicieron el resto del trabajo. Los chicos de Macedonia publicaban una noticia falsa tras otras en contra de Hillary. Por ejemplo, que el papa había dado su apoyo a Trump, o que Hillary había dicho tiempo atrás que Trump debería presentarse a la presidencia, o que Hillary sería imputada en 2017 por el caso de los emails. Y esas noticias se viralizaban en la red hasta alcanzar su objetivo único, que era ganar dinero. ¡Enséñame la plata!, como gritaba aquel personaje de la película *Jerry Maguire*. Y, mientras, Hillary sufría. Sí, Donald, sufría mucho.

Las webs tenían nombres impactantes como *USConservative-Today.com*, *WorldPoliticus.com*, *USADalilyPolitics.com*, o los mucho más evidentes *TrumpVision365.com* o *DonaldTrumpNews.com*. Todo lo que allí se leía iba dirigido a satisfacer los más bajos instintos políticos de los seguidores de Trump, cuya visceralidad alimentabas, Donald, en cada mitin. Solo por error contaban alguna verdad.

Es una técnica, la de la falsedad llamativa, con algún recorrido incluso entre los medios considerados serios. Muchas webs de periódicos ilustres utilizan casi a diario la táctica de poner un titular con determinadas palabras que saben, con certeza ya confirmada por el tiempo y el uso, que provocaran muchos clics y, como consecuencia, más ingresos publicitarios. Por ejemplo, las palabras «sexo» o «porno» colocadas en un titular multiplican las visitas a la página. La humanidad es así.

EL MUNDO DE LOS QUE ODIAN

Aplicada esta estrategia a la política, la situación no es muy distinta. Consiste en aprovecharse de los llamados *haters*, los «odiadores», aquellos que han encontrado en Internet la fórmula para desahogar sus frustraciones y han convertido las redes sociales en el estercolero de su rencor. Odian y lo pueden poner por escrito en la red, sin que nadie sepa su nombre. Y los odiadores no suelen ser personas muy sofisticadas. Entran con facilidad al trapo colocado por quienes fabrican noticias falsas para hacerse ricos y/o por motivaciones políticas. El odio es bastante tonto. Y muy generoso.

Paul Horner es otro experto en la materia. Las falsedades son su especialidad. Ha creado varias webs para mentir en ellas y dar luego repercusión a lo publicado a través de las redes sociales, para ganar dinero. Algunas de sus mentiras fueron retuiteadas por ti, Donald, y hasta comentadas como si fueran ciertas en programas de televisión.

Y, una vez más, apareció Rusia. El diario *The Washington Post* puso en marcha una investigación según la cual el gobierno ruso había implementado durante la campaña americana una maquinaria de difusión de las noticias falsas sobre Hillary Clinton, para que tuvieran mayor repercusión en las redes sociales. Desde Moscú también se lanzaban engaños sobre la salud de Hillary, que de inmediato eran asumidos como ciertos por las webs de la extrema derecha americana y debatidos en radio y televisión. Dice el *Post* que los rusos se colaron en los ordenadores de funcionarios electorales en varios estados y *hackearon* sus cuentas de correo para publicar después su contenido. El informe señala que unas doscientas webs rusas creadas al efecto tuvieron impacto en quince millones de ciudadanos americanos, y que algunas de las historias inventadas fueron vistas más de doscientos millones de veces en las redes sociales.

Es una demostración más, Donald, de que las mentiras tienen éxito cuando el engaño coincide con el interés particular del receptor. Si la mentira confirma la tesis de quien la lee, entonces no es mentira. Como dijo Nixon autoabsolviéndose después de cometer las ilegalidades que le obligaron a dimitir: «Si lo hace el presidente, entonces no puede ser ilegal». Haga lo que haga.

Pero nada de esto se detuvo con tu victoria, Donald. ¿Te suena el nombre de Eric Tucker? Sí que le conoces. Intenta recordar: es uno de los tuyos, tiene treinta y cinco años y vive en Austin, la capital de Texas. Es un tipo normal, de eso que os gusta llamar la clase media trabajadora blanca. ¿A que todavía no has olvidado las manifestaciones contra ti justo después de las elecciones? Claro que no. Te enfadaste mucho con esos americanos que no te quieren. Y entonces apareció Eric. En una calle del centro de Austin vio una larga fila de autobuses aparcados. Era extraño, porque no recordaba haber visto algo así en ese lugar. Hizo algunas fotos. Luego vio en televisión que varios cientos de personas se habían manifestado contra Trump muy cerca de allí. Entonces, el instinto se desató dentro de Eric. Consideró una evidencia indiscutible que alguien con mucho dinero había pagado los autobuses para trasladar a Austin a esos manifestantes. Lo que, a su vez, significaba que aquellas protestas no eran improvisadas, sino que alguien las preparaba y las financiaba. Era de una lógica incuestionable, ¿verdad Donald?

Eric hizo eso tan simple de escribir algo menos de 140 caracteres en su cuenta de Twitter y colgar la foto de los autobuses: «Los manifestantes anti-Trump de Austin no son tan inocentes como parecen.

Estos son los autobuses en los que han venido».Y luego colocaba los *hashtags* pertinentes: #falsosmanifestantes #trump2016 #austin.

Un solitario tuit lanzado por un tuitero de Austin encontró rápido traslado a cientos de miles de personas cuando las redes entraron en juego, se multiplicaron los retuits, y el mensaje se convirtió en un titular en los medios, con apariencia de veracidad: «Última hora: ¡encuentran los autobuses! Decenas de ellos, aparcados a pocas manzanas de la manifestación de Austin».Y con un añadido tan campanudo como igualmente falso: «Los ha pagado George Soros». Al autor del dato inventado se le escapaban los efluvios conspiradores por la emoción.

A partir de ese momento, el titular empezó su imparable circulación por Twitter, Facebook y los blogs conservadores. Tú mismo, Donald, quizá llevado por la pasión, tuiteaste que los «manifestantes profesionales, incitados por los medios, están protestando».

¿A QUIÉN LE IMPORTA LA VERDAD?

Cuando la historia de los autobuses de Austin había sido compartida centenares de miles de veces, una televisión local tuvo la iniciativa periodística de llamar a la compañía de autobuses para informarse. Allí le dijeron que los vehículos habían sido contratados para trasladar a los participantes en un inocente y apolítico congreso de una empresa informática. Esa era la verdad, toda la verdad y nada más que la verdad. Pero ¿a quién le importa la verdad, pudiendo disponer de una mentira que va a favor de esos intereses políticos particulares? ¿Y a qué receptor cegado por la pasión y por el odio van a ser capaces de convencer de que aquello que le han dicho, y que tanto le gusta oír, no es cierto?

Es lo que pasó aquella mañana de principios de diciembre de 2016, un mes después de las elecciones, cuando Edgar amaneció

muy enfadado en su casa de Salisbury, en el estado de Carolina del
Norte. Llevaba días leyendo historias terribles en Internet. Los malditos Clinton ya eran personajes despreciables para este muchacho
de veintiocho años desde mucho antes, pero después de conocer el
alcance del Pizzagate Edgar consideraba que debía hacer algo para
terminar con la depravación de Bill y Hillary. Y lo haría él.

Edgar Maddison Welch metió en su coche un rifle de asalto
AR-15, un revólver Colt del calibre 38 y una escopeta. Condujo
durante más de cinco horas en dirección norte, hasta llegar a su
destino: el restaurante de pizza Comet Ping Pong, situado en el
acomodado barrio de Chevy Chase, al noroeste de Washington.
Edgar aparcó su Toyota, salió del coche con el rifle de asalto, entró
en el local y disparó hasta dejar vacío el cargador de su arma. Nadie resultó herido. O Edgar es muy mal tirador, o evitó delibera-
damente apuntar a las personas que estaban allí. ¿Por qué Edgar
hizo tal cosa?

Desde hacía tiempo se había difundido por Internet una más
de las miles de historias entretenidas y falsas que desde hace unos
años se han convertido en el alimento espiritual de millones de
individuos en el mundo. Muchos de ellos, en Estados Unidos. En
este caso, la historia era el Pizzagate. Se extendió por las redes sociales la especie de que Hillary Clinton y su jefe de campaña John
Podesta eran los responsables de una trama pedófila, que tenía su
centro de actuaciones en alguna sala escondida, dentro del local
que ocupa el restaurante Comet Ping Pong. Que el propietario del
restaurante, James Alefantis, sea un conocido partidario de los demócratas parecía ser la prueba definitiva de la veracidad de esta de-
lirante historia, según la cual en el Comet se abusaba de niños,
mientras Hillary y Podesta se enriquecían a su costa. La historia
surgió después de que se publicaran en WikiLeaks unos emails entre Podesta y el dueño del restaurante, que fueron esparcidos por
el mundo a través de Facebook y Twitter. Las redes sociales fueron

el sueño que Joseph Goebbels nunca pudo cumplir para llevar hasta el extremo su máxima de que una mentira mil veces repetida se convierte en una verdad.

El grado de sensatez de algunos ilustres seguidores y colaboradores de Donald Trump queda de manifiesto al comprobar cómo Michael G. Flynn, hijo del general retirado Michael T. Flynn, tuiteaba que «hasta que no se demuestre que #Pizzagate es falso, seguirá siendo noticia. La izquierda parece olvidar los emails de Podesta y las muchas coincidencias que le ligan a esto». Este tuit le costó el puesto. Pero a su padre no pareció costarle caro que antes de las elecciones también pusiera en circulación a través de Twitter rumores sobre lavado de dinero y crímenes sexuales contra niños, sugiriendo que Hillary era responsable de todo ello. Tras las elecciones, Trump nombró al autor de este tuit como Asesor de Seguridad Nacional.

La policía detuvo a Edgar, que fue ingresado en prisión sin fianza, dejando a dos hijos atrás. El dueño del restaurante, James Alefantis, siguió recibiendo amenazas de muerte. Y el Pizzagate no dejó de circular por Internet, con un añadido interesante: ya no solo era cierto que Hillary dirigía una trama de prostitución infantil, sino que además la policía había puesto en marcha un montaje protagonizado por el tal Edgar para extender una cortina de humo, y que Clinton pudiera librarse de la cárcel por pedófila.

Entre quienes expandieron este segundo capítulo del Pizzagate está James Fetzer, profesor de filosofía, convencido de que el gobierno de Estados Unidos provocó el 11-S, y de que el Holocausto no existió, sino que fue una invención del Mossad isarelí. Fetzer asegura que todo es parte de una conspiración para «embarrar a la prensa alternativa, que está sacando muchas verdades que los medios de comunicación masiva ocultan».

Cuando terminó la campaña y ganaste las elecciones, Google, Facebook y Twitter decidieron que quizá había llegado la hora de poner algún límite a la libre circulación de infundios a través de sus respectivas redes. Quizá. Pero ahora, ¿qué más da? ¿Qué más te da? Ya eres presidente.

Ahora lo que importa, Donald, es atar en corto a los medios tradicionales. Y no perdiste el tiempo. Dos semanas después de tu victoria ya empezaste a hacer eso que tanto gusta a los tuyos: darle duro a esos engreídos miembros de la canallesca. ¿Qué se habrán creído? ¿Pensaban que te ibas a arrugar durante la campaña? Les ganaste, Donald. Por encima de todo, ganaste a los jactanciosos periodistas y a los envidiosos dueños de los grandes medios de comunicación. Son ricos como tú, pero nunca te tragaron. Nunca quisieron concederte la categoría de ser uno de los suyos. ¡Malditos bastardos! Tarantino debería hacer otra película con ese mismo título, pero no sobre los nazis, sino sobre esa ralea de petulantes y vanidosos presentadores de televisión, analistas políticos y directores de periódicos que se creen el ombligo del mundo; que dan y quitan patentes de honradez; que quieren poner presidentes; y que se rieron de ti durante la campaña... Y ahora se vuelven locos por reunirse contigo... ¡Qué cosas, Donald!

Fuiste hábil, como siempre. Llamaste a tu vera a esos que salen cada noche por la televisión para dar doctrina, y a sus directivos. Y allí fueron a verte a la Trump Tower, a rendir pleitesía al presidente electo al que no habían conseguido derribar durante los meses previos a las elecciones. Y los humillaste. ¡Qué grande! Parecían achicarse, esos de los que dijiste durante la campaña que conformaban «la prensa deshonesta». Allí estaban, en el *hall* del rascacielos, esperando nerviosos a que el ascensor les llevara ante tu presencia: Wolf Blitzer de la CNN, Lester Holt de la NBC, David Muir y George Stephanopoulos de la ABC, Charlie Rose de la CBS... Era una reunión de esas que llaman *off the record*, para no contar lo que allí se dice. Pero en estos tiempos, las cosas ya no funcionan como antes. Decía *The New York Times* que no eres solo el comandante en jefe, sino el «crítico de la prensa en jefe»… No tienen aguante, estos chicos de las noticias. Mucho criticar, pero luego no soportan las críticas.

«Os equivocasteis», les dijiste. Sin reparos, con franqueza. Ahora eres el presidente, y si el presidente no puede decir lo que quiera, quién lo va a decir… Se tuvieron que poner en posición de firmes, y en primer tiempo de saludo, hasta de forma individualizada, porque te atreviste a confrontar con algunos de ellos citando su nombre, en presencia de los demás, que no eran pocos: había casi veinticinco periodistas delante de ti. Lo hiciste con Jeffrey Zucker, ese chulito presidente de la CNN. «Hemos apretado el botón de resetear», soltó después Kellyanne Conway, una de tus principales asesoras. Gran fichaje Kellyanne. Desparpajo, ante todo.

Resetear… ¡Qué ironía! A ti, Donald, lo último que te interesa es resetear a la prensa. Lo que te conviene es que sigan igual, dándote mandobles, porque cuanto peor te tratan, más votos consigues. Y durante la campaña te regalaron miles de horas de televisión y millones de centímetros de espacio en los diarios. Te hicieron más grande de lo que ya eras, y sin necesidad de pedírselo. Lo hicieron por propia iniciativa, porque generabas audiencia y eso es dinero. Mucho dinero. Era una *joint venture* muy exitosa, un negocio en el que ganabais las dos partes.

THIS IS MARKETING, BABY

Nunca has sido tímido, y ahora no tienes motivo alguno para cambiar esa actitud. Siempre has sabido dar ese toque tan tuyo que te hace ser recordado por los demás. Y se ha creado una cierta leyenda en torno a ti, hasta el punto de que ya no está muy claro si dijiste todas esas cosas que dicen que dijiste. En eso ya eres como Churchill. Es verdad que solo en eso, de momento. Pero hay una cita de la que se te concede la autoría y que, cierta o no, sí define tu estilo; ese que te ha llevado allí donde estás.

Eran los tiempos neoyorkinos de los amos del universo de Wall Street, que el maestro del impoluto traje blanco y el nuevo periodismo, Tom Wolfe, describió con fino detalle y humor amargo en *La hoguera de las vanidades*. En aquel Manhattan de los ochenta, los dólares brotaban por los huecos del asfalto desgastado, que el alcalde Ed Koch no alcanzaba a reparar antes de que se levantara otro pedazo de calle en el lado opuesto de la ciudad.

Era el Nueva York de las cenas *after work* de a 300 dólares por cabeza, con copas y sexo hasta la madrugada por otros 500 dólares, cuando el mercado de valores más impetuoso del mundo cerraba a media tarde después de haber roto, un día más, los techos históricos. Eran jóvenes, ganaban una cantidad indecente de dinero, tenían coches deportivos, apartamentos de lujo en Park Avenue, anteponían el sexo al amor y creían ser felices.

En aquella hoguera de vanidades ciegas y dólares que sobresalían de los bolsillos, te deslizabas, Donald, como un delfín, sin apenas rozamiento. Merodeabas por aquí y por allá. Proponías negocios con el dinero de otros, sin aportar un *penny* de tu propio bolsillo (un tipo listo), pero colocando tu nombre en lo alto de la puerta. «¡¡¡Soy el primer promotor inmobiliario de Nueva York!!!», dicen que dijiste en medio de una cena de negocios con incautos inversores extranjeros, deseosos de regalar su dinero a quien le prometiera la gloria de construir en la capital del mundo. «No eres el primero, Donald —te susurró al oído el responsable de una de las grandes constructoras de la ciudad—, eres el vigésimo quinto». Con tu conocido despliegue de desahogo, te arrimaste al colega y le diste una lección en apenas cuatro palabras y una coma: «*This is marketing, baby*».

A quién le importa la verdad. Tú decides lo que es verdad y lo que no. Si tú dices que eres el primer promotor de la ciudad, ellos te darán su dinero. Si dices que tienes miles de millones de dólares, te creerán. Si les prometes que construirás un muro en la frontera con México, te seguirán. Si amenazas con deportar a once millones de inmigrantes, te ensalzarán. «Podría disparar a alguien en la Quinta Avenida y aun así no perdería votos», soltaste en medio de un mitin de campaña, mientras apuntabas con tu dedo índice derecho al auditorio, y con el pulgar simulabas apretar el gatillo. Y no. No perdiste votos. *This is marketing, baby.*

Hay que proponer debates cargados de controversia, porque los medios son simplones y rápido te conceden espacio. La bronca vende. Y, mientras, Hillary ofrecía una campaña de tonos suaves y aburridos. Nada que vender. Cuando tu lema elevaba los espíritus patrióticos (hacer América grande otra vez), el de Hillary no había por dónde tomarlo (juntos, más fuertes). Eso dicen los expertos. Aunque lo dijeron después de conocer el resultado de las elecciones. Predecir el pasado es un poco más fácil. Pero la realidad es que tú, Donald, te mantuviste firme en tu eslogan desde el primer día y hasta el último, mientras que Hillary fue dando tumbos de un lado a otro, sin encontrar un mensaje claro en el que instalarse. Lo ha explicado muy bien Rance Crain, presidente de Crain Communications: «El mejor producto no necesariamente gana en el mercado. Y la mejor persona no necesariamente gana en la arena política. Gana la mejor estrategia de *marketing*». Y tú, Donald, la tenías. Y se vio, de forma muy clara, en las horas previas a las elecciones.

LA VICTORIA DE LA ANTIPOLÍTICA

«No soy un político», bramaste en los diez mítines de final de campaña que diste en diez estados en las cuarenta y ocho horas previas al 8 de noviembre. ¡Qué despliegue! «No soy un político», pero pedías el voto para ocupar el más alto cargo político sobre la faz de la Tierra. *This is marketing, baby.* Hay que establecer una seña de identidad, una imagen de marca, y no moverse de ella aunque las bombas caigan a centímetros de ti. Muchos te odiarán por ello, pero otros muchos te amarán. Y los que te amen te darán su voto, porque eres reconocible. Tú creas la noticia con un lenguaje altanero, amenazante y ofensivo. Ignoras las críticas y a quienes te critican, porque entrar a debatir con ellos es como concederles categoría de contraparte, y asumir que también tienen una razón legítima para debatir contigo.

Ahora, ese mensaje simple ha seducido a sesenta y tres millones de americanos, aunque sean tres millones menos que los que consiguió Hillary. En esto también has batido récords: nunca un candidato consiguió tantos votos… para acabar perdiendo; y nunca un ganador perdió con una distancia tan grande frente al vencedor. El lema *it's the economy, stupid* (es la economía, estúpido) había muerto. ¡Viva *this is marketing, baby!*

Y alcanzaste la presidencia, Donald; y Hillary no. Y te tocó gobernar, Donald; y a Hillary le tocó llorar por lo que pudo ser y no fue. El sueño de la primera dama que llega a ser presidenta ya no se cumplirá. No, en el caso de Hillary. Pero el futuro no está escrito. Y los Clinton nunca se rinden. Nunca. Bill ya pasó. Hillary ya pasó. ¿Y si Chelsea…? Quién sabe…